Histoire de la France

CARRÉ HISTOIRE

La politique en France

1815 à nos jours

5e ÉDITION REVUE ET AUGMENTÉE

Hubert Néant, *agrégé d'histoire et inspecteur pédagogique régional honoraire*

hachette SUPÉRIEUR

Pour Marie-Françoise

hachette s'engage pour l'environnement en réduisant l'empreinte carbone de ses livres. Celle de cet exemplaire est de : 1,200 kg éq. CO_2 Rendez-vous sur www.hachette-durable.fr

Imprimé en France par Dupli-Print à Domont (95)
Dépôt légal : Janvier 2020 – Édition n° 02 - N° d'impression : 2021012749
35/5246/2

La première édition de ce livre a été publiée sous la direction de Dominique Borne.

Réalisation: Nord Compo

www.hachette-education.com
I.S.B.N. 978-2-01-702563-4

Sommaire

TABLE DES DOCUMENTS

CARTES

CHRONOLOGIES

DISCOURS

TABLEAU

TEXTES

1

Les régimes

Depuis 1789, la France a connu trois monarchies, deux empires, cinq républiques, sans compter l'« État français » de Vichy. Se sont ainsi succédé treize constitutions ou chartes écrites, et huit plus précisément depuis 1814-1815. Les spécialistes, ironiques, taxent notre pays de « véritable musée institutionnel » ou de « plus grand producteur et consommateur de constitutions ». Disons d'emblée que cette succession de régimes ne s'inscrit pas dans une évolution politique et sociale linéaire, qui serait une sorte de « chemin vers la démocratie ».

Le caractère incertain de l'histoire constitutionnelle française tient à la difficulté d'assumer l'héritage de la Révolution de 1789, point d'ancrage ou pôle de répulsion de toutes les familles politiques. La Révolution traverse encore le XIX*e* *siècle, « tiraillée, remarque F. Furet, entre ceux qui veulent l'effacer, la terminer ou la recommencer. » Après 1871, une sorte de pause intervient pourtant, facilitée par la perspicacité d'Adolphe Thiers. C'est que trois régimes sont disqualifiés. Sedan a discrédité le bonapartisme, la Commune fait repousser toute république de type jacobin et le comte de Chambord ne connaît toujours que le drapeau blanc. L'instauration d'une république représentative, bientôt prise en main par les « opportunistes », apporte la durée et amorce la lente réconciliation nationale. Au moins jusqu'aux années trente – elles-mêmes assez troublées –, car 1940 marque le point de départ de nouveaux affrontements franco-français. Dans le domaine institutionnel, la IIIe République détient donc le record de longévité. Mais, ayant largement dépassé le demi-siècle, la Ve République, qualifiée souvent de « monarchie républicaine », détient, elle, le record des lois constitutionnelles de révision.*

« Cette expérience, fruit d'une tumultueuse histoire politique, et parfois de nos fautes, doit nous rendre modestes [...]. Il faut se garder de tout côté "donneur de leçons" [...] » disait Robert Badinter, alors président du Conseil constitutionnel, évoquant les consultations que lui demandaient, durant l'hiver 1989-1990, les dirigeants soviétiques, tchécoslovaques et roumains.

En abordant ce chapitre, on se souviendra que l'histoire d'une constitution inclut et celle de sa genèse et surtout celle de sa mise en pratique, et que ceux qui bâtissent les constitutions, en réaction aux régimes précédents, sont – sauf rares exceptions – moins préoccupés de l'avenir que du passé.

LA RESTAURATION (1815-1830)

La Charte : un compromis entre l'Ancien Régime et la Révolution

Au départ simple moyen de mettre fin à la vacance du pouvoir impérial, la Charte de 1814 a fixé, pour plus de trois décennies, un cadre à la vie politique française. Ce texte apparaît comme un compromis, un peu improvisé, entre des principes de l'Ancien Régime et l'héritage de la Révolution et de l'Empire. Le retour des Bourbons n'a pas été vraiment menacé par l'épisode des Cent-Jours (mars-juin 1815), mais François Furet a vu dans ce chassé-croisé de souverains et dans la mise en scène des légitimités un élément d'explication de l'instabilité politique française au XIXe siècle.

❑ ***Une Charte octroyée...*** La Charte repose d'abord sur la fiction de la continuité institutionnelle, affichée par la date de rédaction du document – la 19e année du règne –, comme si Louis XVIII, lui-même frère de Louis XVI, avait effectivement succédé au jeune Louis XVII en 1795. On voit bien cette continuité affirmée dans le préambule, par la saisissante formule de la longue absence et par les références aux rois novateurs – de Louis le Gros à Louis XIV – et à la sauvegarde divine. Dans l'esprit et selon la promesse de la déclaration de Saint-Ouen, la Charte a été mise au point par une commission de 21 membres (9 sénateurs, 9 représentants du Corps législatif et 3 commissaires délégués par le roi), parmi lesquels des personnalités qui avaient joué un rôle de premier plan dans les assemblées révolutionnaires, comme Boissy d'Anglas, ou au service de Napoléon comme Fontanes ou Beugnot.

La souveraineté du roi l'emporte, et non celle de la nation. La Charte est octroyée et non discutée, ni négociée, ni votée. Le roi dispose de la totalité du pouvoir exécutif (articles 13 et 14) et d'une part importante du pouvoir législatif (articles 15, 16 et 22). Puisqu'il propose la loi, est-il nécessaire qu'il doive la sanctionner? On a pu voir là un manque de logique, mais aussi une intention de rappeler que le roi conserve jusqu'au terme du processus, la possibilité de s'opposer à l'application d'un texte. Les Chambres, qui votent les lois, retrouvent d'ailleurs, par l'article 19, une certaine initiative. Dans le domaine judiciaire enfin, les prérogatives royales sont manifestes, l'inamovibilité des juges (article 58) n'étant pas toujours une condition suffisante de l'indépendance des magistrats.

❑ ***...mais un souci d'intégrer l'héritage révolutionnaire.*** Si le roi constitue la pièce maîtresse du dispositif, la Charte reflète la prise en compte des acquis révolutionnaires. La rubrique Droit public des Français comporte la liste des droits concédés qu'il était difficile aux Bourbons de méconnaître; bien que le contenu de la Déclaration des droits de 1789 soit gommé, car il n'est plus fait mention d'« hommes libres et égaux en droit », les Français étant seulement « égaux devant la loi ». Les sujets de Louis XVIII possèdent toutefois des avantages de citoyens: égalité fiscale, égale admissibilité aux emplois publics, liberté de conscience – la religion catholique étant toutefois la religion de l'État (art. 6) –, d'opinion, de presse, droit de propriété. Deux mesures traduisent bien le désir d'apaisement: la non remise en cause de la vente des biens nationaux (article 9) et le trait tiré sur les rancœurs et les prises de position politiques antérieures à la Restauration; comme le note F. Furet, « l'article 11 met l'oubli sous la protection de la loi, comme la plus précieuse des vertus nationales ».

Voilà donc des libertés fondamentales, certes fragiles, mais inscrites dans un document-clé. Il faut les rapprocher de deux autres apports de la Charte: la représentation élective pour une Chambre sur deux – en dépit des effectifs squelettiques de l'électorat – et la pluralité des organes du pouvoir. Cette pratique parlementaire peu à peu confortée, coïncide avec l'apprentissage d'une vie politique moins chaotique, obéissant à des règles et commençant à traduire certaines des aspirations du pays, observation qui tend à relativiser la nette coupure longtemps admise par l'historiographie entre la Restauration et la monarchie de Juillet. Bertrand Goujon souligne l'unité de la période 1815-1848 : « Ni simple transition ni réaction anachronique, l'histoire du premier XIXe siècle français suggère les traits caractéristiques du passage couvert, qui constitue le lieu urbanistique emblématique par excellence de cette période qui en a vu l'apparition. Aménagé dans les interstices d'un bâti préexistant dont il lui faut tenir compte, le passage est moins un espace que l'on traverse pour rejoindre une tierce destination qu'un lieu spécifique et original [...].»

Pour aller plus loin :

BACKOUCHE (Isabelle), *La Monarchie parlementaire. 1815-1848*, coll. « Histoire politique de la France », Pygmalion, 2000.

DÉMIER (Francis), *La France de la Restauration* (1814-1830), coll. « Folio Histoire », Gallimard, 2012.

GOUJON (Bertrand), *Monarchies postrévolutionnaires* (1814-1848), coll. « Points Histoire », Seuil, 2012 (vol. 2).

MOLLIER (Jean-Yves), REID (Martine), YON (Jean-Claude) (dir.), *Repenser la Restauration*, Nouveau Monde éditions, 2005.

TORT (Olivier), *La droite française. Aux origines de ses divisions (1814-1830)*, Éditions du CTHS, 2013.

DE WARESQUIEL (Emmanuel) et YVERT (Benoît), *Histoire de la Restauration* (*1814-1830*), coll. « Tempus », Perrin, 2002.

Les dates clés

1814

2 avril : le Sénat proclame la déchéance de Napoléon et de sa famille.

4 avril : le Sénat fait appel au comte de Provence (Louis XVIII). Napoléon abdique sans condition.

2 mai : par la déclaration de Saint-Ouen, Louis XVIII écarte avec tact la Constitution préparée par le Sénat, mais apporte des garanties libérales.

3 mai : entrée de Louis XVIII à Paris.

4 juin : proclamation de la Charte octroyée par Louis XVIII. L'ancien Corps législatif constitue la nouvelle Chambre des députés.

4 novembre : vote de la loi restituant aux émigrés leurs biens non vendus.

1815

1er mars : parti de l'île d'Elbe, Napoléon débarque à Golfe-Juan.

22 juin : battu à Waterloo (18 juin), Napoléon abdique pour la seconde fois. Juillet-août : dans le Midi principalement, des bandes royalistes massacrent des bonapartistes et des survivants du jacobinisme (Terreur blanche).

14 et 21 août : les « ultra-royalistes » remportent les élections et veulent imposer une réaction aveugle : c'est la « Chambre introuvable ».

24 septembre : ministère du duc de Richelieu.

1816

5 septembre : Louis XVIII dissout la Chambre introuvable.

4 octobre : une majorité de modérés ou Constitutionnels est élue à la Chambre des députés.

1819

janvier : ministère Dessolles

novembre : ministère Decazes

1820

13 février : assassinat à Paris du duc de Berry, second fils du comte d'Artois. Decazes est contraint de démissionner. Nouveau ministère Richelieu.

1821

15 décembre : après la démission du duc de Richelieu, les ultras contrôlent le gouvernement, avec Villèle (Finances), Montmorency (Affaires étrangères), Corbière (Intérieur), Peyronnet (Justice).

1823

avril-octobre : intervention des troupes françaises en Espagne contre le gouvernement libéral ; le roi Ferdinand VII est rétabli.

1824

16 septembre : mort de Louis XVIII. Avènement de son frère, le comte d'Artois (Charles X).

1825

29 mai : Charles X est sacré à Reims, selon un cérémonial traditionnel, mais la formule du serment fait référence clairement à la Charte constitutionnelle.

1828

5 janvier : Martignac succède à Villèle ; une politique plus libérale est amorcée.

1829

9 août : Polignac constitue un ministère ultra.

1830

16 mars : adresse de 221 députés demandant au roi le renvoi des ministres.

3 juillet : la Chambre ayant été dissoute le 16 mai, les élections portent à 274 le nombre des opposants.

25 juillet : encouragé par le succès de l'expédition d'Alger, Charles X signe les quatre ordonnances qui équivalent à un coup de force (dissolution de la nouvelle Chambre et restriction du corps électoral reconvoqué pour septembre, suspension de la liberté de la presse).

27-29 juillet : insurrection parisienne (les Trois Glorieuses).

Les institutions : la Charte constitutionnelle du 4 juin 1814 (extraits)

Préambule

La divine Providence, en nous rappelant dans nos États après une longue absence, nous a imposé de grandes obligations. La paix était le premier besoin de nos sujets : nous nous en sommes occupés sans relâche ; et cette paix, si nécessaire à la France comme au reste de l'Europe, est signée. Une Charte constitutionnelle était sollicitée par l'état actuel du royaume, nous l'avons promise, et nous la publions. Nous avons considéré que, bien que l'autorité tout entière résidât en France dans la personne du roi, ses prédécesseurs n'avaient point hésité à en modifier l'exercice, suivant la différence des temps [...].

Nous avons dû, à l'exemple des rois nos prédécesseurs, apprécier les effets des progrès toujours croissants des Lumières, les rapports nouveaux que ces progrès ont introduits dans la société, la direction imprimée aux esprits depuis un demi-siècle, les graves altérations qui en sont résultées : nous avons reconnu que le vœu de nos sujets pour une Charte constitutionnelle était l'expression d'un besoin réel ; mais en cédant à ce vœu, nous avons pris toutes les précautions pour que cette Charte fût digne de nous et du peuple auquel nous sommes fiers de commander [...]. En même temps que nous reconnaissions qu'une Constitution libre et monarchique devait remplir l'attente de l'Europe éclairée, nous avons dû nous souvenir aussi que notre premier devoir envers nos peuples était de conserver, pour leur propre intérêt, les droits et les prérogatives de notre couronne. Nous avons espéré qu'instruits par l'expérience, ils seraient convaincus que l'autorité suprême peut seule donner aux institutions qu'elle établit, la force, la permanence et la majesté dont elle est elle-même revêtue [...].

En cherchant ainsi à renouer la chaîne des temps, que de funestes écarts avaient interrompue, nous avons effacé de notre souvenir, comme nous voudrions qu'on pût les effacer de l'histoire, tous les maux qui ont affligé la patrie durant notre absence [...]. Sûrs de nos intentions, forts de notre conscience, nous nous engageons, devant l'Assemblée qui nous écoute, à être fidèles à cette Charte constitutionnelle, nous réservant d'en jurer le maintien, avec une nouvelle solennité, devant les autels de celui qui pèse dans la même balance les rois et les nations. – À CES CAUSES – NOUS AVONS volontairement, et par le libre exercice de notre autorité royale, ACCORDÉ ET ACCORDONS, FAIT CONCESSION ET OCTROI à nos sujets, tant pour nous que pour nos successeurs, et à toujours, de la Charte constitutionnelle qui suit:

Droit public des Français

Article 1er – Les Français sont égaux devant la loi, quels que soient d'ailleurs leurs titres et leurs rangs.
Art. 2 – Ils contribuent indistinctement, dans la proportion de leur fortune, aux charges de l'État.
Art. 3 – Ils sont tous également admissibles aux emplois civils et militaires.
Art. 4 – Leur liberté individuelle est également garantie, personne ne pouvant être poursuivi ni arrêté que dans les cas prévus par la loi, et dans la forme qu'elle prescrit.
Art. 5 – Chacun professe sa religion avec une égale liberté, et obtient pour son culte la même protection.
Art. 6 – Cependant la religion catholique, apostolique et romaine est la religion de l'État.
Art. 7 – Les ministres de la religion catholique, apostolique et romaine, et ceux des autres cultes chrétiens, reçoivent seuls des traitements du Trésor royal.
Art. 8 – Les Français ont le droit de publier et de faire imprimer leurs opinions, en se conformant aux lois qui doivent réprimer les abus de cette liberté.
Art. 9 – Toutes les propriétés sont inviolables, sans aucune exception de celles qu'on appelle nationales, la loi ne mettant aucune différence entre elles.
Art. 10 – L'État peut exiger le sacrifice d'une propriété, pour cause d'intérêt public légalement constaté, mais avec une indemnité préalable.
Art. 11 – Toutes recherches des opinions et votes émis jusqu'à la restauration sont interdites. Le même oubli est commandé aux tribunaux et aux citoyens.
Art. 12 – La conscription est abolie. Le mode de recrutement de l'armée de terre et de mer est déterminé par une loi.

Formes du gouvernement du roi

Art. 13 – La personne du roi est inviolable et sacrée. Ses ministres sont responsables. Au roi seul appartient la puissance exécutive.
Art. 14 – Le roi est le chef suprême de l'État, il commande les forces de terre et de mer, déclare la guerre, fait les traités de paix, d'alliance et de commerce, nomme à tous les emplois d'administration publique, et fait les règlements et ordonnances nécessaires pour l'exécution des lois et la sûreté de l'État.
Art. 15 – La puissance législative s'exerce collectivement par le roi, la Chambre des pairs, et la Chambre des députés des départements.
Art. 16 – Le roi propose la loi.

Art. 17 – La proposition de la loi est portée, au gré du roi, à la Chambre des pairs ou à celle des députés, excepté la loi de l'impôt, qui doit être adressée d'abord à la Chambre des députés.
Art. 18 – Toute la loi doit être discutée et votée librement par la majorité de chacune des deux Chambres.
Art. 19 – Les Chambres ont la faculté de supplier le roi de proposer une loi sur quelque objet que ce soit et d'indiquer ce qu'il leur paraît convenable que la loi contienne.
[...]
Art. 22 – Le roi seul sanctionne et promulgue les lois. [...]

De la Chambre des pairs

Art. 24 – La Chambre des pairs est une portion essentielle de la puissance législative.
Art. 25 – Elle est convoquée par le roi en même temps que la Chambre des députés des départements. La session de l'une commence et finit en même temps que celle de l'autre.
[...]
Art. 27 – La nomination des pairs de France appartient au roi. Leur nombre est illimité; il peut en varier les dignités, les nommer à vie ou les rendre héréditaires, selon sa volonté.
Art. 28 – Les pairs ont entrée dans la Chambre à vingt-cinq ans, et voix délibérative à trente ans seulement.
[...]
Art. 30 – Les membres de la famille royale et les princes du sang sont pairs par le droit de leur naissance. Ils siègent immédiatement après le président; mais ils n'ont voix délibérative qu'à vingt-cinq ans.
[...]
Art. 32 – Toutes les délibérations de la Chambre des pairs sont secrètes. [...]

De la Chambre des députés des départements

Art. 35 – La Chambre des députés sera composée des députés élus par les collèges électoraux dont l'organisation sera déterminée par les lois.
Art. 36 – Chaque département aura le même nombre de députés qu'il a eu jusqu'à présent.
Art. 37 – Les députés seront élus pour cinq ans, et de manière que la Chambre soit renouvelée chaque année par cinquième.
[...]
Art. 44 – Les séances de la Chambre sont publiques; mais la demande de cinq membres suffit pour qu'elle se forme en comité secret.
Art. 45 – La Chambre se partage en deux bureaux pour discuter les projets qui lui sont présentés de la part du roi.
Art. 46 – Aucun amendement ne peut être fait à une loi, s'il n'a été proposé ou consenti par le roi, et s'il n'a été renvoyé et discuté dans les bureaux.
[...]
Art. 50 – Le roi convoque chaque année les deux Chambres; il les proroge et peut dissoudre celle des députés des départements; mais, dans ce cas, il doit en convoquer une nouvelle dans le délai de trois mois.
[...]

Des ministres

Art. 54 – Les ministres peuvent être membres de la Chambre des pairs ou de la Chambre des députés. Ils ont en outre leur entrée dans l'une ou l'autre Chambre, et doivent être entendus quand ils le demandent.

Art. 55 – La Chambre des députés a le droit d'accuser les ministres, et de les traduire devant la Chambre des pairs, qui seule a celui de les juger.
[...]

De l'ordre judiciaire

Art. 57 – Toute justice émane du roi. Elle s'administre en son nom par des juges qu'il nomme et qu'il institue.
Art. 58 – Les juges nommés par le roi sont inamovibles.
Art. 59 – Les cours et tribunaux ordinaires actuellement existants sont maintenus. Il n'y sera rien changé qu'en vertu d'une loi.
[...]
Art. 68 – Le Code civil et les lois actuellement existantes qui ne sont pas contraires à la présente Charte, restent en vigueur jusqu'à ce qu'il y soit légalement dérogé.
[...]

Droits particuliers garantis par l'État

[...]
Art. 71 – La noblesse ancienne reprend ses titres. La nouvelle conserve les siens. Le roi fait des nobles à volonté; mais il ne leur accorde que des rangs et des honneurs, sans aucune exemption des charges et des devoirs de la société.

LA MONARCHIE DE JUILLET (1830-1848)

1830 : rupture ou continuité ?

❑ ***Une charte simplement retouchée.*** En choisissant le drapeau tricolore et le nom de Louis-Philippe Ier – plutôt que celui de Philippe VII –, le roi prend ses distances avec les règnes précédents. Il a profité de la vacance du pouvoir, puisque Charles X a abdiqué depuis une semaine, et son accession repose sur un contrat. Or les modifications de la Charte sont davantage inspirées par le programme des **monarchistes** constitutionnels que par les options républicaines. La complexité de cette rupture de 1830 apparaît bien dans un propos de Guizot, alors ministre de l'Instruction publique, devant la Chambre des députés (12 mars 1834) : « La Chambre est remplie d'hommes qui pendant les dernières années de la Restauration ont résisté dans l'intérêt de la liberté, et qui depuis ont senti que le danger n'étant plus le même, la conduite devait changer, et ils ont résisté dans l'intérêt de l'ordre. »

Par rapport à la rédaction de 1814, la rubrique « Formes du gouvernement du roi » prévoit désormais une limitation au droit royal de légiférer par ordonnances (art. 13) et un partage de l'initiative législative avec les **Assemblées** (art. 14). Si le suffrage universel n'a pas été envisagé, la barrière censitaire s'abaisse quelque peu (âge, montant du cens) ; un autre progrès consiste à laisser à la loi le soin de fixer **le cens**, ce qui permet d'espérer des aménagements ultérieurs du système représentatif. Enfin, preuves d'une influence libérale, le catholicisme n'est plus déclaré « religion d'État » (art. 6) et l'article 7 exclut le rétablissement de la censure, ce qui n'empêche pas le gouvernement, vivement attaqué en 1834-1835, de faire voter des mesures très restrictives pour prévenir ou sanctionner les délits de **presse** et d'opinion. Quant à l'article 69, copieusement garni de projets qu'on remet au lendemain, il marque bien les limites de la Charte ; pourtant, deux projets seront vite concrétisés avec la loi sur les élections municipales (1831) et celle sur l'enseignement primaire (1833).

❑ ***Un régime plus nouveau qu'il n'y paraît.*** On peut certes estimer que le choc de 1830 n'a pas réellement nui à l'homogénéité de la période de monarchie constitutionnelle (1814-1848) et que la monarchie bourgeoise ne rompt guère avec la monarchie aristocratique.

Pourtant, l'événement fondateur n'est rien moins qu'une révolution. « 1830 vient de couronner 1789» lit-on dans le Journal des Débats du 10 août 1830. Cette Charte, en effet, n'est pas octroyée, comme l'indique l'absence de Préambule. Les députés, non seulement exercent à parité le pouvoir législatif, mais acquièrent rapidement (1830-1831) le droit d'interpellation ; et c'est au sein des deux Chambres que le roi choisira, à l'avenir, tous ses ministres non militaires.

Et la garde nationale ? Tard citée dans l'article 66, elle se retrouve garante des institutions. Le régime n'a d'ailleurs pas rechigné à faire appel à elle dès 1831, et surtout en 1832, lors de l'émeute provoquée par les obsèques du général Lamarque, ou pendant les troubles suscités dans l'Ouest et en Provence par l'équipée de la duchesse de Berry. Les préfets s'empressent de féliciter les gardes nationaux, de les indemniser : attitude opportuniste, peut-être, mais aussi marque d'un esprit nouveau. Car c'est bien la souveraineté de la nation qui l'emporte et le roi n'en reçoit qu'une part en délégation.

Quand Thiers, alors ministre de l'Intérieur, adresse aux préfets des départements de l'Ouest une circulaire (13 octobre 1832), il évoque clairement le problème de la légitimité : « Le roi, ses conseillers, la France tout entière, se sont dévoués à une tâche pénible, en entreprenant de fonder un gouvernement régulier à la suite d'une révolution ; il faut que tout le monde partage ce dévouement [...] ». La légitimité du « trône de Juillet » contraste décidément avec celle de la Restauration.

❑ ***Un régime peu à peu bloqué.*** Dans les années 1840, le décalage apparaît plus net et moins toléré entre le pays légal – l'ensemble des citoyens impliqués dans l'organisation politique et dans le système électoral – et le pays réel, c'est-à-dire tous les Français restés à l'écart des structures de décision. La protestation porte sur le trop faible nombre des électeurs (250 000 en 1848) et sur l'oubli dans lequel sont tenus des gens instruits sans revenus suffisants (les « capacités »). S'ajoutent également des revendications d'ordre social, issues du monde ouvrier et artisanal et relayées par le courant républicain. Mais Guizot maintient son point de vue : pour lui, « par l'éducation et la mise en place d'un cadre économique favorable, la monarchie censitaire permet l'enrichissement matériel et moral qui élargira automatiquement le corps électoral. » (C. Fredj). Sur fond de crise économique d'ampleur européenne, la campagne des banquets concentre une agitation politique de plus en plus déterminée (1847-1848).

Pour aller plus loin :

Adoumié (Vincent), *De la monarchie à la république*, série « Histoire de la France », coll. « Carré Histoire », Hachette, 2004.

Fredj (Claire), *La France au XIXe siècle*, coll. « Licence », PUF, 2009.

Fureix (Emmanuel), *La France des larmes. Deuils politiques à l'âge romantique (1814-1840)*, Champ Vallon, 2009.

Harismendy (Patrick) (dir.), *La France des années 1830 et l'esprit de réforme*, Presses universitaires de Rennes, 2006.

Les dates clés

1830

30 juillet : le groupe du *National* lance la candidature du duc d'Orléans, « prince dévoué à la cause de la Révolution ».

31 juillet : Louis-Philippe d'Orléans accepte la lieutenance générale du royaume. Une cérémonie à l'Hôtel de Ville apporte même la caution populaire, mais la République est écartée.

2 août : abdication de Charles X.

7 août : la Chambre des députés appelle au trône le duc d'Orléans et révise la **Charte**, qui est promulguée le 14.

9 août : le duc jure d'observer la Charte modifiée et prend le titre de Louis-Philippe Ier, roi des Français.

11 août : ministère Casimir Périer et Laffitte.

2 novembre : ministère Laffitte.

15-21 décembre : à l'issue d'un procès devant la **Chambre des pairs**, les quatre ministres de Charles X responsables des ordonnances sont condamnés à la prison à vie.

1831

15 mars : ministère Casimir Périer.

15 et 19 avril : lois assouplissant les **procédures électorales** ; le nombre des électeurs passe de 94600 à 167000.

novembre-décembre : à Lyon, révolte des canuts.

29 décembre : le roi supprime l'hérédité de la pairie.

1832

16 mai : Casimir Périer meurt du choléra ; le roi dirige le gouvernement pendant cinq mois.

juin : échec de l'agitation **légitimiste** dans l'Ouest ; la duchesse de Berry, en fuite, sera arrêtée à Nantes en novembre.

11 octobre : la composition du ministère Soult reflète le souci de choisir les membres du gouvernement au sein des Chambres.

1833

28 juin : loi Guizot sur l'enseignement primaire.

1834

9-14 avril : répression anti-**républicaine** à Lyon et à Paris (massacre de la rue Transnonain).

1836

La brièveté des ministères de Broglie (12 mars 1835) et Thiers (22 février 1836) traduit les tensions entre leur chef et le roi.

6 septembre : Molé constitue un gouvernement et accepte une pratique plus personnelle du pouvoir par Louis-Philippe.

octobre : Louis-Napoléon Bonaparte, après l'échec de son coup de force à Strasbourg, est arrêté et expulsé.

1839

mars : les élections entraînent la démission de Molé ; une longue crise ministérielle s'ensuit.

13 mai : ministère Soult.

1840

1er mars : formation du deuxième ministère Thiers, qui tombe bientôt à cause de la crise diplomatique avec l'Angleterre.

28 juillet : sur la place de la Bastille est inaugurée la colonne de Juillet, en l'honneur des combattants des « Trois Glorieuses ».

août : à Boulogne, Louis-Napoléon échoue dans sa nouvelle tentative de prise du pouvoir ; condamné à perpétuité, il est emprisonné au fort de Ham (Somme), d'où il s'évadera en 1846.

29 octobre : formation du ministère Soult, dont l'homme-clé est Guizot, qui détient les Affaires étrangères et n'assumera officiellement la présidence du Conseil qu'en septembre 1847.

1844

29 juillet : le fils du duc de Berry se proclame seul héritier du trône de France (comte de Chambord).

1847

26 mars : le projet de réforme électorale de Duvergier de Hauranne est repoussé par la Chambre des députés.

juin-juillet : début de la campagne des banquets, forme de protestation retenue, faute de mieux, par les partisans des réformes.

1848

22 février : le banquet prévu à Paris, interdit, a été annulé, mais des manifestations se produisent et des barricades se dressent.

23 février : l'atmosphère d'émeute se confirme ; Guizot démissionne ; une fusillade éclate boulevard des Capucines.

24 février : on cherche en vain un chef de gouvernement alors que le roi abdique ; le gouvernement provisoire installé à l'Hôtel de Ville proclame la République.

Les institutions : la Charte constitutionnelle du 14 août 1830

(articles portant sur les modifications significatives par rapport au texte de 1814)

[…]

Art. 6 – Les ministres de la religion catholique, apostolique et romaine, professée par la majorité des Français, et ceux des autres cultes chrétiens, reçoivent des traitements du Trésor public.

Art. 7 – Les Français ont le droit de publier et de faire imprimer leurs opinions en se conformant aux lois. La censure ne pourra jamais être rétablie.

[…]

Art. 13 – Le roi est le chef suprême de l'État […] et fait les règlements et ordonnances nécessaires pour l'exécution des lois, sans pouvoir jamais ni suspendre les lois elles-mêmes, ni dispenser de leur exécution.

Art. 14 – La puissance législative s'exerce collectivement par le roi, la Chambre des pairs et la Chambre des députés.

[…]

Art. 27 – Les séances de la Chambre des pairs sont publiques, comme celles de la Chambre des députés.

[…]

Art. 32 – Aucun député ne peut être admis dans la Chambre, s'il n'est âgé de trente ans […].

[…]

Art. 34 – Nul n'est électeur s'il a moins de vingt-cinq ans.

[…]

Art. 37 – Le président de la Chambre des députés est élu par elle à l'ouverture de chaque session.

[…]

Art. 66 – La présente Charte et tous les droits qu'elle consacre demeurent confiés au patriotisme et au courage des gardes nationales et de tous les citoyens français.
Art. 67 – La France reprend ses couleurs. À l'avenir, il ne sera plus porté d'autre cocarde que la cocarde tricolore.
[...]
Art. 69 – Il sera pourvu successivement, par des lois séparées et dans le plus court délai possible aux objets qui suivent:
1 – L'application du jury aux délits de la presse et aux délits politiques; 2 – La responsabilité des ministres et des autres agents du pouvoir; 3 – La réélection des députés promus à des fonctions publiques salariées; 4 – Le vote annuel du contingent de l'armée; [...] 7 – Des institutions départementales et municipales fondées sur un système électif; 8 – L'instruction publique et la liberté de l'enseignement; 9 – L'abolition du double vote et la fixation des conditions électorales et d'éligibilité.

Document

La mémoire de la Révolution au service du nouveau régime

Les 8 et 9 juin 1831, désireux de rappeler sa participation, à l'âge de dix-neuf ans, à des combats fameux, Louis-Philippe effectue un voyage de Châlons à Verdun, s'arrêtant notamment à Valmy et Sainte-Menehould. La presse se fait l'écho de ces manifestations.
[...] Le roi a répondu en ces termes au discours du maire de Valmy:
«C'est avec une grande émotion que je me retrouve à Valmy, et que je me rappelle avec orgueil que j'ai contribué à sa célébrité, par la part que j'ai eu le bonheur de prendre au combat glorieux auquel votre village a donné son nom. Mais que d'événements se sont passés depuis lors, et combien la défense de cette colline a influé sur le sort de la France! Que de guerriers, qui alors étaient dans nos rangs, le fusil sur l'épaule, et qui depuis se sont élevés aux plus hautes dignités, par leur valeur et par les victoires éclatantes qui ont illustré nos armes! J'en ai deux avec moi en ce moment, le maréchal Gérard et le lieutenant-général Tirlet, qui l'un et l'autre se trouvaient ici comme simples volontaires, le 20 septembre 1792. Quoique bien jeune alors, j'avais le bonheur d'y être comme général: c'est ce qui m'a donné l'avantage de servir utilement mon pays, et c'est un des souvenirs les plus chers à mon cœur.»

Cité dans *L'Écho, Journal du département de la Sarthe*, 15 juin 1831.

LA IIe RÉPUBLIQUE (1848-1851)

1848: les ambiguïtés

1848 constitue une étape décisive de l'histoire constitutionnelle française. D'une part le suffrage universel, en fait seulement masculin, est adopté et ne sera plus – malgré la

« parenthèse » de Vichy – remis en cause ; d'autre part, même Louis-Napoléon après son coup d'État veut tirer sa légitimité de l'expression populaire.

Dans l'ébullition du printemps, les textes fondateurs sont préparés par un « Comité de Constitution » de 18 membres (8 républicains modérés, 7 conservateurs et 3 « démocrates »), dont le projet parvient bientôt, pour étude, aux 15 « bureaux » de l'Assemblée. La discussion en séance plénière – procédure à laquelle on n'avait plus recouru depuis l'An III – se déroule du 4 septembre au 27 octobre 1848 et débouche sur un accord le 4 novembre.

Au sein du Comité, Lamennais avait été le seul à vouloir aborder en priorité la question des pouvoirs locaux (commune et département), ses collègues optant pour la structure nationale et étatique, tant la centralisation était déjà forte.

❑ ***La confirmation d'une tradition républicaine.*** Le Préambule, jugé par certains députés inutile ou même dangereux, renoue avec 1792 en reprenant le principe de l'indivisibilité de la république. Il contient surtout une sorte de déclaration des droits et des devoirs, dont certains termes peuvent paraître très décalés si l'on songe à la répression de juin 1848 (« assurer une répartition de plus en plus équitable des charges et des avantages de la société »). Au départ de cette insurrection, il y a eu la volonté d'obtenir la réalisation des promesses de février 1848 : « Les insurgés savent bien qu'ils ne se battent pas pour les ateliers nationaux, mais pour la “bonne” république » (S. Aprile), c'est-à-dire une république démocratique et sociale. Or la Constitution n'est pas du tout rédigée dans cette optique.

L'influence de cet épisode de guerre civile semble pourtant indéniable, si l'on en croit la passion manifestée dans la discussion sur le « droit au travail ». Cette notion, qui avait été défendue en 1793, récusée par Tocqueville qui en fait une émanation du **communisme**, se trouve en définitive prudemment fondue dans l'article 8, lequel développe l'ensemble des obligations d'une fraternité bien comprise.

Le pouvoir législatif fait aussi l'objet d'un débat. Aux partisans du bicamérisme, tel Duvergier de Hauranne, Lamartine oppose le manque d'assise sociale d'une deuxième chambre en France, à la différence des États-Unis qui pratiquent le fédéralisme ou de l'Angleterre à l'aristocratie pérenne. La **Constituante** se prononce donc pour une seule assemblée, très nombreuse il est vrai – 750 membres –, et qui peut rappeler la Convention de 1792-1795. Le suffrage n'étant plus censitaire, et selon une logique égalitaire, les députés perçoivent une indemnité. Et il est dit clairement (article 34) qu'ils ne sont pas mandatés par leurs propres électeurs (mandat « impératif »), mais qu'ils sont les élus de la nation.

❑ ***Une part d'innovation.*** En matière de pouvoir exécutif, les députés penchent pour un **président de la République** élu pour quatre ans au suffrage universel ; le modèle américain a ainsi servi de référence, alors même que les partisans d'une élection par l'Assemblée ont souligné le danger du mandat populaire et l'espèce de griserie qui peut en résulter ; d'autant plus que le débat est ponctué d'allusions à une éventuelle candidature de Louis-Napoléon Bonaparte, parfois présent en séance... La Constituante rejette à la fois l'amendement de Jules Grévy, proposant de confier le pouvoir exécutif à un président du **Conseil des ministres**, et les amendements tendant à exclure de la compétition présidentielle les membres d'anciennes familles régnantes.

À la différence des Constitutions de 1791 et de l'An III, la procédure de révision adoptée en 1848 paraît plus efficace parce que plus rapide ; pour convoquer une assemblée de révision, il suffit de trois délibérations successives à un mois d'intervalle.

Cette Constitution oppose deux pouvoirs forts, également issus du suffrage universel. Le Conseil des ministres, quant à lui, n'est pas fermement organisé, ce qui fait douter de la caractéristique du régime : est-il parlementaire ? est-il présidentiel ? Le risque existe d'un conflit entre le législatif et l'exécutif, accru par l'absence d'une instance d'arbitrage, d'une cour spécifique exerçant un contrôle de la constitutionnalité des lois. Telles sont les principales ambiguïtés d'une Constitution promise à un bref avenir.

POUR ALLER PLUS LOIN :

AGULHON (Maurice), *Les Quarante-Huitards*, coll. « Folio-Histoire », Gallimard, 1992.

APRILE (Sylvie), *La IIe République et le Second Empire*, coll. « Histoire politique de la France », Pygmalion, 2000.

APRILE (Sylvie), HUARD (Raymond), LEVEQUE (Pierre), MOLLIER (Jean-Yves), *La révolution de 1848 en France et en Europe*, Éditions sociales, 1998.

DELUERMOZ (Quentin), *Le Crépuscule des révolutions (1848-1871)*, coll. « Points Histoire », Seuil, 2014 (vol. 3).

GRIBAUDI (Maurizio), RIOT-SARCEY (Michèle), *1848, la révolution oubliée*, La Découverte, 2009.

LES DATES CLÉS

1848

25 février : à l'Hôtel de Ville de Paris, face à des manifestants qui réclament l'adoption du drapeau rouge, Lamartine fait maintenir le drapeau tricolore.

26 février : création des Ateliers nationaux, dans le but de résorber le chômage (184 000 chômeurs à Paris).

5 mars : un décret organise les élections à la Constituante (fixées au 9, puis au 23 avril), selon le principe du suffrage universel masculin.

23 avril : élection de l'Assemblée constituante, dominée par les modérés.

27 avril : décret d'abolition de l'esclavage dans les colonies.

15 mai : organisée pour défendre la cause des Polonais, une manifestation envahit l'Assemblée ; une vive réaction s'ensuit, qui élimine les chefs de la gauche : Blanqui, Barbès, Raspail, Albert, etc.

4 juin : Louis-Napoléon Bonaparte est élu député lors d'un scrutin complémentaire, mais il démissionne dès le 14 juin.

21 juin : dissolution des Ateliers nationaux, inefficaces et coûteux.

23-26 juin : insurrection populaire dans l'Est de Paris (« Journées de juin »), réprimée méthodiquement par le général Cavaignac : peut-être 4000 morts.

28 juin : Cavaignac forme le gouvernement qui remplace la Commission exécutive.

17 septembre : Louis-Napoléon profite d'autres élections complémentaires pour se faire réélire et siéger à l'Assemblée le 26.

4 novembre : la Constitution est votée par une majorité plutôt conservatrice ; elle sera promulguée le 12.

10 décembre : Louis-Napoléon remporte facilement l'élection présidentielle ; il prête serment le 20 décembre.

20 décembre : formation, selon les directives de Thiers, du ministère Odilon Barrot.

1849

7 mai : l'Assemblée désapprouve l'expédition de Rome, mais le ministère, fort de l'appui du président, ne démissionne pas.

13 mai : l'élection de l'Assemblée législative se traduit par un succès du parti de l'Ordre.

2 juin : deuxième ministère Barrot ; Tocqueville prend en charge les Affaires étrangères.

13-15 juin : à Paris et à Lyon, répression de manifestations populaires hostiles à l'expédition française à Rome ; Ledru-Rollin s'exile.

31 octobre : d'Hautpoul constitue un ministère auquel Louis-Napoléon veut imprimer « une direction unique et ferme ».

1850

15 mars : la loi Falloux reconnaît deux types d'écoles – publiques et libres – et officialise le rôle de l'Église dans le domaine de l'enseignement.

31 mai : par diverses restrictions – en particulier, l'obligation de trois ans de résidence au même lieu –, la nouvelle loi électorale affaiblit considérablement la portée du suffrage universel.

août-septembre : les voyages du président dans l'Est, le Lyonnais, puis la Normandie amorcent une série de déplacements en province, lui permettant d'exposer son point de vue et de soigner sa propagande.

1851

24 janvier : ministère Randon.

10 avril : ministère Rouher, dont tous les membres sont des fidèles du président (Baroche, Randon, Fould…)

19 juillet : malgré une campagne de pétitions demandant la révision de l'article 45 de la Constitution (non-rééligibilité du président sortant), l'Assemblée émet un vote négatif.

4 novembre : dans un habile message, le président propose l'abolition de la loi électorale du 31 mai 1850 ; le 13, l'Assemblée refuse et le conflit avec l'Élysée s'aggrave.

2 décembre : Louis-Napoléon, décidé au coup d'État, lance un appel au peuple, placardé dans Paris ; sont annoncées la dissolution de l'Assemblée, l'organisation d'un plébiscite au suffrage universel, la rédaction d'une nouvelle Constitution ; les députés hostiles, qui tentaient de s'organiser à la mairie du Xe arrondissement, sont arrêtés.

3-4 décembre : devant la tentative de résistance parisienne, l'armée intervient brutalement (fusillade sur le boulevard des Italiens et le boulevard Montmartre).

3-10 décembre : en province, la résistance au coup d'État ne touche que quelques régions (la bordure nord du Massif central, le Sud-Est) ; elle entraîne des exécutions et des arrestations.

Les institutions : la Constitution du 4 novembre 1848

Préambule

En présence de Dieu et au nom du Peuple français, l'Assemblée nationale proclame :

I – La France s'est constituée en République. En adoptant cette forme définitive de gouvernement, elle s'est proposée pour but de marcher plus librement dans la voie du progrès et de la civilisation, d'assurer une répartition de plus en plus équitable des charges et des avantages de la société, d'augmenter l'aisance de chacun par la réduction graduée des dépenses publiques et des impôts, et de faire parvenir tous les citoyens, sans nouvelle commotion, par l'action successive et constante des institutions et des lois, à un degré toujours plus élevé de moralité, de lumières et de bien-être.

II – La République française est démocratique, une et indivisible.

III – Elle reconnaît des droits et des devoirs antérieurs et supérieurs aux lois positives.
IV – Elle a pour principe la Liberté, l'Égalité et la Fraternité.
Elle a pour base la Famille, le Travail, la Propriété, l'Ordre public.
V – Elle respecte les nationalités étrangères, comme elle entend faire respecter la sienne ; n'entreprend aucune guerre dans des vues de conquêtes, et n'emploie jamais ses forces contre la liberté d'aucun peuple.
VI – Des devoirs réciproques obligent les citoyens envers la République, et la République envers les citoyens.
VII – Les citoyens doivent aimer la Patrie, servir la République, la défendre au prix de leur vie, participer aux charges de l'État en proportion de leur fortune ; ils doivent s'assurer, par le travail, des moyens d'existence, et, par la prévoyance, des ressources pour l'avenir ; ils doivent concourir au bien-être commun en s'entraidant fraternellement les uns les autres, et à l'ordre général en observant les lois morales et les lois écrites qui régissent la société, la famille et l'individu.
VIII – La République doit protéger le citoyen dans sa personne, sa famille, sa religion, sa propriété, son travail, et mettre à la portée de chacun l'instruction indispensable à tous les hommes ; elle doit, par une assistance fraternelle, assurer l'existence des citoyens nécessiteux, soit en leur procurant du travail dans les limites de ses ressources, soit en donnant, à défaut de la famille, des secours à ceux qui sont hors d'état de travailler. – En vue de l'accomplissement de tous ces devoirs, et pour la garantie de tous ces droits, l'Assemblée nationale, fidèle aux traditions des grandes Assemblées qui ont inauguré la Révolution française, décrète, ainsi qu'il suit, la Constitution de la République.

CONSTITUTION

De la souveraineté

Article premier – La souveraineté réside dans l'universalité des citoyens français. – Elle est inaliénable et imprescriptible. – Aucun individu, aucune fraction du peuple ne peut s'en attribuer l'exercice.

Droits des citoyens garantis par la Constitution

Art. 7 – Chacun professe librement sa religion, et reçoit de l'État, pour l'exercice de son culte, une égale protection. – Les ministres, soit des cultes actuellement reconnus par la loi, soit de ceux qui seraient reconnus à l'avenir, ont le droit de recevoir un traitement de l'État.
Art. 8 – Les citoyens ont le droit de s'associer, de s'assembler paisiblement et sans armes, de pétitionner, de manifester leurs pensées par la voie de la presse ou autrement. – L'exercice de ces droits n'a pour limites que les droits ou la liberté d'autrui et la sécurité publique. – La presse ne peut, en aucun cas, être soumise à la censure.
Art. 9 – L'enseignement est libre. – La liberté d'enseignement s'exerce selon les conditions de capacité et de moralité déterminées par les lois, et sous la surveillance de l'État. – Cette surveillance s'étend à tous les établissements d'éducation et d'enseignement, sans aucune exception.
[…]
Art. 13 – La Constitution garantit aux citoyens la liberté du travail et de l'industrie. La société favorise et encourage le développement du travail par l'enseignement primaire gratuit, l'éducation professionnelle, l'égalité de rapports entre le patron et l'ouvrier, les institutions de prévoyance et de crédit, les institutions agricoles, les associations volontaires, et l'établissement, par l'État, les départements et les communes, de travaux publics propres à employer les bras inoccupés ; elle fournit l'assistance aux enfants abandonnés, aux infirmes et aux vieillards sans ressources, et que leurs familles ne peuvent secourir.

ıvoirs publics

ı – Tous les pouvoirs publics, quels qu'ils soient, émanent du peuple. – Ils ne peuvent être ıués héréditairement.
Art. 19 – La séparation des pouvoirs est la première condition d'un gouvernement libre.

Du pouvoir législatif

Art. 20 – Le peuple français délègue le pouvoir législatif à une Assemblée unique.
Art. 21 – Le nombre total des représentants du peuple sera de sept cent cinquante, y compris les représentants de l'Algérie et des colonies françaises.
Art. 22 – Ce nombre s'élèvera à neuf cents pour les Assemblées qui seront appelées à réviser la Constitution.
Art. 23 – L'élection a pour base la population.
Art. 24 – Le suffrage est direct et universel. Le scrutin est secret.
[...]
Art. 34 – Les membres de l'Assemblée nationale sont les représentants, non du département qui les nomme, mais de la France entière.
[...]

Du pouvoir exécutif

Art. 43 – Le peuple français délègue le Pouvoir exécutif à un citoyen qui reçoit le titre de président de la République.
Art. 44 – Le président doit être né Français, âgé de trente ans au moins, et n'avoir jamais perdu la qualité de Français.
Art. 45 – Le président de la République est élu pour quatre ans, et n'est rééligible qu'après un intervalle de quatre années. – Ne peuvent, non plus, être élus après lui, dans le même intervalle, ni le vice-président, ni aucun des parents ou alliés du président jusqu'au sixième degré inclusivement.
[...]
Art. 48 – Avant d'entrer en fonction, le président de la République prête au sein de l'Assemblée nationale le serment dont la teneur suit : – *En présence de Dieu et devant le Peuple français, représenté par l'Assemblée nationale, je jure de rester fidèle à la République démocratique, une et indivisible, et de remplir tous les devoirs que m'impose la Constitution.*
[...]
Art. 68 – Le président de la République, les ministres, les agents et dépositaires de l'autorité publique, sont responsables, chacun en ce qui le concerne, de tous les actes du gouvernement et de l'administration. – Toute mesure par laquelle le président de la République dissout l'Assemblée nationale, la proroge ou met obstacle à l'exercice de son mandat, est un crime de haute trahison. – Par ce seul fait, le président est déchu de ses fonctions ; les citoyens sont tenus de lui refuser obéissance ; le pouvoir exécutif passe de plein droit à l'Assemblée nationale [...].

LE SECOND EMPIRE (1852-1870)

Cinquante ans en arrière ?

Jamais Constitution n'a été aussi vite établie. L'« Appel au peuple » du 2 décembre 1851 annonçait déjà la refonte des institutions. Le succès du plébiscite aidant, Louis-Napoléon presse ses trois conseillers Rouher, Baroche et Troplong, et le texte est promulgué dès le 14 janvier 1852. Le rétablissement de l'Empire intervient avant la fin de l'année ; mais la Constitution impériale du 25 décembre 1852 n'apporte que d'infimes retouches au texte du 14 janvier. Par la suite, les institutions ne connaissent que des modifications de détail jusqu'au sénatus-consulte du 14 mars 1867.

❑ ***La logique du prince-président.*** Celle-ci s'inspire des réflexions nées durant l'exil ou l'emprisonnement, parfois développées dans des brochures (*Les idées napoléoniennes*), comme des observations faites depuis le 10 décembre 1848.

La Constitution se réfère avant tout à la Révolution et rejette non seulement l'Ancien Régime mais aussi toutes les mesures bâtardes de la monarchie censitaire. Ce principe énoncé (article 1er), l'économie générale du texte est très dépendante des institutions consulaires et impériales. La proclamation qui précède la Constitution précise en effet: « [...] puisque la France ne marche depuis cinquante ans qu'en vertu de l'organisation administrative, militaire, judiciaire, religieuse, financière, du Consulat et de l'Empire, pourquoi n'adopterions-nous pas aussi les institutions politiques de cette époque ? » On revient donc au césarisme démocratique grâce auquel Napoléon Ier avait semblé pouvoir terminer la Révolution. Cette proclamation bénéficie d'ailleurs d'un curieux statut. C'est une véritable explication de texte constitutionnelle, par laquelle Louis-Napoléon justifie le contenu d'un projet rendu possible par le vote des 20 et 21 décembre 1851. Les affirmations de fond (« Le chef que vous avez élu est responsable devant vous ») alternent avec des considérations pratiques, comme celle d'une meilleure efficacité parlementaire: « La Chambre (c'est le nouveau "Corps législatif") n'étant plus en présence des ministres et les projets de loi étant soutenus par les orateurs du Conseil d'État, le temps ne se perd pas en vaines interpellations, en accusations frivoles, en luttes passionnées dont l'unique but était de renverser les ministres pour les remplacer. »

Autre principe illustré par la Constitution, celui du pouvoir personnel entretenu, revivifié par le suffrage universel. Persuadé que le propre de la démocratie est de s'incarner dans un homme, Louis-Napoléon est prêt à faire du plébiscite un moyen privilégié de l'expression de la souveraineté populaire, se situant par là très loin de la tradition politique du XVIIIe siècle et de celle des hommes politiques de la monarchie constitutionnelle entre 1815 et 1848.

La question du retour à l'Empire est réglée en novembre 1852. Le sénatus-consulte du 7 novembre rétablit la dignité impériale au profit de Louis-Napoléon Bonaparte – qui prend le nom de Napoléon III – et fait connaître la question du plébiscite: « Le peuple français veut le rétablissement de la dignité impériale dans la personne de Louis-Napoléon Bonaparte, avec hérédité dans sa descendance directe, légitime ou adoptive [...] ». Le « oui » l'emporte largement.

❑ ***La primauté de l'exécutif.*** Prenant le contre-pied de la Constitution précédente et de son article 19, celle de 1852 répudie la séparation des pouvoirs. Les articles 3 et 4 définissent les prérogatives, considérables, du gouvernement dirigé par le chef de l'État (président pour dix ans, puis empereur), car au pouvoir exécutif s'ajoutent bien d'autres attributions. Les ministres n'étant plus que les instruments du gouvernement impérial, les conflits que la IIe République avait connus ne sont plus imaginables.

Dans ce contexte, le Corps législatif fait pâle figure ; le Corps « dit législatif » conviendrait mieux... Il ne peut proposer de lois – celles-ci sont élaborées et discutées à huis clos par le Conseil d'État –, pas même d'amendements et ne contrôle pas l'action ministérielle. Il ne fait que voter les lois et l'impôt. Ses membres, parlant de leur place, ne peuvent escompter aucun effet oratoire. Enfin, il est privé d'autonomie, le gouvernement lui fixant son règlement et lui désignant son président. Cette Chambre contrainte à l'obéissance rappelle son homologue du Premier Empire. Le gouvernement parlementaire a bel et bien disparu en France, jusqu'à ce que les velléités libérales de l'empereur débouchent, par étapes, sur une reconsidération du rôle du Corps législatif.

Le Sénat, de son côté, peut enrichir l'arsenal législatif par des sénatus-consultes et faciliter l'adaptation des institutions aux besoins nouveaux, démarche à laquelle Napoléon III paraît réellement attaché.

Le nouveau régime impérial ne se borne pas à copier l'ancien. En fait, durant les premiers mois de la dictature « républicaine », de nombreuses mesures ont été prises dans les domaines administratif, financier et économique, contribuant à préciser l'orientation du régime et sa volonté de modernisme.

❑ ***L'apprentissage du suffrage universel.*** En dix-huit ans, l'électeur a voté 15 fois (dont 3 plébiscites et 4 élections législatives). On ne se déplace plus pour voter par commune vers le chef-lieu de canton, comme en 1848 et 1849. En se répétant, le vote s'individualise. « Le calendrier, le déplacement jusqu'à la salle du vote, le respect, garanti par les organisateurs locaux, du rituel électoral et de ses attitudes, le choix du bulletin, enfin, tout cela faisait du moment du vote un "laboratoire civique" » (Quentin Deluermoz). Cette pratique s'amplifie et accompagne l'orientation libérale du régime dans la décennie 1860-1870.

D'une manière générale et depuis une trentaine d'années, le Second Empire fait l'objet, de la part des historiens, d'un réexamen plus neutre et scientifiquement plus fondé, après une longue domination de l'historiographie hostile des premières décennies de la IIIe République.

Pour aller plus loin :

Anceau (Éric), *Napoléon III, un Saint-Simon à cheval*, Tallandier, 2008.

Garrigues (Jean), *La France de 1848 à 1870*, coll. « Cursus », Armand Colin, 2e éd., 2007.

Glikman (Juliette), *La Monarchie impériale. L'imaginaire politique sous Napoléon III*, Nouveau monde éditions, 2013.

Milza (Pierre) (dir.), *Napoléon III, l'homme, le politique*, actes du colloque de 2008 de la fondation Napoléon, éditions Napoléon III, 2008.

Yon (Jean-Claude), *Le Second Empire. Politique, société, culture*, Armand Colin, 2e éd., 2012.

Les dates clés

1851

21-22 décembre : plébiscite sur le maintien de l'autorité de Louis-Napoléon : 7439216 *oui* contre 646737 *non*.

1852

6 janvier : circulaire incitant les **préfets** à faire effacer l'inscription « Liberté, Égalité, Fraternité » sur les monuments publics.

9 janvier : un décret fixe les condamnations de certains députés ; la déportation en frappe 5, l'exil 66 – dont les « chefs du Parti socialiste » tels Victor Schœlcher et Victor Hugo – ; 18 sont « momentanément éloignés », parmi lesquels figurent Thiers, Changarnier, Rémusat, Émile de Girardin.

14 janvier : promulgation de la nouvelle Constitution.

22 janvier : le décret sur la nationalisation des biens de la famille d'Orléans marque la volonté du prince-président de ne pas se lier aux **monarchistes**. Démission symbolique et temporaire de Morny, Fould, Rouher.

8 mars : un décret rend obligatoire, pour tout fonctionnaire, la prestation de serment de fidélité au prince-président.

25 mars : suppression définitive de tous les clubs.

27-29 mars : la suppression de l'état de siège est suivie de la première réunion des Chambres issues de la nouvelle Constitution.

7 novembre : révision de la Constitution par sénatus-consulte (texte législatif émanant du Sénat) : la dignité impériale est rétablie en faveur de Louis-Napoléon.

21-22 novembre : plébiscite sur le rétablissement de l'Empire : plus de 7800000 *oui*, contre 253000 *non* et près de 1700000 abstentions.

2 décembre : le jour anniversaire d'Austerlitz, proclamation de l'Empire.

1854

27 mars : déclaration de guerre à la Russie.

22 juin : loi reprécisant l'usage obligatoire du livret ouvrier.

1856

30 mars : la signature du traité de Paris, qui met fin à la guerre de Crimée, renforce le prestige de Napoléon III et du régime.

1858

19 février : suite aux craintes éprouvées lors de l'attentat d'Orsini (14 janvier), adoption d'une loi de sûreté générale.

1859

3 mai : la France s'engage, aux côtés du Piémont, dans la guerre contre l'Autriche.

15 août : tous les condamnés politiques bénéficient d'une amnistie sans conditions.

1860

23 janvier : traité de commerce franco-anglais.

24 mars : retour de la Savoie et de Nice à la France.

24 novembre : le droit d'adresse est reconnu aux Chambres et les **ministres** devront défendre devant elles la politique gouvernementale.

1861

31 décembre : tout crédit supplémentaire nécessite désormais un vote du Corps législatif.

1862

29 mars : traité de commerce franco-prussien.

2 août : traité de commerce entre la France et le *Zollverein*.

1863

17 janvier : traité de commerce franco-italien.

1864

11 janvier : au Corps législatif, discours de Thiers sur les « libertés nécessaires ».

25 mai : le droit de grève est reconnu par la loi.

1867

19 janvier : lettre de Napoléon III annonçant des réformes libérales.

février : début de l'évacuation du Mexique par

les troupes françaises, après cinq ans d'opérations inutiles.

1868

14 janvier : la loi Niel entraîne une réorganisation de l'armée.

novembre : la souscription pour le monument en l'honneur de Baudin, député victime du 2 décembre 1851, provoque un procès marqué par la brillante plaidoirie de Gambetta.

1869

23 mars : le Conseil d'État supprime le livret ouvrier.

1870

2 janvier : ministère Émile Ollivier.

20 avril : sénatus-consulte instaurant l'Empire libéral.

8 mai : le texte du plébiscite portant sur « les réformes libérales opérées dans la Constitution depuis 1860 par l'empereur avec le concours des grands corps d'État » recueille une écrasante adhésion (7 336 000 *oui*, 1 560 000 *non*).

19 juillet : la France déclare la guerre à la Prusse.

2 septembre : Napoléon III est fait prisonnier à Sedan.

4 septembre : à Paris, proclamation de la **République** et formation d'un gouvernement de Défense nationale.

Les institutions : la Constitution du 14 janvier 1852

À partir de novembre 1852, les termes « République » et « président de la République » sont remplacés par « Empire » et « Empereur », et les articles 15 à 18 sont caducs.

TITRE PREMIER

Article premier. – La Constitution reconnaît, confirme et garantit les grands principes proclamés en 1789, et qui sont la base du droit public des Français.

TITRE II

Formes du gouvernement de la République

Art. 2 – Le Gouvernement de la République française est confié pour dix ans au prince Louis-Napoléon Bonaparte, président actuel de la République.

Art. 3 – Le président de la République gouverne au moyen des ministres, du Conseil d'État, du Sénat et du Corps législatif.

Art. 4 – La puissance législative s'exerce collectivement par le président de la République, le Sénat et le Corps législatif.

TITRE III

Du président de la République

Art. 5 – Le président de la République est responsable devant le Peuple français, auquel il a toujours le droit de faire appel.

Art. 6 – Le président de la République est le chef de l'État ; il commande les forces de terre et de mer, déclare la guerre, fait les traités de paix, d'alliance et de commerce, nomme à tous les emplois, fait les règlements et décrets nécessaires pour l'exécution des lois.

Art. 7 – La justice se rend en son nom.

Art. 8 – Il a seul l'initiative des lois.

Art. 9 – Il a le droit de faire grâce.

Art. 10 – Il sanctionne et promulgue les lois et les sénatus-consultes.

Art. 11 – Il présente, tous les ans, au Sénat et au Corps législatif, par un message, l'état des affaires de la République.
Art. 12 – Il a le droit de déclarer l'état de siège dans un ou plusieurs départements, sauf à en référer au Sénat dans le plus bref délai. – Les conséquences de l'état de siège sont réglées par la loi.
Art. 13 – Les ministres ne dépendent que du chef de l'État; ils ne sont responsables que, chacun en ce qui le concerne, des actes du gouvernement; il n'y a point de solidarité entre eux; ils ne peuvent être mis en accusation que par le Sénat.
Art. 14 – Les ministres, les membres du Sénat, du Corps législatif et du Conseil d'État, les officiers de terre et de mer, les magistrats et les fonctionnaires publics prêtent le serment ainsi conçu: «Je jure obéissance à la Constitution et fidélité au président».
Art. 15 – Un sénatus-consulte fixe la somme allouée annuellement au président de la République pour toute la durée de ses fonctions.
Art. 16 – Si le président de la République meurt avant l'expiration de son mandat, le Sénat convoque la Nation pour procéder à une nouvelle élection.
Art. 17 – Le Chef de l'État a le droit, par un acte secret et déposé aux archives du Sénat, de désigner le nom du citoyen qu'il recommande, dans l'intérêt de la France, à la confiance, du Peuple et à ses suffrages.
Art. 18 – Jusqu'à l'élection du nouveau président de la République, le président du Sénat gouverne avec le concours des ministres en fonction, qui se forment en Conseil de gouvernement, et délibèrent à la majorité des voix.

TITRE IV

Du Sénat

Art. 19 – Le nombre des sénateurs ne pourra excéder cent cinquante: il est fixé pour la première année, à quatre-vingts.
Art. 20 – Le Sénat se compose: 1° Des cardinaux, des maréchaux, des amiraux; 2° Des citoyens que le président de la République juge convenable d'élever à la dignité de sénateur.
Art. 21 – Les sénateurs sont inamovibles et à vie.
Art. 22 – Les fonctions de sénateur sont gratuites; néanmoins le président de la République pourra accorder à des sénateurs, en raison de services rendus et de leur position de fortune, une dotation personnelle, qui ne pourra excéder trente mille francs par an.
Art. 23 – Le président et les vice-présidents du Sénat sont nommés par le président de la République et choisis parmi les sénateurs. – Ils sont nommés pour un an. – Le traitement du président du Sénat est fixé par un décret.
Art. 24 – Le président de la République convoque et proroge le Sénat. Il fixe la durée de ses sessions par un décret. – Les séances du Sénat ne sont pas publiques.
Art. 25 – Le Sénat est le gardien du pacte fondamental et des libertés publiques. Aucune loi ne peut être promulguée avant de lui avoir été soumise.
[...]

TITRE V

Du Corps législatif

Art. 34 – L'élection a pour base la population. *Art. 35* – Il y aura un député au Corps législatif à raison de trente-cinq mille électeurs. *Art. 36* – Les députés sont élus par le suffrage universel, sans scrutin de liste. *Art. 37* – Ils ne reçoivent aucun traitement.
Art. 38 – Ils sont nommés pour six ans. *Art. 39* – Le Corps législatif discute et vote les projets de loi et l'impôt. [...]

Art. 41 – Les sessions ordinaires du Corps législatif durent trois mois ; ses séances sont publiques ; mais la demande de cinq membres suffit pour qu'il se forme en Comité secret.
Art. 42 – Le compte rendu des séances du Corps législatif par les journaux ou tout autre moyen de publication, ne consistera que dans la reproduction du procès-verbal, dressé, à l'issue de chaque séance, par les soins du président du Corps législatif.

LA IIIe RÉPUBLIQUE (1870-1940)

Le triomphe de la république

Née de l'humiliation de Sedan et du coup de colère du 4 septembre, la IIIe République affronte avec succès l'épreuve de la « Grande Guerre », puis se dissout en 1940 dans la plus sombre défaite de notre histoire nationale. Elle demeure aussi le plus long et comme le modèle – ou le repoussoir – des régimes républicains français. Mais sa mise en place fut plus que laborieuse.

❑ ***Les incertitudes initiales.*** Les élections, prévues par l'accord d'armistice, se sont déroulées sur les thèmes de la paix ou de la reprise des hostilités, et l'Assemblée de Bordeaux n'a en principe reçu aucun mandat constituant. Les **royalistes**, largement majoritaires, ne voient pas sans satisfaction la république – pour eux transitoire – ternir son image en assumant l'accablant traité de Francfort (10 mai 1871) qui mutile la France à l'Est. Malgré un vide institutionnel certain, mais fort de sa victoire sur la Commune, Thiers gouverne donc en défendant la cause d'une république conservatrice.

L'obstination du comte de Chambord à exiger le drapeau blanc ayant fait échouer les tentatives de restauration monarchique (automne 1873), les députés s'accordent sur un mandat de sept ans, confié à Mac-Mahon ; cette loi provisoire précise : « ce pouvoir continuera à être exercé avec le titre de président de la République et dans les conditions actuelles jusqu'aux modifications qui pourraient y être apportées par les lois constitutionnelles. » Il ne faut pas moins de huit séances pour élire les membres de la commission chargée d'examiner ces futures lois.

❑ ***Les lois constitutionnelles de 1875.*** Les conditions d'élaboration ont été déterminantes. Parce que les royalistes voient fondre leur majorité et que les **bonapartistes**, encouragés par des élections partielles réussies, redressent la tête, le compromis devient possible entre centre droit et centre gauche. Les républicains finissent par accepter la renaissance d'un Sénat – dont ils redoutaient l'orientation trop conservatrice – contre l'affirmation du mot de République, concédée par leurs adversaires : c'est toute l'importance de l'« amendement Wallon », voté le 30 janvier à une voix de majorité, et qui devient l'article 2 de la loi du 25 février. On a trop épilogué sur cet infime écart. Il traduit en fait l'état d'équilibre auquel est parvenue l'Assemblée et révèle l'ampleur des conséquences de légers déplacements de votes dans les rangs des centres. La majorité s'est d'ailleurs consolidée puisque la loi du 16 juillet 1875 sur les rapports entre les pouvoirs publics est, elle, adoptée avec plus de 400 voix de majorité.

Ces lois constitutionnelles ne sont précédées d'aucun préambule, d'aucun rappel des principes de 1789, d'aucune garantie des droits. En effet, le contexte pousse à la discrétion idéologique. Mais surtout, ces lois s'inscrivent dans la logique de la théorie de la souveraineté parlementaire. Si le **suffrage universel** est intouchable, le **référendum** n'est pas un instant envisagé, déprécié par l'usage qu'en a fait Napoléon III. D'autre part, aucun contrôle de constitutionnalité n'est prévu.

C'est la pratique qui donne très vite à ces textes de 1875, brefs et parfois imprécis, tout leur sens.

❑ ***Clarifications en chaîne.*** Circonstance prévisible: les **républicains** sont majoritaires dans la Chambre des députés élue en 1876. Rapidement, leur interprétation des textes les oppose au président Mac-Mahon: pour eux, l'hôte de l'Élysée ne peut avoir de vues politiques différentes de celles du gouvernement. Ce conflit débouche sur la crise du 16 mai 1877, la dissolution de l'Assemblée et le verdict des électeurs. Mac-Mahon s'incline et renonce à toute initiative susceptible de heurter les dépositaires du pouvoir législatif. Le discrédit est jeté pour longtemps sur le droit de dissolution.

La démission de Mac-Mahon, en 1879, est liée aux récents succès des républicains au Sénat. La République s'installe. Mais il revenait à Jules Grévy de définir une ligne de conduite décisive pour le fonctionnement des institutions; René Rémond précise: «Il s'abstiendra d'user des prérogatives que lui accordait la Constitution mais qui lui paraissaient aller à l'encontre d'une conception strictement parlementaire des relations entre les pouvoirs. Il n'ajournera ni ne prorogera les Chambres, pas plus qu'il n'utilisera le droit de demander une seconde lecture des textes de lois ou celui d'adresser des messages aux Chambres.» La tradition de cette «Constitution Grévy» a lié ses successeurs. Parmi eux, seul A. Millerand devait tenter de renforcer l'exécutif, avant de démissionner en 1924.

Réunis à Versailles en août 1884, députés et sénateurs retouchent quelques articles de la Constitution (la forme républicaine du gouvernement ne pourra faire l'objet d'une proposition de révision, les membres des familles ayant régné sur la France seront inéligibles à la présidence de la République, les prières publiques sont supprimées) et adoptent une réforme partielle du Sénat.

❑ ***Une stabilité de cinquante ans.*** Tel quel, le régime affronte plusieurs crises graves et, surtout, survit à la Grande Guerre. En août 1914, l'autorité militaire s'exerce pratiquement sans partage. À partir de janvier 1915, les parlementaires siègent sans interruption, parfois en comités secrets. Mais l'essentiel du travail est accompli dans les grandes commissions de la Chambre (Armée, Budget) et du Sénat (Armée, Finances). Ce n'est qu'en 1917 que le haut commandement admet le pouvoir gouvernemental et le contrôle parlementaire aux armées. Finalement, le pouvoir civil a prévalu.

C'est seulement dans l'entre-deux-guerres que l'excès de légicentrisme – comme disent les juristes – et l'instabilité ministérielle paraissent compromettre la solidité de la République et suscitent divers projets de «réforme de l'État». Le but principal – le renforcement du pouvoir exécutif – est presque atteint dans les mois qui suivent le

6 février 1934, et grâce aux travaux de deux commissions parlementaires. Parmi les mesures proposées, figurent la création d'une véritable présidence du Conseil, le droit pour le président de la République de dissoudre la Chambre et la réduction de l'initiative parlementaire en matière budgétaire. Mais le président du Conseil G. Doumergue tarde à décider, apporte quelques autres propositions et, suspecté de vouloir instaurer un pouvoir personnel, doit quitter ses fonctions.

Pour aller plus loin :

GARRIGUES (Jean), *Les grands discours parlementaires de la Troisième République*, 2 volumes (1 – De Victor Hugo à Clemenceau ; 2 – De Clemenceau à Léon Blum), Assemblée nationale/Armand Colin, 2004.

HOUTE (Arnaud-Dominique), *Le Triomphe de la République (1871-1914)*, coll. « Points Histoire », Seuil, 2018 (vol. 4).

LEJEUNE (Dominique), *La France des débuts de la Troisième République (1870-1896)*, coll. « Cursus », Armand Colin, 5e éd., 2011.

MAYEUR (Jean-Marie), CHALINE (Jean-Pierre), CORBIN (Alain) (dir.), *Les Parlementaires de la Troisième République*, actes de colloque (octobre 2001), Publications de la Sorbonne, 2003.

RÉMOND (René), *La République souveraine (1879-1939)*, réédition, coll. « Pluriel », Fayard, 2013.

Les dates clés

1870

9 octobre : Gambetta quitte Paris en ballon pour coordonner la résistance en province (délégation de Tours).

31 octobre : l'Hôtel de Ville est momentanément occupé par des manifestants qui réclament déjà la Commune. Le gouvernement de la Défense nationale se fait confirmer son autorité par un plébiscite parisien (3 novembre).

1871

28 janvier : signature de l'armistice que Jules Favre a négocié avec Bismarck.

8 février : les **royalistes**, tous partisans de la paix, remportent facilement les élections. L'**Assemblée nationale** se réunit à Bordeaux le 12.

17 février : Thiers est nommé « chef du pouvoir exécutif de la République » et Jules Grévy président de l'Assemblée.

10 mars : discours de Thiers invitant à une trêve patriotique jusqu'à la conclusion de la paix et à la réorganisation du pays (« pacte de Bordeaux »). L'Assemblée décide de s'installer à Versailles, donc tout près de Paris, mais à l'abri de sa pression.

18 mars : échec de l'opération de récupération des canons de la garde nationale à Montmartre ; les généraux Lecomte et Thomas sont fusillés. Le Comité central proclame la Commune.

26 mars-4 avril : des tentatives de Communes échouent successivement à Lyon, Toulouse et Marseille.

21-28 mai : les troupes du gouvernement de Versailles entrent dans Paris et écrasent l'insurrection (de 15 à 20000 morts durant cette « Semaine sanglante »).

31 août : l'amendement Rivet attribue à Thiers le titre de président de la République et reconnaît à l'Assemblée le pouvoir constituant.

1872

12 novembre : dans un message à l'Assemblée, Thiers affirme : « La République sera conservatrice ou elle ne sera pas [...], la République existe, elle est le gouvernement légal du pays».

1873

23 mai: mis en minorité, Thiers démissionne.

24 mai: le maréchal de Mac-Mahon est élu président de la République; le duc de Broglie forme un gouvernement d'ordre moral.

27 octobre: en dépit des efforts des monarchistes, le comte de Chambord maintient son refus du drapeau tricolore; les chances d'une restauration s'évanouissent.

20 novembre: l'Assemblée accorde à Mac-Mahon le septennat.

1875

30 janvier: vote de l'amendement Wallon (par 353 voix contre 352), qui codifie le système en vigueur depuis 1871 et fixe le mode d'élection du président de la République.

24 février: à l'Assemblée, la loi constitutionnelle organisant le Sénat est approuvée à une large majorité (448 voix contre 241).

25 février: vote de la loi constitutionnelle sur l'organisation des pouvoirs publics.

16 juillet: vote de la loi constitutionnelle sur les rapports entre les pouvoirs publics (520 voix contre 94).

21 décembre: l'Assemblée élit les sénateurs inamovibles.

1876

20 février et 5 mars: progrès des **républicains** aux élections **législatives**.

1877

16 mai: «Crise du 16 mai»: sans raison suffisante, et sans que l'Assemblée l'ait mis en minorité, Mac-Mahon provoque la démission du ministère Jules Simon et appelle le duc de Broglie (le 17).

30 mai: les républicains répliquent par un manifeste signé de 363 députés.

19 juin: la Chambre refuse la confiance au ministère de Broglie; elle est dissoute le 22, par vote du Sénat.

14 et 28 octobre: élections législatives: les républicains conservent la majorité (315 sièges sur 514). Pendant six mois, cette crise a provoqué d'importantes tensions.

13 décembre: en appelant Dufaure au gouvernement, Mac-Mahon se soumet à la logique parlementaire.

1879

30 janvier: les élections sénatoriales du 5 janvier ayant confirmé l'ascendant pris par les républicains, Mac-Mahon démissionne. Jules Grévy est élu **président de la République**, le 4 février.

21 juin: révision constitutionnelle: retour des Chambres à Paris.

1880

8 juin: la fête nationale est fixée au 14 juillet.

11 juillet: adoption d'une loi d'amnistie en faveur des condamnés de la Commune.

1881-1882

Loi sur la liberté de la presse (29 juillet 1881)

La loi déclare l'enseignement primaire gratuit dans les écoles publiques (16 juin 1881), puis obligatoire et laïque (28 mars 1882).

1884

31 mars: loi Waldeck-Rousseau sur les syndicats professionnels.

14 août: l'article 8 de la loi constitutionnelle du 25 février 1875 est ainsi complété: «La forme républicaine du gouvernement ne peut faire l'objet d'une proposition de révision. Les membres des familles ayant régné sur la France sont inéligibles à la présidence de la République.»

9 décembre: modification du mode d'élection des sénateurs et suppression de l'inamovibilité.

1887

8 juillet: quittant Paris pour prendre son commandement à Clermont-Ferrand, le général Boulanger, dont la popularité s'accroît, est l'objet de manifestations de soutien à la gare de Lyon.

1889

27 janvier : député du Nord depuis avril 1888, Boulanger est élu député de la Seine.

1er avril : dissolution de la « Ligue des Patriotes » et fuite de Boulanger en Belgique. Le dénouement de la crise boulangiste consolide le régime.

1890

1er mai : la journée de huit heures est le thème revendicatif de cette première manifestation d'envergure du monde ouvrier.

1892

septembre-novembre : la presse révèle que des parlementaires ont reçu de l'argent pour faciliter la poursuite des travaux du canal de Panama.

1892-1894

Les attentats anarchistes ne compromettent pas la solidité de la République ; les gouvernements répliquent par des lois dites « scélérates » (décembre 1893 et juillet 1894).

1894

22 décembre : accusé d'avoir livré à l'Allemagne des documents intéressant la Défense nationale, le capitaine Alfred Dreyfus est jugé par un tribunal militaire, dégradé et condamné à la déportation en Guyane.

1897

14 novembre : le sénateur Scheurer-Kestner fait connaître son intention d'obtenir la révision du procès d'A. Dreyfus.

1898

13 janvier : l'*Aurore* publie « J'accuse », lettre ouverte de Zola au président de la République. Zola est une première fois condamné (février). Les antidreyfusards restent les plus influents.

1899

4 juin : manifestation nationaliste au champ de courses d'Auteuil, où le président Loubet est agressé.

7 août-9 septembre : à Rennes, Dreyfus comparaît devant le Conseil de Guerre ; condamné, mais avec circonstances atténuantes, il est gracié le 19 septembre. Il sera réhabilité et réintégré dans l'armée en 1906.

1901

1er juillet : loi Waldeck-Rousseau établissant, sauf pour les congrégations, la liberté totale d'association.

1905

9 décembre : loi de séparation de l'Église et de l'État ; le Concordat de 1801 est caduc.

1914

1er août : mobilisation générale.

4 août : l'« Union sacrée » est proclamée. On suspend l'application des lois anticongréganistes et les mesures de rétorsion prévues contre certains socialistes et syndicalistes (« Carnet B »).

26 août : entrée des **socialistes** Jules Guesde et Marcel Sembat dans le ministère Viviani refondu.

1915

4 août : un accord entre les divers groupes politiques de la Chambre prévoit l'exercice effectif du contrôle parlementaire sur la Défense nationale, grâce à des « missions temporaires et d'objet déterminé » confiées aux membres des commissions.

1916

16-22 juin : la Chambre tient son premier comité secret, consacré aux responsabilités relatives aux combats de Verdun. Les députés ont tenu sept autres comités secrets (jusqu'au 16 octobre 1917), les sénateurs aucun.

1917

24 décembre : vote de la loi prorogeant les pouvoirs du Sénat et de la **Chambre des députés** – comme de toutes les assemblées élues – jusqu'à la cessation des hostilités.

1918

6 août : le Sénat, constitué en Haute Cour, reconnaît Malvy coupable « d'avoir, dans ses fonctions de ministre de l'Intérieur, de 1914 à 1917, méconnu, trahi et violé les devoirs de sa charge » et le condamne à cinq ans de bannissement.

11 novembre : signature de l'armistice sur le front Ouest et fin de la guerre.

1919

2-12 octobre : la Chambre et le Sénat ratifient le traité de Versailles.

1920

février : Joseph Caillaux, arrêté en janvier 1918 pour « intelligence avec l'ennemi » est condamné par la Haute Cour à trois ans d'emprisonnement et à la privation de ses droits politiques ; il sera amnistié par la Chambre élue en 1924.

25 septembre : dans son message aux Chambres, le nouveau président de la République, Alexandre Millerand, évoque les « modifications souhaitables » qu'on pourrait apporter aux lois constitutionnelles.

11 novembre : dans de grandioses cérémonies, le gouvernement associe plusieurs célébrations : l'anniversaire de l'armistice, le cinquantenaire de la République, l'installation du Soldat inconnu sous l'Arc de Triomphe et le transfert au Panthéon du cœur de Gambetta.

1923

14 octobre : parlant à Évreux, Millerand prend la défense du « Bloc national » et se déclare partisan d'un renforcement du pouvoir exécutif.

1924

11 mai : victoire électorale du « Cartel des gauches », dont les chefs souhaitent le départ du président de la République.

10 juin : la pression parlementaire contraint Millerand à la démission ; il est remplacé par Gaston Doumergue.

1926

17 juillet : face aux graves difficultés financières, le ministère Briand-Caillaux demande les pleins pouvoirs pour quatre mois. Au nom de la tradition républicaine, Herriot s'oppose à cette procédure et provoque la chute du gouvernement.

10 août : réunie à Versailles, l'Assemblée nationale – ou le Congrès – (Chambre des députés et Sénat) adopte la loi constitutionnelle créant la Caisse autonome d'amortissement.

septembre-novembre : le gouvernement Poincaré d'Union nationale – constitué le 23 juillet – met en œuvre une importante réforme administrative, menée par le ministre de l'Intérieur, le radical Albert Sarraut, dans le souci de « simplifier, moderniser, déconcentrer, faire confiance aux libertés locales ».

1929

31 juillet : Briand, qui succède à Poincaré, malade, demande à la Chambre une « trêve des partis » de trois mois pour faciliter les négociations sur le plan Young à la conférence de La Haye.

1931

6 mai : ouverture de l'Exposition coloniale à Paris.

1934

6 février : à Paris, violente manifestation des droites, dirigée contre le Palais-Bourbon ; le régime est mis en cause.

12 février : grève générale et manifestation des gauches, en réponse à l'émeute du 6.

22 février : Doumergue est autorisé à gouverner par décrets-lois.

1935

14 juillet : défilé et serment du Rassemblement populaire.

1936

5 mai : victoire des formations du Front populaire au second tour des élections législatives.

26 mai : début des grèves avec occupation d'usines.

7 juin : signature des accords Matignon.

11-12 juin : lois sur les conventions collectives, les congés payés, la semaine de quarante heures.

1939

3 septembre : la France et l'Angleterre déclarent la guerre à l'Allemagne.

8 décembre : loi accordant au gouvernement le droit de légiférer par décret.

1940

16 juin : à Bordeaux, Pétain constitue un ministère.

18 juin : depuis Londres, appel du général de Gaulle.

22 juin : l'armistice franco-allemand est signé à Rethondes.

10 juillet : à Vichy, les deux Chambres votent les pleins pouvoirs au maréchal Pétain ; c'est l'acte de décès de la IIIe République.

Les institutions : les lois constitutionnelles de 1875

Loi du 25 février 1875 relative à l'organisation des pouvoirs publics

Article premier – Le pouvoir législatif s'exerce par deux assemblées : la Chambre des députés et le Sénat. – La Chambre des députés est nommée par le suffrage universel, dans les conditions déterminées par la loi électorale. – La composition, le mode de nomination et les attributions du Sénat seront réglés par une loi spéciale.

Art. 2 – Le président de la République est élu à la majorité absolue des suffrages par le Sénat et par la Chambre des députés réunis en Assemblée nationale. Il est nommé pour sept ans. Il est rééligible.

Art. 3 – Le président de la République a l'initiative des lois, concurremment avec les membres des deux Chambres. Il promulgue les lois lorsqu'elles ont été votées par les deux Chambres ; il en surveille et en assure l'exécution. – Il a le droit de faire grâce ; les amnisties ne peuvent être accordées que par une loi. – Il dispose de la force armée. – Il nomme à tous les emplois civils et militaires. – Il préside aux solennités nationales ; les envoyés et les ambassadeurs des puissances étrangères sont accrédités auprès de lui. – Chacun des actes du président de la République doit être contresigné par un ministre.

Art. 4 – Au fur et à mesure des vacances qui se produiront à partir de la promulgation de la présente loi, le président de la République nomme, en Conseil des ministres, les conseillers d'État, en service ordinaire. – Les conseillers d'État ainsi nommés ne pourront être révoqués que par décret rendu en Conseil des ministres. – Les conseillers d'État nommés en vertu de la loi du 24 mai 1872 ne pourront, jusqu'à l'expiration de leurs pouvoirs, être révoqués que dans la forme déterminée par cette loi. – Après la séparation de l'Assemblée nationale, la révocation ne pourra être prononcée que par une résolution du Sénat.

Art. 5 – Le président de la République peut, sur l'avis conforme du Sénat, dissoudre la Chambre des députés avant l'expiration légale de son mandat. – En ce cas, les collèges électoraux sont convoqués pour de nouvelles élections dans le délai de trois mois.

Art. 6 – Les ministres sont solidairement responsables devant les Chambres de la politique générale du gouvernement, et individuellement de leurs actes personnels. – Le président de la République n'est responsable que dans le cas de haute trahison.

Art. 7 – En cas de vacance par décès ou pour toute autre cause, les deux Chambres réunies procèdent immédiatement à l'élection d'un nouveau président. – Dans l'intervalle, le Conseil des ministres est investi du pouvoir exécutif.

Art. 8 – Les Chambres auront le droit, par délibérations séparées prises dans chacune à la majorité absolue des voix, soit spontanément, soit sur la demande du président de la République, de déclarer qu'il y a lieu de réviser les lois constitutionnelles. – Après que chacune des deux Chambres

aura pris cette résolution, elles se réuniront en Assemblée nationale pour procéder à la révision. – Les délibérations portant révision des lois constitutionnelles, en tout ou en partie, devront être prises à la majorité absolue des membres composant l'Assemblée nationale. – Toutefois, pendant la durée des pouvoirs conferés par la loi du 20 novembre 1873, à *M. le maréchal de Mac-Mahon*, cette révision ne peut avoir lieu que sur la proposition du président de la République.
Art. 9 – Le siège du pouvoir exécutif et des deux Chambres est à Versailles. [...]

Loi constitutionnelle du 16 juillet 1875 sur les rapports des pouvoirs publics

Article premier – Le Sénat et la Chambre des députés se réunissent chaque année le second mardi de janvier, à moins d'une convocation antérieure faite par le président de la République. – Les deux Chambres doivent être réunies en session cinq mois au moins chaque année. La session de l'une commence et finit en même temps que celle de l'autre. – Le dimanche qui suivra la rentrée, des prières publiques seront adressées à Dieu dans les églises et dans les temples pour appeler son secours sur les travaux des Assemblées.
Art. 2 – Le président de la République prononce la clôture de la session. Il a le droit de convoquer extraordinairement les Chambres. Il devra les convoquer si la demande en est faite, dans l'intervalle des sessions, par la majorité absolue des membres composant chaque Chambre. – Le président peut ajourner les Chambres. Toutefois, l'ajournement ne peut excéder le terme d'un mois, ni avoir lieu plus de deux fois dans la même session.
Art. 3 – Un mois au moins avant le terme légal des pouvoirs du président de la République, les Chambres devront être réunies en Assemblée nationale pour procéder à l'élection du nouveau président. – À défaut de convocation, cette réunion aurait lieu de plein droit le quinzième jour avant l'expiration de ces pouvoirs. – En cas de décès ou de démission du président de la République, les deux Chambres se réunissent immédiatement et de plein droit. – Dans le cas où, par application de l'article 5 de la loi du 25 février 1875, la Chambre des députés se trouverait dissoute au moment où la présidence de la République deviendrait vacante, les collèges électoraux seraient aussitôt convoqués, et le Sénat se réunirait de plein droit.
Art. 4 – Toute Assemblée de l'une des deux Chambres qui serait tenue hors du temps de la session commune est illicite et nulle de plein droit; sauf le cas prévu par l'article précédent et celui où le Sénat est réuni comme Cour de justice; et, dans ce dernier cas, il ne peut exercer que des fonctions judiciaires.
Art. 5 – Les séances du Sénat et celles de la Chambre des députés sont publiques. – Néanmoins, chaque Chambre peut se former en Comité secret, sur la demande d'un certain nombre de ses membres, fixé par le règlement. – Elle décide ensuite, à la majorité absolue, si la séance doit être reprise en public sur le même sujet.
Art. 6 – Le président de la République communique avec les Chambres par des messages qui sont lus à la tribune par un ministre. – Les ministres ont leur entrée dans les deux Chambres et doivent être entendus quand ils le demandent. Ils peuvent se faire assister par des commissaires désignés, pour la discussion d'un projet de loi déterminé, par décret du président de la République.
Art. 7 – Le président de la République promulgue les lois dans le mois qui suit la transmission au gouvernement de la loi définitivement adoptée. Il doit promulguer dans les trois jours les lois dont la promulgation, par un vote exprès de l'une et l'autre Chambre, aura été déclarée urgente. – Dans le délai fixé pour la promulgation, le président de la République peut, par un message motivé, demander aux deux Chambres une nouvelle délibération qui ne peut être refusée.
Art. 8 – Le président de la République négocie et ratifie les traités. Il en donne connaissance aux Chambres aussitôt que l'intérêt et la sûreté de l'État le permettent. – Les traités de paix, de commerce, les traités qui engagent les finances de l'État, ceux qui sont relatifs à l'état des personnes

et aux droits de propriété des Français à l'étranger, ne sont définitifs qu'après avoir été votés par les deux Chambres. Nulle cession, nul échange, nulle adjonction de territoire ne peut avoir lieu qu'en vertu d'une loi. [...]

Document

Les présidents du Conseil de la IIIe République

1er et 2e cabinet Dufaure : 19 février 1871 – 24 mai 1873.
1er cabinet Broglie : 25 mai – 24 novembre 1873.
2e cabinet Broglie : 26 novembre 1873 – 16 mai 1874.
Cabinet Cissey : 22 mai 1874 – 25 février 1875.
Cabinet Buffet : 10 mars 1875 – 23 février 1876.
3e et 4e cabinet Dufaure : 23 février – 3 décembre 1876.
Cabinet Jules Simon : 12 décembre 1876 – 16 mai 1877.
3e cabinet Broglie, dit du « 16-Mai » : 17 mai – 19 novembre 1877.
5e cabinet Dufaure : 13 décembre 1877 – 30 janvier 1879.
Cabinet Waddington : 4 février – 26 décembre 1879.
1er cabinet Freycinet : 28 décembre 1879 – 19 septembre 1880.
1er cabinet Ferry : 23 septembre 1880 – 10 novembre 1881.
Cabinet Gambetta : 14 novembre 1881 – 27 janvier 1882.
2e cabinet Freycinet : 30 janvier – 28 juillet 1882.
Cabinet Duclerc : 7 août 1882 – 28 janvier 1883.
Cabinet Fallières : 29 janvier – 18 février 1883.
2e cabinet Ferry : 21 février 1883 – 30 mars 1885.
1er cabinet Brisson : 6 avril – 29 décembre 1885.
3e cabinet Freycinet : 7 janvier – 3 décembre 1886.
Cabinet Goblet : 11 décembre 1886 – 18 mai 1887.
1er cabinet Rouvier : 30 mai – 4 décembre 1887.
1er cabinet Tirard : 12 décembre 1887 – 30 mars 1888.
Cabinet Floquet : 3 avril 1888 – 14 février 1889.
2e cabinet Tirard : 22 février 1889 – 14 mars 1890.
4e cabinet Freycinet : 17 mars 1890 – 19 février 1892.
Cabinet Loubet : 27 février – 28 novembre 1892.
1er cabinet Ribot : 6 décembre 1892 – 10 janvier 1893.
2e cabinet Ribot : 11 janvier – 30 mars 1893.
1er cabinet Dupuy : 4 avril – 25 novembre 1893.
Cabinet Casimir-Perier : 3 décembre 1893 – 23 mai 1894.
2e cabinet Dupuy : 30 mai – 27 juin 1894.
3e cabinet Dupuy : 1er juillet 1894 – 17 janvier 1895.
3e cabinet Ribot : 26 janvier – 28 octobre 1895.
Cabinet Bourgeois : 1er novembre 1895 – 23 avril 1896.
Cabinet Méline : 29 avril 1896 – 15 juin 1898.
2e cabinet Brisson : 28 juin – 26 octobre 1898.
4e cabinet Dupuy : 1er novembre 1898 – 18 février 1899.
5e cabinet Dupuy : 18 février – 12 juin 1899.
Cabinet Waldeck-Rousseau : 22 juin 1899 – 4 juin 1902.

Cabinet Combes : 7 juin 1902 – 18 janvier 1905.
2e cabinet Rouvier : 24 janvier 1905 – 18 février 1906.
3e cabinet Rouvier : 18 février – 9 mars 1906.
Cabinet Sarrien : 14 mars – 19 octobre 1906.
1er cabinet Clemenceau : 25 octobre 1906 – 20 juillet 1909.
1er cabinet Briand : 24 juillet 1909 – 2 novembre 1910.
2e cabinet Briand : 3 novembre 1910 – 27 février 1911.
Cabinet Monis : 2 mars – 23 juin 1911.
Cabinet Caillaux : 27 juin 1911 – 11 janvier 1912.
1er cabinet Poincaré : 14 janvier 1912 – 18 janvier 1913.
3e cabinet Briand : 21 janvier – 18 février 1913.
4e cabinet Briand : 18 février – 18 mars 1913.
Cabinet Barthou : 22 mars – 2 décembre 1913.
1er cabinet Doumergue : 9 décembre 1913 – 3 juin 1914.
4e cabinet Ribot : 9 juin – 13 juin 1914.
1er cabinet Viviani : 13 juin – 26 août 1914.
2e cabinet Viviani : 26 août 1914 – 29 octobre 1915.
5e cabinet Briand : 29 octobre 1915 – 12 décembre 1916.
6e cabinet Briand : 12 décembre 1916 – 18 mars 1917.
5e cabinet Ribot : 20 mars – 7 septembre 1917.
1er cabinet Painlevé : 12 septembre – 13 novembre 1917.
2e cabinet Clemenceau : 16 novembre 1917 – 18 janvier 1920.
1er cabinet Millerand : 20 janvier – 18 février 1920.
2e cabinet Millerand : 18 février – 23 septembre 1920.
Cabinet Leygues : 24 septembre 1920 – 12 janvier 1921.
7e cabinet Briand : 16 janvier 1921 – 12 janvier 1922.
2e cabinet Poincaré : 15 janvier 1922 – 26 mars 1924.
3e cabinet Poincaré : 26 mars – 1er juin 1924.
Cabinet François-Marsal : 9-10 juin 1924.
1er cabinet Herriot : 14 juin 1924 – 10 avril 1925.
2e cabinet Painlevé : 17 avril – 27 octobre 1925.
3e cabinet Painlevé : 29 octobre – 22 novembre 1925.
8e, 9e et 10e cabinet Briand : 28 novembre 1925 – 17 juillet 1926.
2e cabinet Herriot : 19 – 21 juillet 1926.
4e cabinet Poincaré : 23 juillet 1926 – 6 novembre 1928.
5e cabinet Poincaré : 11 novembre 1928 – 27 juillet 1929.
11e cabinet Briand : 29 juillet – 3 novembre 1929.
1er cabinet Tardieu : 3 novembre 1929 – 17 février 1930.
1er cabinet Chautemps : 21 – 25 février 1930.
2e cabinet Tardieu : 2 mars – 4 décembre 1930.
Cabinet Steeg : 13 décembre 1930 – 22 janvier 1931.
1er cabinet Laval : 27 janvier – 13 juin 1931.
2e et 3e cabinet Laval : 13 juin 1931 – 16 février 1932.
3e cabinet Tardieu : 20 février – 10 mai 1932.
3e cabinet Herriot : 3 juin – 14 décembre 1932.
Cabinet Paul-Boncour : 18 décembre 1932 – 28 janvier 1933.

1er cabinet Daladier : 31 janvier – 24 octobre 1933.
1er cabinet Sarraut : 26 octobre – 23 novembre 1933.
2e cabinet Chautemps : 26 novembre 1933 – 27 janvier 1934.
2e cabinet Daladier : 30 janvier – 7 février 1934.
2e cabinet Doumergue : 9 février – 8 novembre 1934.
Cabinet Flandin : 8 novembre 1934 – 31 mai 1935.
Cabinet Bouisson : 1er – 4 juin 1935.
4e cabinet Laval : 7 juin 1935 – 22 janvier 1936.
2e cabinet Sarraut : 24 janvier – 4 juin 1936.
1er cabinet Blum : 4 juin 1936 – 21 juin 1937.
3e et 4e cabinet Chautemps : 22 juin 1937 – 10 mars 1938.
2e cabinet Blum : 13 mars – 8 avril 1938.
3e cabinet Daladier : 10 avril 1938 – 20 mars 1940.
Cabinet Reynaud : 21 mars – 16 juin 1940.
Cabinet Pétain : 16 juin – 10 juillet 1940.

LE RÉGIME DE VICHY (1940-1944)

Le régime de Vichy : une « parenthèse » ?

Malgré les difficultés d'information et de déplacement, les Chambres ont été convoquées à Vichy au début de juillet. P.-E. Flandin avait pensé sauvegarder les institutions en provoquant le remplacement de Lebrun par Pétain, mais le président de la République refuse de démissionner. Laval s'emploie alors à obtenir l'adhésion des élus à la solution Pétain, dans une atmosphère de résignation et de peur évoquée par L. Blum (« Ce qui agissait, c'était la peur ; la peur des bandes de Doriot dans la rue, la peur des soldats de Weygand à Clermont-Ferrand, la peur des Allemands qui étaient à Moulins. »). Sans surprise, à l'issue de la séance du 10 juillet, les pleins pouvoirs sont accordés au maréchal Pétain par 569 voix contre 80 et 17 abstentions.

❑ ***L'« État français ».*** La République est abolie. On remarque la formule personnalisée et autoritaire du 1er acte constitutionnel : « Nous, Philippe Pétain, Maréchal de France [...]. » Le principe hiérarchique, en effet, devient un fondement idéologique déterminant, entraînant l'obligation pour les hauts fonctionnaires de prêter serment.

Par l'acte constitutionnel n° 2, Pétain cumule les pouvoirs exécutif et législatif d'une manière plus certaine que Napoléon III. La représentativité populaire est ignorée et le régime fonctionne un temps par la force d'un mythe, que relaie la propagande. Car on retrouve, avec le vainqueur de Verdun, l'image rassurante du père et le chef capable d'appliquer des « règles d'hygiène politique ». C'est que toute l'action initiale du gouvernement s'oriente vers un règlement de compte avec la République déchue et le Front populaire, le thème de l'expiation dans la défaite donnant lieu à de complaisants commentaires... Le consensus républicain est rompu. « La période 1940-1944, dite aussi de la Révolution nationale, doit être considérée comme une période de dictature de l'exécutif et, plus encore, de négation de l'État de droit et du libéralisme, en raison de sa politique raciste et antisémite.» (J. Gicquel). Ce régime s'engage dans une étroite collaboration avec l'occupant nazi.

Une commission – créée au sein du Conseil national – a été chargée de rédiger un projet de Constitution ; dans le discours qu'il prononce devant elle le 8 juillet 1941, Pétain condamne la notion de peuple souverain et la conception antérieure du corps électoral pour vanter les charmes de la « Révolution nationale ». Cette commission a produit un texte, sans grande signification – où pourtant réapparaît le terme de République –, et jamais promulgué. Le chef de l'État annonçait lui-même à la fin de 1941 : « La nouvelle Constitution sera bientôt faite [...] mais elle ne peut être datée que de Paris et ne sera promulguée qu'au lendemain de la libération du territoire. »

Tout a donc basculé après la plus lourde défaite militaire qu'ait connue la France contemporaire.

« On peut sans hésitation affirmer que l'instauration de l'État français sonna l'heure du triomphe des droites, au grand complet ou presque, et de l'effondrement concomitant des gauches telles qu'elles avaient existé jusque-là » (Gilles Richard). Tandis que les symboles et acquis de la République sont gommés, surveillés ou reniés (laïcité, primauté de l'enseignement public, rejet officiel de l'antisémitisme, présence du buste de Marianne dans les mairies...), la recette corporatiste sert à redéfinir le monde économique (corporation paysanne, charte du travail). Œuvrent de concert des fonctionnaires d'inspiration maurrassienne et d'autres qu'on peut qualifier de « technocrates », partisans d'une modernisation de la production, dans le cadre d'ententes européennes.

Les historiens estiment que l'adhésion de l'opinion, quasi-unanime en 1940, est moins nette dès le premier semestre 1941. Mais le régime, fortement installé, accentue sa collaboration avec l'occupant. Il existe pourtant des Français hostiles à Vichy.

❑ ***La France du refus.*** Depuis l'appel du 18 juin, le général de Gaulle veut incarner la continuité de la légalité républicaine, mais il détient plutôt une légitimité. Le grand juriste René Cassin, un des premiers à l'avoir rejoint à Londres, se charge de situer les tares constitutionnelles du régime de la défaite, la principale étant qu'aucun gouvernement ne peut étendre son autorité sur un territoire occupé – même partiellement – par le vainqueur. Peu impressionné par la condamnation à mort que le tribunal militaire de Clermont-Ferrand prononce le 2 août 1940 contre lui, de Gaulle fustige à l'occasion le « gouvernement de rencontre » ou « les hommes qui se disent au pouvoir ».

Prolongeant en quelque sorte la tradition de Gambetta en 1870-1871, il ne s'intéresse qu'à la lutte et devient « le dépositaire de la République hors du sol national » (J.-P. Cointet). La France libre, qui n'était pas au départ un gouvernement en exil, se dote progressivement d'attributs gouvernementaux, déjà à l'automne 1941, avec le Comité national français et les commissariats nationaux, qui préfigurent des ministères, puis, en juin 1943, avec le Gouvernement provisoire de la République française (G.P.R.F.).

À aucun moment cette action ne vise à perpétuer, en tant que régime, la IIIe République. L'épisode du procès de Riom le démontre clairement. Si de Gaulle réprouve la manière dont Vichy cherche des responsables commodes de la défaite parmi les anciens présidents du Conseil ou ministres détenus (L. Blum, É. Daladier, G. La Chambre… – et en y comptant le général Gamelin –), il ne prend pas leur défense. En effet, la France libre se veut apolitique et ouverte à tous, donc soucieuse de ne pas appuyer plus nettement des hommes discutés ; d'autre part, de Gaulle n'a jamais caché son peu d'enthousiasme pour l'éventuelle restauration d'un régime d'assemblée favorisant à l'excès le jeu des partis. On notera que, parallèlement, les mouvements de la Résistance intérieure, tout en argumentant sur les vraies responsabilités de l'impréparation – qu'ils relient surtout à l'aveuglement de Pétain en matière d'arme blindée et d'aviation –, n'apportent aucun soutien direct aux accusés parlementaires de Riom, tant est négative leur analyse de la dégradation du régime dans les années trente.

❑ ***La Résistance.*** Alya Aglan distingue trois temps : « La première résistance est spontanée et organise trois types d'action : évasion, renseignement, prospection. » Les femmes y jouent déjà un rôle important. Ces initiatives provenaient d'un déni viscéral de la réalité, bien exprimé par Jean Cassou (*La Mémoire courte*, 1953) : « Que fut la Résistance à son origine, sinon un refus absurde ? […] Il est donc déraisonnable de rappeler, comme je le fais, contre toute raison et vainement, l'atmosphère d'implacable accablement des semaines qui suivirent l'armistice et où un peu de conscience s'éveillait çà et là, une minuscule et vacillante protestation qui ne savait quelle forme, quelle expression elle pourrait bien prendre. On se cherchait à tâtons dans l'obscurité. »

Fin 1940-début 1941, une seconde résistance se dessine, marquée par la naissance de mouvements défendant des idéaux politiques et sociaux et diffusant des publications clandestines (pour prendre quelques exemples, en zone nord : *Libération-Nord*, *Défense de la France*, l'*Organisation civile et militaire* [OCM], etc. ; en zone sud, *Libération-Sud*, *Combat*, *Franc-Tireur* ; auxquels s'ajoutent, après juin 1941, côté communiste, les *FTP* et le *Front national*).

La troisième résistance (1942-1943), structurée, au large spectre politique, débouche, grâce à Jean Moulin, sur le Conseil national de la Résistance, gage de l'union de toutes les forces qui travaillent à la libération du territoire.

❑ ***Le dénouement.*** En dépit des rapports tendus de la France combattante avec les Alliés, le travail de coordination et de préparation s'est poursuivi. Son intensité explique sûrement la rapidité avec laquelle pourront être installés, dans les premières semaines de la Libération, les commissaires régionaux de la République, les préfets et les commandants de régions militaires, alors que les fonctionnaires de Vichy se sont évaporés ; efficacité qui rend inutile en France le système d'administration militaire alliée (AMGOT) appliquée à l'Italie. L'explication tient aussi à la Résistance intérieure dont les membres ont préparé le retour à la légalité républicaine : « Aidant, par leur verbe comme par leur action, à disqualifier le régime pétainiste, ils ont surtout formé une contre-administration capable de gérer le pays dès la Libération. » (O. Wieviorka).

Il n'est donc pas nécessaire de « reproclamer » la République en 1944. Et l'ordonnance du 9 août ferme sobrement la parenthèse : « Tout ce qui est postérieur à la chute, dans la journée du 16 juin 1940, du dernier gouvernement légitime de la République est évidemment frappé de nullité. » Au plan constitutionnel, il n'est rien resté de Vichy.

Mais, après bien d'autres indices depuis les années 1970-1980, le discours capital de Jacques Chirac (16 juillet 1995) sur la responsabilité de la France dans la déportation des Juifs, comme les procès de Klaus Barbie (1987), Paul Touvier (1994) et Maurice Papon (1997-1998) ont montré la récurrence du débat politique, historique et mémoriel sur le statut du régime de Vichy.

Pour aller plus loin :

AGLAN (Alya), *La France défaite* (1940-1945), n° 8120, coll. « Documentation photographique », La Documentation française, 2017.

ALARY (Éric), *Nouvelle Histoire de l'Occupation*, Perrin, 2019.

AZÉMA (Jean-Pierre) et WIEVIORKA (Olivier), *Vichy, 1940-1944*, coll. « Tempus », Perrin, 2004.

BARUCH (Marc-Olivier), *Servir l'État français. L'administration en France de 1940 à 1944*, Fayard, 1997.

CASSOU (Jean), *La Mémoire courte*, réédition, Mille et une nuits, 2001.

JOLY (Laurent), *L'État contre les Juifs. Vichy, les nazis et la persécution antisémite*, Grasset, 2018.

MARCOT (François) (dir.), *Dictionnaire historique de la Résistance*, coll. « Bouquins », Robert Laffont, 2006.

PROST (Antoine) (dir.), *La Résistance, une histoire sociale*, Éditions de l'Atelier, 1997.

ROUSSO (Henry), *Le syndrome de Vichy*, coll. « Points Histoire », Seuil, 1990, rééd. 1992.

WIEVIORKA (Olivier), *La Mémoire désunie. Le souvenir politique des années sombres, de la Libération à nos jours*, coll. « L'Univers historique », Seuil, 2010.

WIEVIORKA (Olivier), *Histoire de la Résistance (1940-1945)*, coll. « Tempus », Perrin, 2018.

Les dates clés

1940

11 juillet : promulgation des premiers actes constitutionnels fondant l'État français.

29 août : instauration de la Légion française des combattants, qui fusionne toutes les associations d'anciens combattants.

18 octobre : loi sur le statut des Juifs en France et en Algérie.

24 octobre : rencontre entre Pétain et Hitler à Montoire.

27 octobre : à Brazzaville, création du Conseil de défense de l'Empire, ébauche de gouvernement provisoire de la France libre.

13 décembre : renvoi et arrestation de Laval, qui est libéré par Otto Abetz le 16.

1941

24 janvier : création à Vichy du Conseil national.

9 février : dans le nouveau gouvernement, l'amiral Darlan, vice-président du Conseil, assume plusieurs charges, dont l'Intérieur et les Affaires étrangères.

2 juin : nouveau statut des Juifs, plus discriminatoire encore.

14 août : tous les fonctionnaires sont tenus de prêter serment au maréchal Pétain.

24 septembre : de Gaulle transforme le Conseil de défense en Comité national français.

1942

19 février : ouverture du procès de Riom, qui devait permettre de sanctionner les « responsables de la défaite ». La défense énergique de Blum et Daladier tournant au désavantage des accusateurs, le procès est suspendu le 15 avril.

18 avril : Laval est nommé chef du gouvernement, fonction créée par l'acte constitutionnel n° 11.

22 juin : discours radiodiffusé de Laval en faveur de la « Relève » (« Je souhaite la victoire de l'Allemagne »).

14 juillet : en prenant le nom de « France combattante », la France libre veut symboliser l'union avec la Résistance intérieure.

16-17 juillet : « rafle du Vél'd'Hiv ». Policiers et gendarmes français procèdent à l'arrestation de plus de 13 000 juifs, dont 4 000 enfants de moins de 16 ans. Ils seront déportés principalement à Auschwitz-Birkenau.

22 octobre : une mission de coordination de la Résistance intérieure est confiée par le général de Gaulle à Jean Moulin.

13 novembre : après le débarquement anglo-américain, et avec l'appui des États-Unis, Darlan prend le pouvoir en Afrique du Nord; le 4 décembre, il est même reconnu « chef de l'État ».

24 décembre : Darlan assassiné, le général Giraud le remplace.

1943

30 janvier : création de la Milice, confiée à Darnand.

27 mai : création du « Conseil national de la Résistance » (CNR) qui fédère, en un organisme représentatif, des mouvements, partis et syndicats engagés dans la lutte. La position de de Gaulle face à Giraud et aux Alliés s'en trouve renforcée.

3 juin : à Alger, sous la co-présidence de de Gaulle et de Giraud, est constitué le « Comité français de libération nationale » (CFLN), défini comme le « pouvoir central français unique exerçant la souveraineté française sur tous les territoires français placés hors du pouvoir de l'ennemi ». Giraud en est rapidement écarté.

17 septembre : création, par ordonnance du CFLN, d'une « Assemblée consultative provisoire » (ACP).

3 novembre : à Alger, la première réunion de l'Assemblée consultative constitue un symbole fort de la survie de la République.

1944

30 janvier-2 févier : la conférence de Brazzaville est chargée de préparer la future organisation de l'Empire colonial. Dans le discours d'ouverture, de Gaulle évoque bien un nouveau statut, mais toujours dans le cadre de la souveraineté française.

15 mars : le Conseil national de la Résistance (CNR) adopte un programme, dont la seconde partie (« Mesures à appliquer dès la libération du territoire ») contient des projets politiques très structurés, assez marqués à gauche.

21 avril : droit de vote et d'éligibilité pour les femmes (ordonnance du général de Gaulle).

3 juin : le « gouvernement provisoire de la République française » remplace le CFLN.

14 juin : à Bayeux, l'accueil enthousiaste de la population est, pour de Gaulle, un premier signe non seulement de sa popularité, mais surtout de la légitimité de son gouvernement.

12 juillet : dernier Conseil des ministres à Vichy.

26 août : dans Paris libéré, de Gaulle et les membres du CNR descendent les Champs-Élysées.

1er septembre : le GPRF, puis l'ACP, s'installent à Paris. De Gaulle choisit symboliquement les locaux du ministère de la Guerre, qu'il avait quitté en juin 1940.

9 septembre : Pétain et Laval, transférés, arrivent à Sigmaringen.

septembre : remaniement du GPRF.

18 novembre : création d'une Haute Cour de Justice.

Les institutions : la loi constitutionnelle du 10 juillet 1940

Article unique – L'Assemblée nationale donne tout pouvoir au gouvernement de la République, sous l'autorité et la signature du maréchal Pétain, à l'effet de promulguer par un ou plusieurs actes une nouvelle Constitution de l'État français. Cette Constitution devra garantir les droits du Travail, de la Famille et de la Patrie.

Elle sera ratifiée par la Nation et appliquée par les Assemblées qu'elle aura créées.

Les trois premiers Actes constitutionnels de l'État français (11 juillet 1940)

Acte Constitutionnel n° 1.
Nous, Philippe Pétain, Maréchal de France,
Vu la loi constitutionnelle du 10 juillet 1940,
Déclarons assumer les fonctions de chef de l'État français.
En conséquence, nous décrétons :
L'article 2 de la loi constitutionnelle du 25 février 1875 est abrogé.
Fait à Vichy, le 11 juillet 1940.

Acte Constitutionnel n° 2.
Fixant les pouvoirs du chef de l'État français [...]
Art. Ier, § 1er – Le Chef de l'État français a la plénitude du pouvoir gouvernemental, il nomme et révoque les ministres et secrétaires d'État, qui ne sont responsables que devant lui.
§ 2 – Il exerce le pouvoir législatif, en Conseil des ministres :
1° Jusqu'à la formation de nouvelles Assemblées ;
2° Après cette formation, en cas de tension extérieure ou de crise intérieure grave, sur sa seule décision et dans la même forme. Dans les mêmes circonstances, il peut édicter toutes dispositions d'ordre budgétaire et fiscal.
§ 3 – Il promulgue les lois et assure leur exécution.
§ 4 – Il nomme à tous les emplois civils et militaires pour lesquels la loi n'a pas prévu d'autre mode de désignation.
§ 5 – Il dispose de la force armée.
§ 6 – Il a le droit de grâce et d'amnistie.
§ 7 – Les envoyés et ambassadeurs des puissances étrangères sont accrédités auprès de lui. Il négocie et ratifie les traités.
§ 8 – Il peut déclarer l'état de siège, dans une ou plusieurs portions du territoire.
§ 9 – Il ne peut déclarer la guerre sans l'assentiment préalable des Assemblées législatives.
Art. 2 – Sont abrogées toutes dispositions des lois constitutionnelles des 24 février 1875, 25 février 1875 et 16 juillet 1875, incompatibles avec le présent acte.
Fait à Vichy, le 11 juillet 1940.

Acte Constitutionnel n° 3.
Relatif aux anciennes Chambres législatives [...]
Art. Ier – Le Sénat et la Chambre des députés subsisteront jusqu'à ce que soient formées les Assemblées prévues par la loi constitutionnelle du 10 juillet 1940.
Art. 2 – Le Sénat de la Chambre des députés sont ajournés jusqu'à nouvel ordre.
Ils ne pourront désormais se réunir que sur convocation du Chef de l'État.
Art. 3 – L'article Ier de la loi constitutionnelle du 16 juillet 1875 est abrogé.
Fait à Vichy, le 11 juillet 1940.

Documents

1 – Le discours de Pétain sur la future Constitution, le 8 juillet 1941

(La commission chargée d'élaborer une constitution, dirigée par Joseph Barthélemy, garde des Sceaux, et Lucien Romier, conseiller du maréchal Pétain, comprend notamment des professeurs de droit et d'anciens parlementaires de la IIIe République connaissant bien les questions de législation. Le résultat sera une constitution réactionnaire. L'orateur définit quelques priorités.)

[...] Le régime électoral représentatif, majoritaire, parlementaire, qui vient d'être détruit par la défaite, était condamné depuis longtemps par l'évolution générale et accélérée des esprits et des faits dans la plupart des pays d'Europe et par l'impossibilité démontrée de se réformer. En France, il donnait tous les signes de l'incohérence attestée par la substitution chronique des décrets-lois à la procédure législative régulière. L'inconscience en matière de politique étrangère ajoutait à ces signes un présage de catastrophe.

Cette catastrophe est une conclusion ; nous sommes dans l'obligation de reconstruire.

La vigueur et la durée de la Constitution que nous allons élaborer dépendront des principes mis à sa base, de l'organisation nouvelle et de l'articulation des éléments sociaux composant la nation, de la formation et de la définition d'un nouveau corps politique qui devra être radicalement différent de celui qui était le moteur sans frein et sans responsabilité de l'ancienne Constitution, de la foi de la France dans ses destinées, d'une foi ravivée dans ses possibilités propres au milieu d'un monde transformé par un bouleversement social et politique dont on ne peut encore ni entrevoir la fin, ni prévoir les conséquences, mais qui, quelles qu'elles soient, ne doivent pas empêcher notre pays de trouver de nouvelles raisons de vivre.

Pour des raisons de tous les ordres et d'une extrême complexité, la France est entrée dans une des grandes crises de son histoire. Voilà le fait qui domine et commande toute la révolution nationale ; voilà le point de départ de la Constitution nouvelle qui sera œuvre organique et durable ou travail artificiel et éphémère.

Les problèmes à résoudre découlent les uns des autres.

Le premier consiste à remplacer le « peuple souverain » exerçant des droits absolus, dans l'irresponsabilité totale, par un peuple dont les droits dérivent de ses devoirs.

Un peuple n'est pas un nombre déterminé d'individus, arbitrairement comptés au sein d'un corps social et comprenant seulement les natifs du sexe masculin parvenus à l'âge de raison. L'expérience décisive et concluante montre que cette conception n'aura été qu'un intermède relativement court dans l'histoire de notre pays initiateur du système, beaucoup plus court encore dans celle de la plupart des pays européens qui l'ont imité par étapes successives.

Un peuple est une hiérarchie de familles, de professions, de communes, de responsabilités administratives, de familles spirituelles, articulées et fédérées pour former une patrie animée d'un mouvement, d'une âme, d'un idéal, moteurs de l'avenir, pour produire, à tous les échelons, une hiérarchie des hommes qui se sélectionnent par les services rendus à la communauté, dont un petit nombre conseillent, quelques-uns commandent et, au sommet, un chef qui gouverne.

La solution consiste à rétablir le citoyen, jugé sur ses droits, dans la réalité familiale, professionnelle, communale, provinciale et nationale. C'est de cette réalité que doit procéder l'autorité positive et sur elle que doit se fonder la vraie liberté, car il n'y a pas, il ne doit pas y avoir de liberté théorique et chimérique contre l'intérêt général et l'indépendance de la nation.

Je me propose de recomposer un corps social d'après ces principes. Il ne suffira plus de compter les voix. Il faudra peser leur valeur pour déterminer leur part de responsabilité dans la communauté. Ces premiers principes donnent à la révolution nationale une de ses significations essentielles.» [...].

Maréchal Pétain, *Paroles aux Français*, Messages et écrits (1934-1941), Lyon, Lardanchet, 1941, pp. 126-129.

2 – Programme d'actions du CNR (extraits)

Le 15 mars 1944, le Conseil national de la Résistance adopte un programme d'actions. Nous ne reproduisons, ici, que la partie traitant des mesures politiques prioritaires.

Mesures à appliquer dès la libération du territoire

Unis quant au but à atteindre, unis quant aux moyens à mettre en œuvre pour atteindre ce but qui est la libération rapide du territoire, les représentants des mouvements, groupements, partis ou tendances politiques, groupés au sein du CNR, proclament qu'ils sont décidés à rester unis après la libération :

1. Afin d'établir le gouvernement provisoire de la République formé par le général de Gaulle pour défendre l'indépendance politique et économique de la nation, rétablir la France dans sa puissance, dans sa grandeur et dans sa mission universelle.
2. Afin de veiller au châtiment des traîtres et à l'éviction dans le domaine de l'administration et de la vie professionnelle de tous ceux qui auront pactisé avec l'ennemi ou qui se seront associés activement à la politique des gouvernements de collaboration.
3. Afin d'exiger la confiscation des biens des traîtres et des trafiquants de marché noir, l'établissement d'un impôt progressif sur les bénéfices de guerre et plus généralement sur les gains réalisés au détriment du peuple et de la nation pendant la période d'occupation.
4. Afin d'assurer :
   - l'établissement de la démocratie la plus large en rendant la parole au peuple français par le rétablissement du suffrage universel ;
   - la pleine liberté de pensée, de conscience et d'expression ;
   - la liberté de la presse, son honneur et son indépendance à l'égard de l'État, des puissances d'argent et des influences étrangères ;
   - la liberté d'association, de réunion et de manifestation ;

> – l'inviolabilité du domicile et le secret de la correspondance ;
> – le respect de la personne humaine ;
> – l'égalité absolue de tous les citoyens devant la loi.
>
> *L'Année politique (1944-1945)*, Éditions du Grand Siècle, 1946.

LA IVe RÉPUBLIQUE (1946-1958)

La IVe République : un régime d'assemblée ?

La France libre s'était engagée à « rendre la parole au peuple français ». Les huit consultations électorales successives de 1945-1946, auxquelles sont désormais associées les femmes, traduisent cette volonté agissante. Mais l'élaboration de nouvelles institutions, souhaitée – à 96 % des voix – par les Français en octobre 1945, rencontre de nombreux obstacles.

Un premier projet, accordant la quasi-omnipotence à une assemblée unique et défendu par les communistes et la SFIO, est rejeté par les électeurs. L'atmosphère des travaux de la seconde Constituante se ressent bientôt, tant des fermes prises de position du général de Gaulle (discours de Bayeux) que de la crainte d'une hégémonie communiste. Deux « dangers », deux projets antagonistes en tout cas, dont s'accommode mal l'esprit de la Résistance tel que le reflétait le programme du CNR. Aussi, le schéma constitutionnel adopté en 1946 n'est-il porteur d'aucun grand idéal de rénovation.

❑ ***Ce n'est plus la IIIe République…*** Le Préambule ne manque pas de force, même si la première phrase, au nom de la commune lutte antifasciste, range l'URSS parmi les « peuples libres »… ; il confirme ou solennise la déclaration des Droits de 1789, la promotion civique – encore trop limitée à vrai dire – des femmes, les acquis du Front populaire en matière de législation du travail, la protection sociale et l'égalité des chances à l'école, et défend même, en ce qui concerne les peuples colonisés, des principes plutôt démocratiques qui n'inspireront pas forcément tous les gouvernements en place jusqu'en 1958.

Le premier rôle est nettement dévolu à la seule instance issue du suffrage universel, l'Assemblée nationale – on cesse de parler de Chambre des députés –, à côté de laquelle le Conseil de la République, doté d'un simple rôle consultatif, fait pâle figure. La souveraineté parlementaire n'est pas un vain mot, puisque l'Assemblée nationale tient en lisière le président de la République et oblige le président du Conseil à solliciter l'investiture des Chambres avant d'être officiellement nommé par le chef de l'État. Enfin, les ministres ne sont responsables que devant elle (article 48), et l'article 13, affirmant sa prérogative législative, exclut le recours aux décrets-lois inventés sous la précédente République. Toutefois, les constituants ont paru soucieux de porter remède à l'instabilité ministérielle en réglementant la procédure de la question de confiance et de la motion de censure (articles 49 et 50).

Par ailleurs, un certain vent de changement passe à travers le titre III de la Constitution, consacré à l'Union française. L'ancienne terminologie (colonies, protectorats) disparaît et la nouvelle structure comprend d'une part les « départements d'outre-mer » (Antilles, Guyane, Réunion, Algérie), d'autre part les « territoires d'outre-mer » – qui correspondent aux autres colonies – et les « États associés », qui regroupent les anciens protectorats. La citoyenneté française leur étant reconnue, les habitants des DOM et des TOM éliront des représentants aux deux assemblées.

❑ ***…mais le système demeure fragile.*** Cette fragilité tient autant à des dérives dans la pratique démocratique qu'à des faiblesses structurelles de la Constitution.

Une dérive significative concerne la présidence du Conseil, théoriquement beaucoup plus solide avec l'investiture personnelle à la majorité absolue. Mais, dès 1947, P. Ramadier sollicite une deuxième investiture pour l'ensemble du cabinet, compromettant ainsi son autorité et celle de ses successeurs, qui l'imiteront. Le régime connaît de ce fait de sérieuses perturbations malgré la réforme de 1954, qui reprend les usages de 1875 (le président du Conseil présente un programme et une équipe et l'investiture est accordée, ou non, à la majorité relative).

En théorie toujours, le droit de dissolution est reconnu à l'exécutif, bien que la tradition républicaine s'en méfie, car elle l'associe abusivement au coup de force de Mac Mahon et à la crise du 16 Mai. Si la dissolution ne peut intervenir durant les dix-huit premiers mois de la législature, elle peut être prononcée quand deux crises ministérielles successives se produisent sur une période de dix-huit mois. Mais il faut un vote de défiance à la majorité absolue. Donc, ne pouvaient être prises en compte des démissions consécutives à un vote à la majorité relative. Ce qui révèle les limites d'un mécanisme qu'on croyait porteur de stabilité.

Quant aux faiblesses structurelles, on doit les chercher du côté de la discrétion de la pratique référendaire et de l'absence, toujours marquée, d'un vrai contrôle de constitutionnalité.

De plus, cette Constitution, qui n'a été approuvée que par 36 % des inscrits, conçue dans le contexte politique du tripartisme, est moins apte à codifier le débat dès lors que se succèdent les majorités instables de la « Troisième force » ; elle n'est pas en mesure non plus de susciter, face aux menaces de guerre civile nées du conflit algérien, un consensus républicain.

POUR ALLER PLUS LOIN :

BOUGEARD (Christian), *René Pleven, un Français libre en politique*, PUR, Rennes, 1995.

CAUCHY (Pascal), *La IVe République*, coll. « Que sais-je ? », PUF, 2004.

DUHAMEL (Éric), *L'UDSR ou la genèse de François Mitterrand*, CNRS éditions, 2007.

GOETSCHEL (Pascale), TOUCHEBŒUF (Bénédicte), *La IVe République*, « Le Livre de Poche/ références », LGF, 2004.

RIOUX (Jean-Pierre), *La France de la IVe République*, 2 tomes, coll. « Nouvelle histoire de la France contemporaine », Seuil, 1980 et 1983.

ROUSSEL (Éric), *Pierre Mendès France*, Gallimard, 2007.

THOMAS (Jean-Paul), LE BEGUEC (Gilles) et LACHAISE (Bernard), *Mai 1958. Le retour du général de Gaulle*, PUR, 2010.

LES DATES CLÉS

1945

15 août : la Haute Cour condamne Pétain à mort, peine commuée en détention perpétuelle.

21 octobre : référendum constitutionnel et élection de la première Assemblée constituante.

1946

20 janvier : le général de Gaulle démissionne.

5 mai : le projet de Constitution, d'inspiration socialiste et communiste, est rejeté par référendum (53 % de *non*).

2 juin : élection de la **deuxième Assemblée constituante** ; le centre gagne des voix.

16 juin : le général de Gaulle, s'exprimant à Bayeux, indique sa préférence pour un pouvoir exécutif fort.

13 octobre : par référendum, la Constitution de la IVe République est adoptée à une faible majorité.

10 novembre : aux élections législatives, succès du Parti communiste (182 sièges) et du MRP (164 sièges).

1947

14 janvier : Vincent Auriol est élu **président de la République**.

4 mai : à la suite d'un conflit sur le blocage des salaires, les ministres **communistes** se désolidarisent du gouvernement Ramadier et en sont exclus. Ainsi prend fin le **tripartisme** (PC, SFIO, MRP).

27 octobre : après le succès du RPF aux élections municipales, de Gaulle demande la dissolution de l'Assemblée, des élections au **scrutin majoritaire** et une révision constitutionnelle.

22 novembre : nouveau président du Conseil, Robert Schuman inaugure la formule de gouvernement fondée sur la « Troisième force », en excluant communistes et **gaullistes**.

1951

17 juin : succès de la « Troisième force » aux **élections législatives**.

1953

6 mai : les élections municipales d'avril ayant marqué l'échec de ses partisans, de Gaulle rend leur liberté aux parlementaires RPF.

23 décembre : René Coty est élu président de la République, à l'issue du 13e tour de scrutin.

1955

29-30 novembre : pour avoir renversé deux gouvernements en moins de dix-huit mois (P. Mendès France et E. Faure), l'Assemblée est dissoute.

1956

2 janvier : le « Front républicain » remporte les élections législatives.

1958

15 avril : le gouvernement de Félix Gaillard tombe, sous la pression des partisans de l'Algérie française. S'ensuit une longue crise ministérielle.

13 mai : dans Alger soulevée, le général Massu prend la tête d'un « Comité de salut public ». À Paris, l'Assemblée investit Pierre Pflimlin.

15 mai : de Gaulle se dit « prêt à assumer les pouvoirs de la République ».

1er juin : Pflimlin ayant démissionné le 28 mai, de Gaulle installe son gouvernement, doté des pouvoirs spéciaux et chargé de réformer la Constitution.

28 septembre : au référendum, 80 % des votants approuvent la nouvelle Constitution.

Les institutions : la Constitution du 27 octobre 1946

Préambule

Au lendemain de la victoire remportée par les peuples libres sur les régimes qui ont tenté d'asservir et de dégrader la personne humaine, le peuple français proclame à nouveau que tout être humain, sans distinction de race, de religion ni de croyance, possède des droits inaliénables et sacrés. Il réaffirme solennellement les droits et libertés de l'homme et du citoyen consacrés par la Déclaration des droits de 1789 et les principes fondamentaux reconnus par les lois de la République.

Il proclame, en outre, comme particulièrement nécessaires à notre temps, les principes politiques, économiques et sociaux ci-après :

La loi garantit à la femme, dans tous les domaines, des droits égaux à ceux de l'homme.

Tout homme persécuté en raison de son action en faveur de la liberté a droit d'asile sur les territoires de la République.

Chacun a le devoir de travailler et le droit d'obtenir un emploi. Nul ne peut être lésé, dans son travail ou son emploi, en raison de ses origines, de ses opinions ou de ses croyances.

Tout homme peut défendre ses droits et ses intérêts par l'action syndicale et adhérer au syndicat de son choix.

Le droit de grève s'exerce dans le cadre des lois qui le réglementent.

Tout travailleur participe, par l'intermédiaire de ses délégués, à la détermination collective des conditions de travail ainsi qu'à la gestion des entreprises.

Tout bien, toute entreprise, dont l'exploitation a ou acquiert les caractères d'un service public national ou d'un monopole de fait, doit devenir la propriété de la collectivité.

La Nation assure à l'individu et à la famille les conditions nécessaires à leur développement.

Elle garantit à tous, notamment à l'enfant, à la mère et aux vieux travailleurs, la protection de la santé, la sécurité matérielle, le repos et les loisirs. Tout être humain qui, en raison de son âge, de son état physique ou mental, de la situation économique, se trouve dans l'incapacité de travailler a le droit d'obtenir de la collectivité des moyens convenables d'existence.

La Nation proclame la solidarité et l'égalité de tous les Français devant les charges qui résultent des calamités nationales.

La Nation garantit l'égal accès de l'enfant et de l'adulte à l'instruction, à la formation professionnelle et à la culture. L'organisation de l'enseignement public gratuit et laïque à tous les degrés est un devoir de l'État.

La République française, fidèle à ses traditions, se conforme aux règles du droit public international. Elle n'entreprendra aucune guerre dans des vues de conquête et n'emploiera jamais ses forces contre la liberté d'aucun peuple.

Sous réserve de réciprocité, la France consent aux limitations de souveraineté nécessaires à l'organisation et à la défense de la paix.

La France forme avec les peuples d'outre-mer une Union fondée sur l'égalité des droits et des devoirs, sans distinction de race ni de religion.

L'Union française est composée de nations et de peuples qui mettent en commun ou coordonnent leurs ressources et leurs efforts pour développer leurs civilisations respectives, accroître leur bien-être et assurer leur sécurité.

Fidèle à sa mission traditionnelle, la France entend conduire les peuples dont elle a pris la charge à la liberté de s'administrer eux-mêmes et de gérer démocratiquement leurs propres affaires ; écartant tout système de colonisation fondé sur l'arbitraire, elle garantit à tous l'égal accès aux fonctions publiques et l'exercice individuel ou collectif des droits et libertés proclamés ou confirmés ci-dessus.

TITRE PREMIER – **De la souveraineté**
Art. premier – La France est une République indivisible, laïque, démocratique et sociale.
Art. 2 – L'emblème national est le drapeau tricolore, bleu, blanc, rouge à trois bandes verticales d'égales dimensions.
L'hymne national est *La Marseillaise*.
La devise de la République est: « Liberté, Égalité, Fraternité ».
Son principe est: gouvernement du peuple, pour le peuple et par le peuple.
Art. 3 – La souveraineté nationale appartient au peuple français. Aucune section du peuple ni aucun individu ne peut s'en attribuer l'exercice.

Le peuple l'exerce, en matière constitutionnelle, par le vote de ses représentants et par le référendum.

En toutes autres matières, il l'exerce par ses députés à l'Assemblée nationale, élus au suffrage universel, égal, direct et secret.
Art. 4 – Sont électeurs, dans les conditions déterminées par la loi, tous les nationaux et ressortissants français majeurs des deux sexes, jouissant de leurs droits civils et politiques.

TITRE II – **Du Parlement**
Art. 5 – Le Parlement se compose de l'Assemblée nationale et du Conseil de la République.
Art. 6 – La durée des pouvoirs de chaque Assemblée, son mode d'élection, les conditions d'éligibilité, le régime des inéligibilités et incompatibilités sont déterminés par la loi. Toutefois, les deux Chambres sont élues sur une base territoriale, l'Assemblée nationale au suffrage universel direct, le Conseil de la République par les collectivités communales et départementales, au suffrage universel indirect. Le Conseil de la République est renouvelable par moitié.

Néanmoins l'Assemblée nationale peut élire elle-même à la représentation proportionnelle des conseillers dont le nombre ne doit pas excéder le sixième du nombre total des membres du Conseil de la République.

Le nombre des membres du Conseil de la République ne peut être inférieur à deux cent cinquante ni supérieur à trois cent vingt.
Art. 13 – L'Assemblée nationale vote seule la loi. Elle ne peut déléguer ce droit.
[...]

TITRE V – **Du président de la République**
Art. 29 – Le président de la République est élu par le Parlement. Il est élu pour sept ans. Il n'est rééligible qu'une fois.
Art. 31 – Le président de la République est tenu informé des négociations internationales. Il signe et ratifie les traités. Le président de la République accrédite les ambassadeurs et les envoyés extraordinaires auprès des puissances étrangères; les ambassadeurs et les envoyés extraordinaires étrangers sont accrédités auprès de lui.
Art. 32 – Le président de la République préside le Conseil des ministres. Il fait établir et conserve les procès-verbaux des séances.
Art. 33 – Le président de la République préside, avec les mêmes attributions, le Conseil supérieur et le Comité de la défense nationale et prend le titre de chef des armées.
Art. 34 – Le président de la République préside le Conseil supérieur de la magistrature.
Art. 35 – Le président de la République exerce le droit de grâce en Conseil supérieur de la magistrature.

Art. 36 – Le président de la République promulgue les lois dans les dix jours qui suivent la transmission au gouvernement de la loi définitivement adoptée. Ce délai est réduit à cinq jours en cas d'urgence déclarée par l'Assemblée nationale.

[…]

TITRE VI – **Du Conseil des ministres**

Art. 45 – Au début de chaque législature, le président de la République, après les consultations d'usage, désigne le président du Conseil.

Celui-ci choisit les membres de son cabinet et en fait connaître la liste à l'Assemblée nationale devant laquelle il se présente afin d'obtenir sa confiance sur le programme et la politique qu'il compte poursuivre, sauf en cas de force majeure empêchant la réunion de l'Assemblée nationale. Le vote a lieu au scrutin public et à la majorité simple. Il en est de même au cours de la législature, en cas de vacance de la présidence du Conseil, sauf ce qui est dit à l'article 52. (Cette rédaction est approuvée en décembre 1954).

Aucune crise ministérielle intervenant dans le délai de quinze jours de la nomination des ministres ne compte pour l'application de l'article 51.

Art. 46 – Le président du Conseil et les ministres choisis par lui sont nommés par décret du président de la République.

Art. 47 – Le président du Conseil des ministres assure l'exécution des lois. Il nomme à tous les emplois civils et militaires, sauf ceux prévus par les articles 30, 46 et 84.

Le président du Conseil assure la direction des forces armées et coordonne la mise en œuvre de la défense nationale.

Les actes du président du Conseil des ministres prévus au présent article sont contresignés par les ministres intéressés.

Art. 48 – Les ministres sont collectivement responsables devant l'Assemblée nationale de la politique générale du Cabinet et individuellement de leurs actes personnels.

Ils ne sont pas responsables devant le Conseil de la République.

Art. 49 – La question de confiance ne peut être posée qu'après délibération du Conseil des ministres; elle ne peut l'être que par le président du Conseil.

Le vote sur la question de confiance ne peut intervenir que vingt-quatre heures après qu'elle a été posée devant l'Assemblée. Il a lieu au scrutin public.

La confiance est refusée au Cabinet à la majorité absolue des députés à l'Assemblée.

Ce refus entraîne la démission collective du Cabinet.

Art. 50 – Le vote sur la motion de censure a lieu dans les mêmes conditions et les mêmes formes que le scrutin sur la question de confiance.

La motion de censure ne peut être adoptée qu'à la majorité absolue des députés à l'Assemblée.

Art. 51 – Si, au cours d'une même période de dix-huit mois, deux crises ministérielles surviennent dans les conditions prévues aux articles 49 et 50, la dissolution de l'Assemblée nationale pourra être décidée en Conseil des ministres, après avis du président de l'Assemblée. La dissolution sera prononcée, conformément à cette décision, par décret du président de la République.

Les dispositions de l'alinéa précédent ne sont applicables qu'à l'expiration des dix-huit premiers mois de la législature.

Art. 52 – En cas de dissolution, le Cabinet reste en fonction. Toutefois, si la dissolution a été précédée de l'adoption d'une motion de censure, le président de la République nomme le président de l'Assemblée nationale, président du Conseil et ministre de l'Intérieur.

Les élections générales ont lieu vingt jours au moins, trente jours au plus après la dissolution.

L'Assemblée nationale se réunit de plein droit le troisième jeudi qui suit son élection. […]

Document

Les présidents du Conseil de la IVe République

Léon Blum : 18 décembre 1946 – 16 janvier 1947
Paul Ramadier : 22 janvier 1947 – 19 novembre 1947
Robert Schuman : 24 novembre 1947 – 19 juillet 1948
André Marie : 26 juillet 1948 – 28 août 1948
Robert Schuman : 5 septembre 1948 – 7 septembre 1948
Henri Queuille : 11 septembre 1948 – 6 octobre 1949
Georges Bidault : 28 octobre 1949 – 24 juin 1950
Henri Queuille : 3 juillet 1950 – 4 juillet 1950
René Pleven : 13 juillet 1950 – 28 février 1951
Henri Queuille : 10 mars 1951 – 11 juillet 1951
René Pleven : 11 août 1951 – 7 janvier 1952
Edgar Faure : 20 janvier 1952 – 28 février 1952
Antoine Pinay : 8 mars 1952 – 23 décembre 1952
René Mayer : 8 janvier 1953 – 21 mai 1953
Joseph Laniel : 28 juin 1953 – 12 juin 1954
Pierre Mendès France : 19 juin 1954 – 5 février 1955
Edgar Faure : 23 février 1955 – 23 janvier 1956
Guy Mollet : 2 février 1956 – 21 mai 1957
Maurice Bourgès-Maunoury : 13 juin 1957 – 30 septembre 1957
Félix Gaillard : 6 novembre 1957 – 15 avril 1958
Pierre Pflimlin : 13 mai 1958 – 28 mai 1958
Charles de Gaulle : 1er juin 1958 – 21 décembre 1958

LA Ve RÉPUBLIQUE (DE 1958 À NOS JOURS)

Une Constitution originale

À divers égards, la Constitution de 1958 tranche sur ses devancières. D'abord, elle a été rédigée non par des parlementaires, mais par des praticiens, hauts fonctionnaires expérimentés, et appliquée par ceux qui l'ont conçue. Ensuite, elle détient un record d'adhésion, puisque plus de trente et un millions de citoyens l'ont approuvée. Mais surtout, elle a rompu avec le régime d'assemblée, de deux façons complémentaires.

❑ ***Une Constitution en rupture.*** Désormais, le pouvoir **exécutif** ne tient plus son existence du Parlement. En effet, dans le collège électoral du **président de la République**, les parlementaires des deux Assemblées sont comme noyés parmi les dizaines de milliers d'autres membres (article 6). L'étape décisive est donc franchie dès 1958, avant même l'évolution logique vers l'élection au **suffrage universel** (1962). Du même coup, le **gouvernement** n'est plus aussi tributaire du pouvoir législatif. Pourtant, la réforme de 1962 laissait sceptiques ou inquiets certains constitutionnalistes qui craignaient un affrontement possible entre les deux expressions de la souveraineté populaire: les élections législatives et l'élection présidentielle. Et c'est bien le décalage et les résultats des deux types d'élection qui vont amener les situations de cohabitation.

L'autre caractéristique de la Constitution est la modification du rôle du **Parlement**, l'Assemblée nationale cessant d'être la clé de voûte des institutions. D'une part en raison de l'importance nouvelle de l'hôte de l'Élysée, d'autre part grâce à la ressource plus facile – quoique très réglementée – du référendum, donc de l'appel à la nation. Ce n'est pas tout, les prérogatives de l'appareil législatif, clairement définies et délimitées dans l'article 34, devront céder, en cas de litige, devant une règle supérieure fixée par les neuf arbitres du Conseil constitutionnel.

Certains pensaient que, taillée pour un homme d'exception qu'on appelait pour sauver le pays, la Constitution de 1958 se déliterait après son passage aux affaires. Il n'en a rien été.

❑ ***Une Constitution qui a fait ses preuves.*** La Constitution a d'abord fonctionné en situation de majorité cohérente (président et majorité parlementaire en harmonie), ce qui permettait une répartition des tâches entre le président et le Premier ministre et des séparations élégantes, sans heurt (Debré, Pompidou) ou plus tendues (Chaban-Delmas, Chirac en 1976).

En 1972-1973, puis en 1978, le monde politique pose le problème d'une alternance parlementaire: les institutions qui ont fait leurs preuves sous de Gaulle et son premier successeur permettent-elles un ample changement politique? On sous-entend: dans le calme. La réponse est donnée par l'expérience réussie de 1981 (élection de F. Mitterrand et dissolution de l'Assemblée nationale).

Deux situations inédites sont alors observées. D'abord, la «cohabitation» de 1986-1988, malgré quelques rudes affrontements entre le président et le Premier ministre, est plutôt bien intégrée dans la pratique constitutionnelle. Puis la réélection de F. Mitterrand en 1988 et les élections consécutives débouchent sur une situation insolite. M. Rocard étant dans l'obligation de «compléter» sa majorité, donc de négocier davantage avec ses adversaires déclarés, les commentateurs développent des thèmes contrastés: soit l'on paraît s'inquiéter d'une forme de retour à un «régime des partis», soit l'on se réjouit de voir le débat parlementaire revivifié. Quant à la cohabitation, elle redevient d'actualité en 1993-1995 (F. Mitterrand / E. Balladur), sous une forme jugée courtoise, puis dure les cinq années du gouvernement de L. Jospin (1997-2002), marquées par des tensions (politique étrangère et européenne, politique de défense). L. Jospin en tire d'ailleurs la leçon en proposant, pour 2002, de replacer l'élection présidentielle avant les législatives.

Que F. Mitterrand, le principal adversaire de la Ve République durant ses vingt-trois années de fonctionnement unilatéral, ait pu accomplir deux septennats – dont quatre années de cohabitation – n'est pas le moindre paradoxe de l'histoire de ce régime sans ennemis déclarés. Malgré sa promesse de « corriger » les institutions de la Ve République et l'initiative tardive de la commission Vedel (1992-1993), le plus tenace des titulaires de l'Élysée n'a pas vu là une priorité.

❑ ***Une Constitution que l'on révise plus fréquemment.*** Ni ses principes, ni son organisation générale ne sont mis en cause. En fait, des besoins conjoncturels – comme les engagements européens de la France, mais aussi l'affaire du sang contaminé ou les poursuites judiciaires contre plusieurs parlementaires – ont occasionné, de 1992 à 1996, toute une série de retouches et cinq réunions du Parlement, en Congrès, à Versailles, et sans consultation des électeurs.

Il a fallu, d'abord, modifier les points incompatibles avec le traité de Maastricht (juin 1992). En 1993, ont été adoptées des mesures concernant la Justice et la responsabilité pénale des ministres (création de la Cour de Justice de la République, réforme du Conseil supérieur de la Magistrature auquel une plus grande indépendance est reconnue), tandis que la restriction du droit d'asile devait s'interpréter sur fond de litige entre le gouvernement et le président.

Dès son élection, Jacques Chirac a tenu à faire étendre le champ du référendum aux questions économiques et sociales, à instituer la session unique du Parlement et à repréciser le régime de l'inviolabilité parlementaire (Congrès du 31 juillet 1995). Quant au vote de février 1996, dans la logique du plan de réforme de la protection sociale mis au point par le Premier ministre, il permet le contrôle du Parlement sur les « lois de financement » annuelles de la Sécurité sociale.

De 1999 à 2008, onze lois constitutionnelles ont apporté des modifications importantes à la Constitution dont le passage du septennat au quinquennat. La loi du 23 juillet 2008 a résulté du rapport de la commission Balladur, chargée en 2007 de réfléchir à la modernisation des institutions. Elle contient – entre autres innovations – le droit pour le président de la République de prendre la parole devant le Parlement réuni en Congrès. C'est ce que Nicolas Sarkozy a fait pour la première fois à Versailles, le 22 juin 2009, pour annoncer le calendrier des actions gouvernementales prioritaires.

Les vingt-quatre mesures de révision intervenues entre 1960 et 2008 n'ont pas eu une égale portée ; mais, selon le point de vue, leur variété même a dénaturé la Constitution de 1958 ou prouvé sa capacité d'adaptation.

❑ ***Un anniversaire au goût amer ?*** En 2018, la Ve République a eu soixante ans. Soit le temps de deux générations, fait remarquer Jean-François Sirinelli : « C'est toujours un moment complexe, pour un régime politique, que de passer ainsi un cap au-delà duquel la communauté nationale qui le sous-tend n'a plus de rapport direct avec les circonstances de son apparition ni avec la mémoire des origines qui en découla. C'est, du reste, pour la première fois de son histoire que ce régime a un président de la République plus jeune que lui. »

Déjà, la victoire d'Emmanuel Macron en 2017 représentait une « première » en politique et un tour de force pour un candidat presque inconnu trois ans avant et qu'aucun parti ne soutenait. Et au bout d'un an – autre événement sans précédent –, le pouvoir exécutif et l'ossature de la République se trouvent affaiblis par le spectaculaire mouvement protestataire des « gilets jaunes », révélateur de tensions antérieures et d'une grave crise de la représentation politique. Dès lors, après six mois de blocages et d'affrontements dans la rue, l'exploitation de certains apports du « Grand débat » et les mesures prises ou annoncées d'avril à juin 2019 visent à marquer le départ d'une seconde phase du quinquennat d'Emmanuel Macron. Mais nul ne peut dire si tout ceci influencera de façon durable les pratiques politiques sous la Ve République.

Pour aller plus loin :

Berstein (Serge), Remond (René) et Sirinelli (Jean-François) (dir.), *Les années Giscard. Institutions et pratiques politiques 1974-1978*, actes de colloque, Paris, 2002, Fayard, 2004.

Chevallier (Jean-Jacques) *et al.*, *Histoire de la Ve République (1958-2015)*, Dalloz, 15 éd., 2015.

Garrigues (Jean), Guillaume (Sylvie) et Sirinelli (Jean-François) (dir.), *Comprendre la Ve République*, PUF, 2010.

Raynaud (Philippe), *L'Esprit de la Ve République. L'histoire, le régime, le système*, Perrin, 2017.

Rudelle (Odile), *République d'un jour, République de toujours*, Éditions Riveneuve, 2016.

Sirinelli (Jean-François), *Vie et Survie de la Ve République. Essai de physiologie politique*, Odile Jacob, 2018.

Teinturier (Brice), *« Plus rien à faire, plus rien à foutre ». La vraie crise de la démocratie*, Robert Laffont, 2017.

Constitution française du 4 octobre 1958, après la révision de juillet 2008, Documents d'études n° 1.04, La Documentation française, 2008.

Les dates clés

1958

21 décembre : le collège prévu par la Constitution, élit le général de Gaulle président de la République, et de la Communauté, à 78 % des voix.

1959

8 janvier : Michel Debré, un des « pères » de la Constitution, est nommé **Premier ministre**.

20 février : mise en place du Conseil constitutionnel.

16 septembre : de Gaulle propose l'autodétermination aux « populations d'Algérie ».

1960

2-5 février : le gouvernement obtient des pouvoirs spéciaux pour le « maintien de l'ordre ».

1961

8 janvier : par référendum, les Français approuvent l'autodétermination en Algérie (75 % de *oui*).

23 avril : le putsch des généraux en Algérie entraîne le recours à l'article 16 : de Gaulle dispose des pleins pouvoirs, auxquels il met fin en septembre.

1962

18 mars : accords d'Évian : la France reconnaît l'indépendance de l'Algérie. En avril, l'approbation des Français est massive (91 %).

20 septembre : ayant échappé à un attentat en août, de Gaulle annonce son intention de renforcer l'autorité du président de la République en le faisant désigner par le **suffrage universel**.

6-10 octobre : le gouvernement de G. Pompidou, mis en minorité, démissionne ; de Gaulle dissout l'Assemblée.

28 octobre : l'élection du président de la République au suffrage universel est approuvée (62 % de *oui*).

1965

15 décembre : après avoir été mis en ballottage, de Gaulle est réélu président contre F. Mitterrand avec 55 % des voix.

1967

avril-mai : vif débat à propos de la demande de pleins pouvoirs en matière économique et sociale par le gouvernement de G. Pompidou ; celui-ci l'emporte finalement.

1968

mai-juin : émeutes étudiantes, grèves et occupations d'usines mettent le pouvoir en péril. Après avoir annoncé un référendum (24 mai), de Gaulle se ravise et dissout l'Assemblée (30 mai). Ce même jour, une puissante manifestation de soutien réunit les gaullistes aux Champs-Élysées.

23-30 juin : victoire écrasante de la majorité gaulliste aux élections législatives.

1969

28 avril : au référendum sur la régionalisation et la réforme du Sénat, les *non* l'emportent (52,4 %). De Gaulle démissionne aussitôt.

15 juin : au second tour de l'élection présidentielle, G. Pompidou est élu contre A. Poher (58,2 % des suffrages exprimés).

1972

23 avril : l'élargissement de la Communauté européenne à neuf membres est approuvé par 68 % des votants. Mais l'abstention avoisine 40 %.

1974

19 mai : Valéry Giscard d'Estaing l'emporte sur F. Mitterrand. Son installation à l'Élysée marque la fin de la République « gaullienne », bien que les gaullistes, avec J. Chirac, conservent Matignon.

1976

25 août : J. Chirac, démissionnaire, est remplacé par R. Barre. Pour la première fois sous la Ve République, le Premier ministre n'est pas issu du parti le plus important de la majorité.

30 décembre : le projet de loi approuvant l'élection au suffrage universel du futur Parlement européen est jugé conforme par le Conseil constitutionnel.

1981

10 mai : un socialiste, F. Mitterrand, accède à la présidence de la République. Il dissout l'Assemblée élue en 1978.

juin : les élections donnent la majorité absolue au Parti socialiste ; P. Mauroy constitue un gouvernement où entrent cinq ministres communistes. L'alternance est complète.

1986

16 mars : le RPR et l'UDF remportent les législatives. J. Chirac devient Premier ministre. C'est le temps de la cohabitation.

1988

mai-juin : F. Mitterrand est réélu à l'Élysée. Le processus dissolution/élections se reproduit. Mais les résultats électoraux obligent M. Rocard, nommé Premier ministre, à s'accommoder d'une majorité relative, situation inédite sous la Ve République.

1991

15 mai : M. Rocard, démissionnaire, est remplacé par Édith Cresson, première femme nommée à Matignon.

1992

mars-avril : le sérieux échec du Parti socialiste aux élections régionales et cantonales entraîne le départ d'É. Cresson. Pierre Bérégovoy lui succède à Matignon.

1993

21-28 mars : effondrement de la gauche aux législatives. L'union RPR-UDF remporte 473 sièges sur 577. Edouard Balladur est nommé Premier ministre (deuxième situation de cohabitation).

1995

23 avril et 7 mai : placé au premier tour derrière Lionel Jospin, mais devant Édouard Balladur, Jacques Chirac l'emporte au second tour sur son adversaire socialiste (52,59 % contre 47,41 % des suffrages exprimés).

1997

25 mai et 1er juin : Jacques Chirac ayant dissous l'Assemblée nationale, la gauche « plurielle » – dont les Verts – remporte les élections (319 députés contre 257 pour la droite). Lionel Jospin devient Premier ministre. C'est le troisième cas de cohabitation, et le premier portant sur une législature entière.

2000

2 octobre : après référendum, la loi constitutionnelle instaure le quinquennat pour le mandat présidentiel.

2001

mars : les élections municipales sont favorables à la droite, mais Bertrand Delanoë gagne à Paris.

2002

21 avril : créant un énorme choc, J.-M. Le Pen (16,9 % des voix) devance L. Jospin (16,2 %) pour le deuxième tour des présidentielles. **Le 5 mai**, J. Chirac est facilement élu avec 82 % des voix. Il nomme Premier ministre Jean-Pierre Raffarin.

9 et 16 juin : aux élections législatives, large victoire de la majorité présidentielle et de sa nouvelle formation l'UMP (369 sièges).

2004

21 et 28 mars : élections régionales. Le scrutin ne laisse à la droite que l'Alsace et la Corse.

2005

29 mai : au référendum sur le traité établissant une Constitution pour l'Europe, le « non » l'emporte par près de 55 %.

2007

22 avril et 6 mai : arrivé au premier tour devant Ségolène Royal, Nicolas Sarkozy l'emporte au second tour sur la candidate de gauche avec 53 % des voix.

10 et 17 juin : largement distancée au premier tour des législatives, la gauche limite les pertes au second tour, mais la droite conserve une nette majorité.

2008

9 et 16 mars : lors des élections municipales et cantonales, la gauche confirme sa forte implantation locale (villes de plus de 15 000 habitants : 350 se donnent un maire de gauche, 262 un maire de droite).

2009

7 juin : aux élections européennes, l'UMP marque des points (près de 28 % des voix) et la liste « Europe-Écologie » (plus de 16,28 %) crée la surprise ; les résultats sont décevants pour le PS (16,48 %) et le MoDem (8,45 %).

2010

14 et 21 mars : élections régionales, dans lesquelles s'engageaient près de vingt ministres. Important succès de la gauche. La droite conserve l'Alsace et gagne la Guyane et la Réunion.

2012

22 avril et 6 mai : en tête au premier tour des présidentielles, François Hollande l'emporte sur Nicolas Sarkozy au second tour (51,6 % contre 48,3 %).

10 et 17 juin : aux élections législatives, le PS et ses alliés obtiennent la majorité absolue.

2014

23 et 30 mars : les élections municipales sont un succès pour la droite, qui détient désormais 572 villes de plus de 10 000 habitants (contre 349 à la gauche), et pour le Front national, qui gagne 14 villes.

2015

janvier et novembre : le terrorisme islamiste s'en prend à la démocratie occidentale. Les attentats des 7-9 janvier (*Charlie Hebdo*, magasin Hyper Cacher, dont le bilan est de 17 morts) et du 13 novembre (Stade de France, *Bataclan* et terrasses de cafés et de restaurants à Paris, dont le bilan est de 131 morts) provoquent une violente onde de choc.

6 et 13 décembre : élections régionales, selon le nouveau découpage électoral préparé par le gouvernement qui supprime 33 circonscriptions législatives et crée 11 circonscriptions pour représenter les Français de l'étranger : le Front national, malgré 28 % des voix, n'obtient aucune région ; la droite et le centre gagnent 8 régions (dont l'Île-de-France, la région PACA et les Hauts-de-France) ; la gauche en conserve 7.

2016

20 et 27 novembre : primaires de la droite et du centre : Nicolas Sarkozy, au premier tour, et Alain Juppé, au second, perdent largement face à François Fillon.

1er décembre : devant l'émiettement de son camp et l'absence de résultats décisifs, François Hollande renonce à briguer un second mandat.

Déjà, Emmanuel Macron a initié le mouvement « En Marche ! » et annonce ses intentions.

2017

22 et 29 janvier : à l'issue des primaires de la gauche, Benoît Hamon l'emporte sur Manuel Valls.

23 avril et 7 mai : élections présidentielles : empêtré dans des affaires, François Fillon est éliminé au 1er tour ; Emmanuel Macron l'emporte finalement sur Marine Le Pen avec 66,10 % des voix.

2018-2019

Après un début de quinquennat plutôt favorable au pouvoir, Emmanuel Macron, son Premier ministre Édouard Philippe et le gouvernement sont gravement mis en cause par le mouvement des «gilets jaunes» (acte 1 des manifestations le 17 novembre 2018) : une situation totalement inédite sous la Ve République.

Les institutions : la Constitution du 4 octobre 1958

** Les extraits retenus ici intègrent les éventuelles modifications apportées depuis 1958, précédées de l'année de la décision.*

Préambule

Le peuple français proclame solennellement son attachement aux droits de l'homme et aux principes de la souveraineté nationale tels qu'ils ont été définis par la Déclaration de 1789, confirmée et complétée par le préambule de la Constitution de 1946, [2005], «ainsi qu'aux droits et devoirs définis dans la Charte de l'environnement de 2004.»

[...]

Art. 1er – La France est une république indivisible, laïque, démocratique et sociale. Elle assure l'égalité devant la loi de tous les citoyens sans distinction d'origine, de race ou de religion. Elle respecte toutes les croyances. [2003] «Son organisation est décentralisée.»

[2008] «La loi favorise l'égal accès des femmes et des hommes aux mandats électoraux et fonctions électives, ainsi qu'aux responsabilités professionnelles et sociales.»

TITRE II – **Le Président de la République**

Art. 5 – Le Président de la République veille au respect de la Constitution. Il assure, par son arbitrage, le fonctionnement régulier des pouvoirs publics ainsi que la continuité de l'État. Il est le garant de l'indépendance nationale, de l'intégrité du territoire et du respect des traités.

Art. 6 – [2000] «Le Président de la République est élu pour cinq ans au suffrage universel direct.»

[2008] «Nul ne peut exercer plus de deux mandats consécutifs.»

[Modalités précédentes:

1 – Texte initial (Constitution du 4 octobre 1958)

Le président de la République est élu pour sept ans par un collège électoral comprenant les membres du Parlement, des conseils généraux et des assemblées des territoires d'outre-mer, ainsi que les représentants élus des conseils municipaux.

2 – Loi du 6 novembre 1962 (après référendum)

Article premier – L'article 6 de la Constitution est remplacé par les dispositions suivantes:

Le Président de la République est élu pour sept ans au suffrage universel direct.]

[...]

Art. 8 – Le Président de la République nomme le Premier ministre. Il met fin à ses fonctions sur la présentation par celui-ci de la démission du gouvernement.

Sur la proposition du Premier ministre, il nomme les autres membres du gouvernement et met fin à leurs fonctions.

Art. 9 – Le Président de la République préside le Conseil des ministres.

[...]

Art. 11 – [1995] «Le Président de la République, sur proposition du gouvernement, pendant la durée des sessions ou sur proposition conjointe des deux Assemblées, publiées au *Journal officiel*, peut soumettre au référendum tout projet de loi portant sur l'organisation des pouvoirs publics, sur des réformes relatives à la politique économique, [2008] "sociale ou environnementale" de la Nation et aux services publics qui y concourent, ou tendant à autoriser la ratification d'un traité qui, sans être contraire à la Constitution, aurait des incidences sur le fonctionnement des institutions [...].»

[1995] «Lorsque le référendum a conclu à l'adoption du projet [2008] "ou de la proposition" de loi, le Président de la République promulgue la loi dans les quinze jours qui suivent la proclamation des résultats de la consultation.»

Art. 12 – Le Président de la République peut, après consultation du premier ministre et des présidents des Assemblées, prononcer la dissolution de l'Assemblée nationale.

[...]

Art. 15 – Le Président de la République est le chef des armées. Il préside les conseils et comités supérieurs de la Défense nationale.

[...]

Art. 16 – Lorsque les institutions de la République, l'indépendance de la Nation, l'intégrité de son territoire ou l'exécution de ses engagements internationaux sont menacés d'une manière grave et immédiate et que le fonctionnement régulier des pouvoirs publics constitutionnels est interrompu, le Président de la République prend les mesures exigées par ces circonstances, après consultation officielle du Premier ministre, des présidents des Assemblées ainsi que du Conseil constitutionnel.

Il en informe la Nation par un message [...].

L'Assemblée nationale ne peut être dissoute pendant l'exercice des pouvoirs exceptionnels.

Art. 17 – [2008] «Le Président de la République a le droit de faire grâce à titre individuel.»

Art. 18 – Le Président de la République communique avec les deux assemblées du Parlement par des messages qu'il fait lire et qui ne donnent lieu à aucun débat.
[2008] «Il peut prendre la parole devant le Parlement réuni à cet effet en Congrès. Sa déclaration peut donner lieu, hors sa présence, à un débat qui ne fait l'objet d'aucun vote.»

TITRE III – **Le Gouvernement**

Art. 20 – Le Gouvernement détermine et conduit la politique de la Nation.

Il dispose de l'administration et de la force armée.

Il est responsable devant le Parlement dans les conditions et suivant les procédures prévues aux articles 49 et 50.

Art. 21 – Le Premier ministre dirige l'action du gouvernement. Il est responsable de la Défense nationale. Il assure l'exécution des lois. Sous réserve des dispositions de l'article 13, il exerce le pouvoir réglementaire et nomme aux emplois civils et militaires.

Il peut déléguer certains de ses pouvoirs aux ministres. Il supplée, le cas échéant, le Président de la République dans la présidence des conseils et comités prévus à l'article 15. Il peut, à titre exceptionnel, le suppléer pour la présidence d'un Conseil des ministres en vertu d'une délégation expresse et pour un ordre du jour déterminé.

[...]

TITRE IV – **Le Parlement**

Art. 24 – [2008] «Le Parlement vote la loi. Il contrôle l'action du Gouvernement. Il évalue les politiques publiques.
«Il comprend l'Assemblée nationale et le Sénat.
«Les députés à l'Assemblée nationale, dont le nombre ne peut excéder 577, sont élus au suffrage direct.
«Le Sénat, dont le nombre de membres ne peut excéder 348, est élu au suffrage indirect. Il assure la représentation des collectivités territoriales de la République.
«Les Français établis hors de France sont représentés à l'Assemblée nationale et au Sénat.»
[...]
Art. 28 – [1995] «Le Parlement se réunit de plein droit en une session ordinaire qui commence le premier jour ouvrable d'octobre et prend fin le dernier jour ouvrable de juin.
Le nombre de jours de séance que chaque assemblée peut tenir au cours de la session ordinaire ne peut excéder cent vingt.» [...]
Art. 29 – Le Parlement est réuni en session extraordinaire à la demande du Premier ministre ou de la majorité des membres composant l'Assemblée nationale, sur un ordre du jour déterminé.

TITRE V – **Des rapports entre le Parlement et le Gouvernement**

Art. 34 – La loi fixe les règles concernant:
– les droits civiques et les garanties fondamentales accordées aux citoyens pour l'exercice des libertés publiques; [2008] «la liberté, le pluralisme et l'indépendance des médias»; les sujétions imposées par la défense nationale aux citoyens en leur personne et en leurs biens;
– la nationalité, l'état et la capacité des personnes, les régimes matrimoniaux, les successions et libéralités;
– la détermination des crimes et délits ainsi que les peines qui leur sont applicables; la procédure pénale; l'amnistie, la création de nouveaux ordres de juridiction et le statut des magistrats;
– l'assiette, le taux et les modalités de recouvrement des impositions de toutes natures; le régime d'émission de la monnaie.

La loi fixe également les règles concernant:
– le régime électoral des assemblées parlementaires, [2008] «des assemblées locales et des instances représentatives des Français établis hors de France» […]
– la création de catégories d'établissements publics;
– les garanties fondamentales accordées aux fonctionnaires civils et militaires de l'État;
– les nationalisations d'entreprises et les transferts de propriété d'entreprises du secteur public au secteur privé.
La loi détermine les principes fondamentaux:
– de l'organisation générale de la Défense nationale;
– de la libre administration des collectivités [2003] «territoriales», de leurs compétences et de leurs ressources;
– de l'enseignement;
– [2005] «de la préservation de l'environnement»
– du régime de la propriété, des droits réels et des obligations civiles et commerciales;
– du droit du travail, du droit syndical et de la sécurité sociale.
Les lois de finances déterminent les ressources et les charges de l'État dans les conditions et sous les réserves prévues par une loi organique […]
[2008] «Des lois de programmation déterminent les objectifs de l'action de l'État.
Les orientations pluriannuelles des finances publiques sont définies par des lois de programmation […].»
Art. 35 – La déclaration de guerre est autorisée par le Parlement.

[2008] «Le Gouvernement informe le Parlement de sa décision de faire intervenir les forces armées à l'étranger, au plus tard trois jours après le début de l'intervention. Il précise les objectifs poursuivis. Cette information peut donner lieu à un débat qui n'est suivi d'aucun vote […]»
Art. 38 – Le Gouvernement peut, pour l'exécution de son programme, demander au Parlement l'autorisation de prendre par ordonnances, pendant un délai limité, des mesures qui sont normalement du domaine de la loi.

Les ordonnances sont prises en Conseil des ministres après avis du Conseil d'État. Elles entrent en vigueur dès leur publication mais deviennent caduques si le projet de loi de ratification n'est pas déposé devant le Parlement avant la date fixée par la loi d'habilitation. [2008] «Elles ne peuvent être ratifiées que de manière expresse.»

À l'expiration du délai mentionné au premier alinéa du présent article, les ordonnances ne peuvent plus être modifiées que par la loi dans les matières qui sont du domaine législatif.
Art. 39 – L'initiative des lois appartient concurremment au Premier ministre et aux membres du Parlement.

Les projets de loi sont délibérés en Conseil des ministres après avis du Conseil d'État et déposés sur le bureau de l'une des deux Assemblées. [1996] «Les projets de loi de finances et de loi de financement de la Sécurité sociale sont soumis en premier lieu à l'Assemblée nationale.» [2003] «[…] Les projets de loi ayant pour principal objet l'organisation des collectivités territoriales sont soumis en premier lieu au Sénat.»
[…]
Art. 45 – Tout projet ou proposition de loi est examiné successivement dans les deux assemblées du Parlement en vue de l'adoption d'un texte identique […].

Lorsque, par suite d'un désaccord entre les deux assemblées, un projet ou une proposition de loi n'a pu être adopté après deux lectures par chaque assemblée ou si le Gouvernement [2008] «a décidé d'engager la procédure accélérée sans que les Conférences des présidents s'y soient conjointement opposées, après une seule lecture par chacune d'entre elles, le Premier ministre

[2008] « ou, pour une proposition de loi, les présidents des deux assemblées agissant conjointement, ont » la faculté de provoquer la réunion d'une commission mixte paritaire chargée de proposer un texte sur les dispositions restant en discussion.

Le texte élaboré par la commission mixte peut être soumis par le Gouvernement pour approbation aux deux assemblées. Aucun amendement n'est recevable sauf accord du Gouvernement.

Si la commission mixte ne parvient pas à l'adoption d'un texte commun ou si ce texte n'est pas adopté dans les conditions prévues à l'alinéa précédent, le Gouvernement peut, après une nouvelle lecture par l'Assemblée nationale et par le Sénat, demander à l'Assemblée nationale de statuer définitivement. En ce cas, l'Assemblée nationale peut reprendre soit le texte élaboré par la commission mixte, soit le dernier texte voté par elle, modifié le cas échéant par un ou plusieurs des amendements adoptés par le Sénat.

[...]

Art. 49 – Le Premier ministre, après délibération du Conseil des ministres, engage devant l'Assemblée nationale la responsabilité du gouvernement sur son programme ou éventuellement sur une déclaration de politique générale.

L'Assemblée nationale met en cause la responsabilité du gouvernement par le vote d'une motion de censure. Une telle motion n'est recevable que si elle est signée par un dixième au moins des membres de l'Assemblée nationale. Le vote ne peut avoir lieu que quarante-huit heures après son dépôt. Seuls sont recensés les votes favorables à la motion de censure qui ne peut être adoptée qu'à la majorité des membres composant l'Assemblée. [1995] « Sauf dans le cas prévu à l'alinéa ci-dessous, un député ne peut être signataire de plus de trois motions de censure au cours d'une même session ordinaire et de plus d'une au cours d'une même session extraordinaire. »

Le Premier ministre peut, après délibération du Conseil des ministres, engager la responsabilité du Gouvernement devant l'Assemblée nationale [2008] « sur le vote d'un projet de loi de finances ou de financement de la sécurité sociale. Dans ce cas, ce "projet" » est considéré comme adopté, sauf si une motion de censure, déposée dans les vingt-quatre heures qui suivent, est votée dans les conditions prévues à l'alinéa précédent. [2008] « Le Premier ministre peut, en outre, recourir à cette procédure pour un autre projet ou une proposition par session. »

Le Premier ministre a la faculté de demander au Sénat l'approbation d'une déclaration de politique générale.

Art. 50 – Lorsque l'Assemblée nationale adopte une motion de censure ou lorsqu'elle désapprouve le programme ou une déclaration de politique générale du Gouvernement, le Premier ministre doit remettre au Président de la République la démission du Gouvernement.

[...]

TITRE VII – **Le Conseil constitutionnel**

Art. 56 – Le Conseil constitutionnel comprend neuf membres, dont le mandat dure neuf ans et n'est pas renouvelable. Le Conseil constitutionnel se renouvelle par tiers tous les trois ans. Trois des membres sont nommés par le président de la République, trois par le président de l'Assemblée nationale, trois par le président du Sénat [...].

En sus des neuf membres prévus ci-dessus, font de droit partie à vie du Conseil constitutionnel les anciens Présidents de la République.

Le président est nommé par le Président de la République. Il a voix prépondérante en cas de partage.

Document

Les Premiers ministres de la Ve République

Michel DEBRÉ : 8 janvier 1959 – avril 1962
Georges POMPIDOU : 14 avril 1962 – juillet 1968
Maurice COUVE DE MURVILLE : 10 juillet 1968 – juin 1969
Jacques CHABAN-DELMAS : 21 juin 1969 – juillet 1972
Pierre MESSMER : 5 juillet 1972 – mai 1974
Jacques CHIRAC : 27 mai 1974 – août 1976
Raymond BARRE : 25 août 1976 – mai 1981
Pierre MAUROY : 21 mai 1981 – juillet 1984
Laurent FABIUS : 18 juillet 1984 – mars 1986
Jacques CHIRAC : 20 mars 1986 – mai 1988
Michel ROCARD : 10 mai 1988 – mai 1991
Édith CRESSON : 15 mai 1991 – avril 1992
Pierre BÉRÉGOVOY : 2 avril 1992 – mars 1993
Édouard BALLADUR : 29 mars 1993 – mai 1995
Alain JUPPÉ : 17 mai 1995 – mai 1997
Lionel JOSPIN : 2 juin 1997 – mai 2002
Jean-Pierre RAFFARIN : 6 mai 2002 – mai 2005
Dominique DE VILLEPIN : 31 mai 2005 – mai 2007
François FILLON : 17 mai 2007 – mai 2012
Jean-Marc AYRAULT : 12 mai 2012 – mars 2014
Manuel VALLS : 31 mars 2014 – décembre 2016
Bernard CAZENEUVE : 6 décembre 2016 – mai 2017
Édouard PHILIPPE : 15 mai 2017 –

Pour aller plus loin :

GICQUEL (Jean), *Droit constitutionnel et Institutions politiques*, LGDJ, 32e éd., 2018.

GODECHOT (Jacques), *Les Constitutions de la France depuis 1789*, Garnier-Flammarion, 1970, rééd. 2005.

MORABITO (Marcel), *Histoire constitutionnelle et Politique de la France*, LGDJ, 15e éd., 2018.

SCHNAPPER (Dominique), *Une sociologue au Conseil constitutionnel*, Gallimard, 2010.

2

Les courants politiques

Par comparaison avec d'autres États dotés également d'un système démocratique, la singularité politique française tient probablement à la grande diversité des «familles politiques» – comme disait Albert Thibaudet (1874-1936). Sur deux siècles, on peut voir apparaître plusieurs familles: traditionaliste, libérale, républicaine, socialiste, nationaliste, libertaire, démocrate-chrétienne, communiste, écologiste. Chacune défend une conception du pouvoir et de l'organisation sociale. Mais un simple état des lieux ne mènerait pas loin. Il faut aussi recourir au concept de culture politique que S. Berstein (Les cultures politiques en France) définit comme «l'ensemble des représentations, porteuses de normes et de valeurs, qui constituent l'identité des grandes familles politiques.» Les courants politiques sont présentés ici dans le sens de lecture de l'hémicycle, en sachant que l'un d'entre eux – le libertaire – n'a jamais eu d'élus dans une enceinte parlementaire et que le républicanisme, à vocation fédératrice, vient comme en conclusion.

L'ANARCHISME

L'anarchisme est un mouvement politique et culturel, fondé sur le refus de l'ordre établi et sur l'exaltation de toutes les formes de liberté individuelle. Sa diffusion maximum correspond au dernier tiers du XIXe siècle et aux années qui précèdent la Grande Guerre ; elle est internationale, comme d'ailleurs celle du **socialisme**, les deux idéologies étant, en partie, liées.

Signifiant, au sens littéral, absence d'autorité (ou de gouvernement), le mot «anarchie» était devenu au XIXe siècle, avec une nuance péjorative, synonyme de désorganisation, voire de chaos. Sa réactualisation, amorcée par la boutade de Proudhon («Je suis anarchiste», 1840), tient à l'évolution interne de l'AIT (Association internationale des travailleurs). En effet, au sein de l'Internationale, les membres qui contestent la pratique autoritaire des marxistes se donnent successivement les noms de «fédéralistes», puis d'«anti-étatistes», évitant de parler d'*an-archie* (ainsi l'écrit-on alors). Mais, précisément, leurs adversaires répandent le mot, parce qu'il facilite la confusion avec les proudhoniens – mal vus de l'AIT – et avec le sens courant. Kropotkine fournit l'épilogue: «Le parti anarchiste [...] insista d'abord sur le petit trait d'union entre *an* et *archie*, en expliquant que sous cette forme, le mot *an-archie*, d'origine grecque, signifiait *pas de pouvoir*, et non pas "désordre" ; mais bientôt il l'accepta tel quel, sans donner de besogne inutile aux correcteurs d'épreuves ni de leçon de grec à ses lecteurs.»

Théoriciens et conceptions

❑ ***Pierre-Joseph Proudhon (1809-1865),*** autodidacte issu du peuple, passé par plusieurs métiers, se fait connaître par son ouvrage Qu'est-ce que la propriété ? et par la réponse qu'il propose : « c'est le vol ! ». Épris de justice à un degré rare, il condamne la propriété – y compris sous sa forme collective – dans laquelle il voit surtout le droit de priver les autres. Il prône de son côté la formule plus souple de la « possession ». Proudhon a imaginé en effet une structure d'associations et de coopératives, gérées par les travailleurs eux-mêmes, et pouvant s'unir par contrat dans une perspective fédéraliste. Dans ces « mutuelles » est donc envisagé le transfert vers la base de la prise de décision, autrement dit une forme d'autogestion, thème dont l'écho se répercutera jusque dans le second XXe siècle. Très sévère à l'égard de la société capitaliste comme de la tutelle de l'État, à aucun moment Proudhon n'imagine pourtant de les mettre à bas par une action révolutionnaire : « Nos prolétaires, écrit-il à Marx en 1846, ont si grand soif de science, qu'on serait fort mal accueilli d'eux, si on n'avait à leur présenter à boire que du sang. »

❑ ***Mikhail Bakounine (1814-1876),*** noble russe en rupture de classe, parti en un tour du monde échevelé, a subi l'influence de Hegel et de Proudhon. Homme d'action mais écrivain désordonné, il établit pourtant, avec *Fédéralisme*, *socialisme* et *antithéologie*, le corpus idéologique de l'anarchisme dont les bases sont la condamnation globale de la religion et de ses ministres, de l'État et de ses appuis et, à l'inverse, l'association volontaire et souple de petites communautés. Quant à la piteuse journée insurrectionnelle de Lyon en septembre 1870, elle ne permet pas de conclure sur les réelles aptitudes du personnage, tant étaient faibles ses chances de renverser le pouvoir.

Bakounine, comme Proudhon, se dit adversaire de la violence, mais l'estime nécessaire à la réalisation d'une révolution. Marxiste convaincu, il ne quitte l'AIT que sur un grave désaccord avec Marx. Est-il toutefois sans objet de relire ses écrits sur la dictature… à la lumière des excès staliniens ?

❑ ***Quatre conceptions politiques sont explicitées :***

• Le fédéralisme

« Fédération : du latin *fœdus*, pacte, contrat ; c'est une convention par laquelle un ou plusieurs chefs de famille, une ou plusieurs communes, un ou plusieurs groupes de communes ou États, s'obligent réciproquement et également les uns envers les autres, pour un ou plusieurs objets particuliers, dont la charge incombe alors et exclusivement aux délégués de la fédération » (PROUDHON, *Du principe fédératif*, 1863).

• L'antipatriotisme

« Il faut que [l'apprenti anarchiste] réduise le soi-disant principe de la nationalité, principe ambigu, plein d'hypocrisie et de pièges, principe de l'État historique, ambitieux, au principe bien plus grand, bien plus simple, et le seul légitime, de la liberté » (BAKOUNINE, *Catéchisme du révolutionnaire*, 1869).

• L'antidémocratisme

« Quel dommage qu'il n'y ait pas de trains spéciaux, pour que les électeurs puissent voir leur “Chambre” à l'œuvre. Ils en auraient bien vite le dégoût. Les anciens soûlaient leurs esclaves pour enseigner à leurs enfants le dégoût de l'ivrognerie. Parisiens, allez donc à la Chambre voir vos représentants pour vous dégoûter du gouvernement représentatif » (Kropotkine, *Paroles d'un révolté*, 1885).

• L'antisocialisme

« Par gouvernement populaire, les marxistes entendent le gouvernement du peuple au moyen d'un petit nombre de représentants élus au suffrage universel [...]. On arrive au même résultat exécrable : le gouvernement de l'immense majorité des masses populaires par une minorité privilégiée. Mais cette minorité, disent les marxistes, se composera d'ouvriers. Oui, certes, d'anciens ouvriers ; mais qui, dès qu'ils seront devenus des gouvernants ou des représentants du peuple, cesseront d'être des ouvriers et se mettront à regarder le monde prolétaire du haut de l'État » (Bakounine, *Étatisme et anarchie*, 1873).

La novation idéologique est d'importance par rapport au bouleversement de 1789 et à ses héritages : « Il s'agit en quelque sorte de passer des hommes relativement “libres et égaux en droit” aux hommes absolument libres et égaux en fait » (P. Ory). Mais peu de mouvements ont autant cherché à ancrer leurs théories sur des pratiques.

L'action

❑ ***La Commune,*** malgré sa brièveté, prend quelques mesures en harmonie avec plusieurs options fondamentales du mouvement anarchiste : fédération, gestion collective, élection de certains fonctionnaires, promotion des femmes... Mais ce Paris « qui souffre et travaille pour la France entière » ne peut être un champ d'expérience convaincant. On a beaucoup trop exagéré l'antagonisme entre d'une part les « minoritaires », anarchistes et « internationaux » voyant d'abord dans la Commune le triomphe du principe de l'autonomie, et d'autre part les « majoritaires », d'esprit jacobin, plus attachés à un pouvoir concentré et nostalgiques de la Commune parisienne de 1793. Pourtant, précise J. Rougerie, « on n'oubliera pas pour autant combien avait été grand le souci décentralisateur des hommes de l'an I », souci partagé par leurs admirateurs de 1871.

Certes, le conflit, réel, s'est durci, fin avril, avec la proposition de création d'un Comité de salut public. Mais les « minoritaires » eux-mêmes ne sont pas insensibles à la nécessité du maintien de l'Unité nationale, et un bon nombre de membres de l'AIT ne votent pas avec eux. La mémoire de l'anarchisme va toutefois s'approprier ces heures sombres de guerre civile, et spécialement le personnage de Louise Michel (1830-1905) – la « pétroleuse » honnie des bourgeois –, figure symbolique du dévouement à la cause et de la déportation en Nouvelle-Calédonie.

❑ ***La «propagande par le fait»*** traduit un durcissement auquel l'exemple et les pratiques des nihilistes russes ne sont pas étrangers. Préconisée à Londres (juillet 1881), lors de la réunion de l'Internationale «anti-autoritaire», elle suppose des démonstrations violentes caractérisées et un intérêt nouveau porté à «l'étude et aux applications des sciences techniques et chimiques comme moyen de défense et d'attaque». Pendant vingt ans, les chefs d'État d'Europe sont menacés, et parfois abattus.

En France, les effets ne sont pas immédiats. Les anarchistes sont surtout des travailleurs manuels, assez jeunes, parmi lesquels des femmes. Ils préfèrent souvent l'action revendicative au sein de la classe ouvrière: ils sont ainsi à l'origine des incidents du 1er mai 1890 à Vienne (Isère). Encore la reconduction de cette journée internationale ne fait-elle pas l'unanimité, puisque des anarchistes comme Sébastien Faure en dénoncent en 1892 les arrière-pensées politiciennes. Le mouvement est surtout actif à Paris, dans la région lyonnaise et stéphanoise, à Marseille, à Lille.

Il suffit de trois années de terrorisme ciblé (1892-1894) pour lier définitivement anarchisme et attentats, à l'explosif ou non. C'est d'ailleurs le 1er mai 1891 et les incidents de Clichy qui, par l'engrenage de la vengeance, sont à l'origine des actes de Ravachol. La répression engendre à son tour des attentats contre le personnel judiciaire et l'exécution de Ravachol génère la réplique d'Henry. L'autorité de l'État est visée deux fois avec la bombe de Vaillant à la Chambre (le président Charles Dupuy, impassible, affirme que «la séance continue») et l'assassinat du président Carnot.

Bien que l'émotion soit vive, amplifiée par les reportages et les gravures de la presse à bon marché, la République sait parer au danger en adoptant des lois restrictives, encore utilisées contre des suspects **communistes** dans les années vingt.

On ne saurait rattacher tout à fait au même «idéal» les méthodes de violence des «bandits tragiques» de l'équipe de Bonnot qui, quinze ans plus tard, poussent jusqu'au crime la théorie de la «reprise individuelle» – ou «droit au vol» – et créent, au passage, le mythe des gangsters motorisés.

❑ ***Une action individuelle ou concertée?*** L'historiographie récente réfute le schéma d'un mouvement anarchiste peu organisé, sorte de nébuleuse de groupes modestes vivant en vase-clos, d'où émergent, ici ou là, les auteurs d'attentats. On connaît mieux les aspects multiformes de l'engagement libertaire et des relais de solidarité des «compagnons». Ainsi, dans les années 1880-1914, «pour de nombreuses raisons, le propagandiste anarchiste est rarement un individu isolé, sorti de la masse anonyme pour venger la misère du peuple dans le sang du bourgeois» (Vivien Bouhey). L'impression de journaux, de libelles et d'affiches, parfois la fabrication de fausse monnaie, les vols appelés «reprise individuelle», l'aide aux camarades emprisonnés et à leurs familles, la recherche de locaux pour se réunir, tout cela suppose une organisation et un fonctionnement en réseaux. De même les interventions dans le cadre politique et social: obstruction lors de conférences publiques, interruption de cérémonies religieuses, propagande à la porte des casernes, appui apporté à des grévistes, etc. Loin d'être isolés les uns des autres, très réactifs à la coordination qu'assurait leur presse, les anarchistes ont créé une sociabilité et construit une identité, malgré les inconvénients de leur relative clandestinité et de leurs dissensions, malgré surtout l'efficacité de la répression des années 1890-1900.

❑ ***De l'anarcho-syndicalisme à Mai 68.*** Les anarchistes eux-mêmes – guère plus d'un millier – optent pour d'autres modes d'action. Dès 1891, Kropotkine observe qu'« un édifice basé sur des siècles d'histoire ne se détruit pas avec quelques kilos d'explosifs ». L'anarcho-syndicalisme ou syndicalisme révolutionnaire se concrétise avec la fédération des Bourses du travail, réalisée au congrès de Saint-Étienne en 1892, par Fernand Pelloutier (1867-1901). Ce jeune dirigeant, lui-même de tendance anarchiste, rompt avec les guesdistes, attire ses compagnons « libertaires » et relance l'action syndicale « directe », appuyée au besoin sur la grève générale, instrument d'émancipation ouvrière. Les drapeaux noirs deviennent ainsi plus fréquents dans les cortèges du 1er mai.

Dans la presse anarchiste, cette orientation est surtout défendue par Émile Pouget (1860-1931), responsable du *Père Peinard*, dont la verve argotique veut stimuler les travailleurs et frappe sans ménagement tous les représentants de l'ordre établi. Quant à Jean Grave (1854-1939), qui dirige, à partir de 1895, les *Temps nouveaux*, il représente le courant communiste libertaire français et désavoue les « illégalistes », partisans de la « reprise individuelle », dont l'attitude s'inspire, selon lui, de « la théorie la plus férocement bourgeoise ». N'oublions pas l'importance d'une « sensibilité » anarchisante, « anar » pour tout dire, plus ou moins militante, observable chez des écrivains, tels Georges Darien, chez les dessinateurs de l'*Assiette au beurre* (Grandjouan, Delannoy, Jossot), chez le poète-chansonnier Gaston Couté. Ils font partie de ces « en dehors », qui côtoient les théories anarchistes en exprimant, d'abord, une révolte individualiste contre l'ensemble des institutions (Justice, Armée, Police, Église, École, Famille).

Mais une minorité d'anarchistes n'a pas toujours poussé à l'extrême sa critique du système politique en place, sachant – en deux occasions au moins – appuyer le camp qui lui semblait défendre les libertés démocratiques acquises. D'abord, lorsque certains libertaires suivent l'un d'entre eux, Bernard Lazare, premier partisan de la révision du procès du capitaine Dreyfus ; ensuite, lorsqu'ils approuvent la guerre en août 1914 par refus du militarisme allemand.

Entre les deux guerres, les anarchistes constituent une famille politique reconnue ; ils sont quelques milliers peut-être, groupés dans l'Union anarchiste depuis 1927, l'année de la grande protestation contre l'exécution de Sacco et Vanzetti. Leur organe, *Le Libertaire*, traduit l'acuité de leur analyse politique, notamment dans les temps d'espoir du Front populaire.

Les groupes libertaires qui jouent un rôle au printemps de 1968 et ultérieurement se rattachent, avec des nuances, à cette double face de l'anarchisme : la négation des pouvoirs, l'aspiration à l'autonomie des individus et des groupes. C'est ainsi qu'on récuse toutes les institutions dans leur principe (État, bureaucratie, partis politiques) ; et qu'on exige la démocratie directe ou l'autogestion des universités et des usines.

❑ ***De nouvelles formes de lutte.*** Les préoccupations sociales de ces militants annoncent aussi celles des « autonomes » des années 70, partisans de pratiques de rupture, comme les autoréductions de loyers ou d'impôts, l'insoumission, les luttes féministes, l'appropriation – c'est la «fauche généralisée» qui rappelle le «vol légal» –, le phénomène du squat, etc. La diffusion des thèmes autogestionnaires et écologiques marque donc la permanence des idées anarchistes. Depuis une vingtaine d'années, sans participer aux élections autres que syndicales – et représentés par la Confédération nationale du Travail –, les libertaires font mieux connaître leurs solutions alternatives. «Qu'il s'agisse de l'éducation, de la culture, des outils de création artistique, de la communication ou de l'obtention de conditions de vie décentes pour tous les exclus, les anarchistes ne négligent plus aucun terrain de lutte qui puisse se rapprocher même de loin de leur idéal émancipateur» (G. Manfredonia). Cet idéal a également trouvé un accueil favorable et un terreau propice dans les mouvements anticapitalistes et altermondialistes du début du XXIe siècle. Ces militants animent des «forums sociaux» en Europe ou en Amérique du sud et participent à des manifestations anti-guerre et surtout anticapitalistes lors des réunions des décideurs des pays les plus développés (G7, puis G8). Le zadisme constitue une forme particulière de squat. Autour de Notre-Dame-des-Landes, une zone d'aménagement différé (ZAD) avait été délimitée pour accueillir le nouvel aéroport de Nantes, d'une plus grande capacité. Pendant cinquante ans, le débat se poursuivit, tandis que des militants écologistes et libertaires occupaient le terrain, qu'ils ont rebaptisé ZAD («Zone à défendre»), et pratiquaient sans aucun droit des activités agricoles. Le projet d'aéroport a finalement été abandonné en janvier 2018. Un conflit analogue a éclaté à Sivens (Tarn) à propos de l'édification d'un barrage souhaité par les agriculteurs locaux, affrontement marqué par la mort d'un militant écologiste en 2014.

Certaines de ces manifestations violentes, à Nantes notamment, ont vu l'irruption d'éléments très entraînés, des casseurs, comme les Black blocs, vêtus de noir et masqués, recherchant le contact avec les forces de l'ordre. On les retrouve lors des samedis des «gilets jaunes» (2018-2019). Ils n'ont pas d'organisation hiérarchisée. «Certes, une intention idéologique anime les participants : la lutte contre l'État et le capitalisme. [...] À partir d'une revendication politique floue, naviguant entre l'extrême gauche et l'altermondialisme, l'anarchisme et le communisme, ils satisfont d'abord et avant tout un besoin de contestation violente de la société dans laquelle ils vivent, mais aussi un goût prononcé pour la "castagne"» (Éric Delbecque). Quant aux «gilets jaunes» eux-mêmes, malgré leur inscription dans une logique de lutte des classes et leur refus de se doter de chefs, il est difficile d'en faire des anarchistes.

Les dates clés

1840

Proudhon publie *Qu'est-ce que la propriété?*

1851

Comptant encore sur une réconciliation entre le prolétariat et les classes moyennes, Proudhon dédie son *Idée générale de la Révolution* à la bourgeoisie.

1869

Bakounine publie le *Catéchisme du révolutionnaire*.

1871

L'influence des théories de Proudhon et de Bakounine se retrouve dans plusieurs décisions de la Commune de Paris.

1872

Congrès de La Haye : hostiles à la « constitution du prolétariat en parti politique », Bakounine et ses amis sont exclus de l'Internationale.

1883

Après les attentats de Lyon, Kropotkine et d'autres anarchistes sont jugés et condamnés.

1892

février-avril : rôle marquant de Ravachol dans la première vague d'attentats anarchistes à Paris.

1893

9 décembre : Vaillant fait exploser une bombe lors d'une séance de la Chambre des députés.

1894

12 février : attentat dans l'hôtel Terminus à Paris (E. Henry).

24 juin : à Lyon, l'anarchiste italien Caserio poignarde le président de la République Sadi Carnot.

1893-1894

Le régime républicain se défend par l'adoption des « lois scélérates ».

1896

Élisée Reclus publie l'*Anarchie*.

1909

En France, importante campagne de presse et manifestations pour empêcher l'exécution de l'anarchiste espagnol Ferrer, impliqué dans la révolte catalane.

1912-1913

Composée d'anciens militants et pratiquant les méthodes du grand banditisme, la « bande à Bonnot » commet plusieurs meurtres avant d'être décimée.

1914

Un congrès national aboutit à la création de la Fédération anarchiste.

1936-1939

Lors de la guerre civile espagnole, rôle significatif du mouvement anarchiste dans le camp républicain.

1953

En France, scission au sein de la Fédération anarchiste, les minoritaires créant l'Union fédérale anarchiste.

1968

mai-juin : les groupes anarchistes et leur presse (*Le Monde libertaire*, *Noir et Rouge*) sont une composante de la nébuleuse gauchiste.

2018

1er et 8 décembre : à Paris, très violentes manifestations de « gilets jaunes », avec une forte participation de Black blocs.

Pour aller plus loin :

Bouhey (Vivien), *Les Anarchistes contre la République (1880-1914)*, Rennes, PUR, 2008.

Delbecque (Éric), *Les Ingouvernables. De l'extrême gauche utopiste à l'ultragauche violente, plongée dans une France méconnue*, Grasset, 2019.

Dupuis-Déri (Francis), *Les Nouveaux Anarchistes. De l'altermondialisme au zadisme*, coll. « Petite encyclopédie critique », Textuel, 2019.

Maitron (Jean), *Le mouvement anarchiste en France*, 2 vol., Maspero, 1975.

Merriman (John), *Dynamite Club. L'invention du terrorisme moderne à Paris*, traduit de l'anglais, Tallandier, 2009.

Préposiet (Jean), *Histoire de l'anarchisme*, coll. « Pluriel », Fayard, 2012.

Document

Le programme du Père Peinard (14 janvier 1900)

Dans un style débridé, Pouget vise les ennemis bien identifiés de l'anarchisme : l'État et ses auxiliaires – le gouvernement, l'armée, les juges –, l'Église, les patrons ; il dit son dédain du système parlementaire.

Le programme du vieux gniaff est aussi connu que la crapulerie des généraux ; il est plus bref que la Constitution de 1793 et a été formulé, il y a un peu plus d'un siècle, par l'Ancien, le Père Duchêne :

« Je ne veux pas que l'on m'em…mielle ! »

C'est franc. Ça sort sans qu'on le mâche ! Et cette déclaration autrement épatante que celle des Droits de l'Homme et du Citoyen, répond à tout, contient tout, suffit à tout.

Le jour où le populo ne sera plus emmiellé, c'est le jour où patrons, gouvernants, ratichons, jugeurs et autres sangsues têteront les pissenlits par la racine.

Et, en ce jour-là, le soleil luira pour tous et pour tous la table sera mise.

Mais, mille marmites, ça ne viendra pas tout de go ! La saison est passée où les cailles tombaient du ciel, toutes rôties et enveloppées dans des feuilles de vigne.

Pour lors, si nous tenons à ce que la Sociale nous fasse risette, il faut faire nos affaires nous-mêmes et ne compter que sur notre poigne.

Certains types serinent qu'il y a mèche d'arriver à quelque chose en confiant le soin de nos intérêts à des élus entre les pattes desquels on abdique sa souveraineté individuelle. Ceux qui prétendent cela sont, ou bien aussi cruches, ou bien aussi canailles que les abrutisseurs qui nous prêchent la confiance en Dieu.

Croire en l'intervention divine ou se fier à la bienveillance de l'État, c'est identique superstition.

Y a qu'une chose vraie et bonne : l'action directe du populo.

Émile Pouget, *Le Père Peinard*, textes choisis, Éd. Galilée, Paris, 1976, p. 24.

LE COMMUNISME

On peut rattacher à l'esprit du communisme les théories de socialistes dits « utopiques » comme Cabet (*Voyage en Icarie*), ou celles des blanquistes, partisans d'une révolution menée par une élite intellectuelle. La priorité est donnée à la suppression de la propriété privée et à la prise en charge par l'État de la gestion des biens communs. Après l'adhésion, dès les années 1870, de certains socialistes – comme Jules Guesde – au marxisme, le fait communiste, en France, a pris la forme d'une greffe marxiste-léniniste sur le tronc du mouvement ouvrier et **socialiste** d'avant 1914. La SFIC (Section française de l'internationale communiste), née au congrès de Tours en décembre 1920 d'une scission avec la SFIO (voir **socialisme**), est à l'origine d'une culture politique spécifique reposant, d'une part sur la condamnation du capitalisme, d'autre part sur l'édification du « socialisme scientifique ». Dès le départ, deux traits sont mis en évidence : l'attachement indéfectible à l'URSS et à l'Internationale (Komintern), et le rôle moteur du parti.

Internationalisme et patriotisme

L'admiration que suscite la Révolution russe compte beaucoup – bien qu'on doive y ajouter l'influence du milieu social et le dégoût de la guerre – dans les motivations des adhérents des années vingt, membres issus du Parti socialiste, syndicalistes ou plus jeunes militants. Cette attitude correspond à la reconnaissance d'une primauté ; les futurs responsables fréquentent les écoles du parti à Moscou, et les nombreux voyages d'intellectuels en URSS renforcent la fidélité. C'est particulièrement le cas dans les années des deux premiers plans quinquennaux (1929-1936), quand Aragon, dans la revue *Regards* (juillet 1936), exalte le « Peuple-Soleil », « ce grand peuple de parachutistes, de conquérants polaires, d'explorateurs de la stratosphère, de bâtisseurs d'une géographie nouvelle, de stakhanovistes qui ont réconcilié le travail manuel et l'invention intellectuelle ».

Le parti applique désormais les consignes du communisme international. Lorsqu'en 1929 la social-démocratie n'est plus que le « social-fascisme », la SFIO voit pleuvoir sur elle les expressions vengeresses (« renégats socialistes », « larbins du patronat ») qu'elle ne laisse pas sans réponses (« cléricalisme bolchéviste », « moscoutaires »). Quelques années plus tard l'adhésion au programme du Rassemblement populaire et le soutien – sans participation – du gouvernement socialiste de Léon Blum en 1936 répondent de la même manière à la stratégie internationale de Moscou. Il est pourtant une décision qui laisse les communistes français complètement désarçonnés : le pacte germano-soviétique de 1939. D'où une période d'hésitations, de palinodies à l'égard de Vichy, d'ordres contrastés, jusqu'à ce qu'on ne désigne plus comme impérialiste une guerre dans laquelle l'URSS est désormais engagée (juin 1941). L'action patriotique de beaucoup de militants – le plus souvent engagés dans les FTP – et le rôle significatif des combattants de la MOI (Main-d'œuvre immigrée) montrent d'ailleurs la capacité de mobilisation du PCF, « parti des fusillés » comme il s'affirme à la Libération.

En 1947, le PCF, qui vient de quitter le pouvoir, enregistre l'injonction du tout nouveau Kominform de faire partie du « camp anti-impérialiste et démocratique » pour lutter contre « l'impérialisme américain, ses alliés français et anglais et les socialistes de droite avant tout en Angleterre et en France ». C'est la réponse de Jdanov à la « doctrine Truman » et le début de la guerre froide. En France, c'est une guerre de tracts, d'articles virulents, de manifestations d'envergure, dont la plus importante, peut-être, vise à Paris le général américain « Ridgway-la-Peste », qui symbolise la guerre de Corée (mai 1952). Très fervent depuis les années trente, l'hommage à Staline est maintenant dithyrambique et institutionnalisé ; il culmine à la mort du maréchal (mars 1953). Selon le même principe d'alignement, le PCF approuve l'intervention soviétique en Hongrie (1956) et, avec des réserves l'entrée des chars en Tchécoslovaquie (1968), juge utile la « normalisation » opérée dans ce pays ; il condamne aussi la contestation ouvrière en Pologne (1970, 1980-1981) et ne trouve rien à redire à l'entrée des troupes soviétiques en Afghanistan (1979).

Cependant, si le Parti communiste se soumet jusqu'aux années 1980 à la discipline de l'internationalisme prolétarien, il affiche parallèlement un patriotisme sourcilleux même quand la conjonction des deux lignes oblige à un maniement délicat de la dialectique. C'est là un trait spécifique du communisme français.

Le parti, rien que le parti

En principe émanation de la classe prolétarienne, le parti, structure organisationnelle, prend totalement à son compte le projet idéologique. Lui seul sait interpréter la doctrine et fixer les objectifs de lutte, lui seul définit la « ligne ».

Une hiérarchie précise se décompose en cinq degrés depuis la base, autant d'étapes de décision selon la règle dite du « centralisme démocratique » : cellule, section, fédération, congrès, comité central ; au-delà, le bureau politique et le secrétariat général. Le système, très bureaucratique au sommet, assure une certaine pérennité des cadres. Tout fonctionne selon une équation que Ph. Robrieux pose ainsi : « Classe ouvrière = parti = comité central = secrétaire général = science marxiste-léniniste ». Un rôle particulièrement important est tenu par la « section des cadres », sorte de « ministère de l'Intérieur » du parti, dont les questionnaires autobiographiques contiennent sur les adhérents des renseignements très détaillés. Quant au secrétaire général, seul à détenir les informations en provenance de la direction soviétique et du mouvement communiste international, il choisit les membres du bureau politique et tous les responsables importants (comme ceux de la section des cadres). En une soixantaine d'années (1930-1994), le PCF n'a connu que trois hommes à ce poste-clé : Maurice Thorez, Waldeck Rochet (1964-1972) et Georges Marchais (1972-1994).

La solidité et la permanence de l'appareil traversent les temps de crise et de moindre audience électorale. Les deux grandes périodes fastes de l'influence du parti – la Libération et le Front populaire – permettent l'adéquation entre le communisme français et une partie du monde ouvrier. Même si le discours exalte les « masses laborieuses », la symbolique privilégie les ouvriers des grandes entreprises. Le mineur et le « métallo » occupent le centre d'une culture qui se nourrit des mots et des rites de la revendication et qui emprunte parfois les couleurs véhémentes du réalisme socialiste. La popularité de Maurice Thorez tient en partie au fait qu'il partageait la culture de la mine, même s'il n'avait pas travaillé longtemps au fond.

Le dévouement des militants, le fonctionnement imperturbable de l'appareil, l'impact électoral du PCF (28 % des suffrages exprimés en 1946 et encore 20 à 21 % de 1962 à 1978), ainsi que l'appui constant apporté par le syndicat CGT – considéré souvent comme la « courroie de transmission » du parti – permettent de situer la force politique du communisme français.

Dans le cadre de la gauche, le PCF occupe une place particulière, par sa façon de régler ses débats internes et par la pression qu'il sait exercer sur ses éventuels partenaires. C'est tout le problème de l'hypersensibilité à l'anticommunisme. Un nombre considérable d'exclusions a été prononcé pour trotskysme (avant 1939), déviationnisme ou «fractionnisme» (tels Marty et Tillon en 1952) et pour non respect de la «ligne» à propos de questions cruciales (les révélations du rapport Krouchtchev, Budapest, Prague, les dissidents soviétiques et Sakharov...); il en est résulté une hémorragie d'intellectuels militants ou «compagnons de route».

En dehors du camp communiste, certains ont connu les reproches directs en forme de chantage. Critiquer les Procès de Moscou ou les camps sibériens revenait à partager les calomnies du fascisme international. Après la guerre, dans l'atmosphère du stalinisme, et même au temps de la «coexistence pacifique», les qualificatifs d'«ennemi de la classe ouvrière» ou de «valet de l'impérialisme américain» sont facilement distribués à qui déplore la satellisation de l'Europe centrale, ou soutient l'expérience de Tito, ou encore dénonce en URSS l'absence de libertés publiques élémentaires et l'usage abusif par le pouvoir des internements psychiatriques.

Exclus du parti, ou peu enclins à y entrer, des minoritaires d'extrême gauche traversent le champ politique du communisme. Les plus nombreux sont les trotskistes, fidèles de Léon Trotski, théoricien de la Révolution permanente, assassiné à Mexico en 1940. Dans les années trente, pratiquant l'«entrisme», ils ont pénétré la SFIO (ils ont agi de même, dans les années 1970, avec le nouveau Parti socialiste). Après 1968, ils ont constitué des groupes structurés, mais finalement rivaux: la «Ligue communiste révolutionnaire» d'Alain Krivine et «Lutte ouvrière» qu'anime Arlette Laguiller, tous deux leaders, plusieurs fois candidats à l'Élysée, moyen sûr de défendre leurs thèses à la télévision. La famille gauchiste comprend aussi les maoïstes, dont nombre sortaient, vers 1968 aussi, des rangs des étudiants adhérents du PCF (UEC).

Des signes de changement et une perte d'influence

La direction du Parti communiste, qui se défend de constituer une «nomenklatura», met à son actif une série de décisions souvent annoncées de manière spectaculaire, lors de congrès: l'abandon de la règle du parti unique (1964), le passage pacifique au socialisme (1967), le fameux abandon de la dictature du prolétariat et l'intérêt porté aux libertés (1976, XXe congrès), le ralliement à la force de frappe (1977).

Parallèlement, les avis divergents, bien que canalisés, s'expriment mieux. Au printemps 1978, des militants estiment que l'attitude intransigeante du PCF à l'automne précédent a contribué à affaiblir la gauche et à faire perdre les législatives; c'est la première fois qu'un grand débat s'ouvre sur une stratégie de politique intérieure. Dans les années 80, on voit même des contestataires prendre la parole dans les congrès et garder – temporairement – leur place au comité central (P. Juquin).

Les pertes électorales de la décennie 1980-1990 ont fait prendre conscience de l'affaiblissement de la base ouvrière. Le secteur secondaire n'a cessé de décroître en France et de gros bastions communistes ont fondu (sidérurgie, charbonnages, constructions navales, automobile...). Aux élections de 1986, les voix ouvrières ont placé le PCF en troisième position, derrière le PS et la droite. À cela s'ajoute aussi la désyndicalisation générale. Le PCF est donc atteint dans sa légitimité de représentant de la classe ouvrière.

Il n'a pu manquer d'être atteint aussi dans sa crédibilité politique par le grand chambardement intervenu à l'Est depuis 1989, et les vaines tentatives des contestataires (Fiterman, Le Pors, etc.) se sont heurtées à l'immobilisme de la direction. Plus à l'est encore, la dislocation du système économique soviétique fait disparaître le « modèle » de planification et d'organisation concertée que les communistes vantaient depuis soixante ans ; il y aurait donc là une perte, et de substance idéologique et d'identité historique.

Messianique, porteur du vrai, annonciateur du devenir historique, le communisme en France s'est identifié à un parti. Ce parti habité, jusqu'à l'obsession, par le souvenir du parti bolchevik de Lénine s'est désespérément consacré à s'auto-préserver alors même que s'effritaient ses bases sociologiques et que s'effondraient ses modèles. Toutefois, le maintien de certaines formes de solidarité de classe et l'attachement à une culture communiste transmise dans les familles et les associations caractérisent encore certains bastions municipaux (Saint-Denis ou Bagneux dans l'ancienne « ceinture rouge » de Paris, Montluçon, Le Havre...).

Personnalité prisée des médias, capable d'écoute, Robert Hue a essentiellement axé sa campagne présidentielle de 1995 sur le thème de la lutte contre l'argent. Il affiche une volonté d'ouverture – exprimée dans un livre : *Communisme, la mutation*, paru en 1995 – que les « orthodoxes » du parti, restés proches de G. Marchais, ne prennent pas encore à leur compte. Lors des législatives de 1997, il joue la carte de la gauche dite plurielle. Trois ministres communistes entrent ainsi au gouvernement. Chez les militants, certains réclament des réformes plus vigoureuses quand d'autres voient en R. Hue un « Gorbatchev français ». En 2001, Marie-George Buffet prend le poste de secrétaire nationale. Son résultat à la présidentielle de 2007 (1,93 %) confirme le tassement des ressources électorales communistes. En 2009-2010, dans le contexte des élections européennes, puis régionales, la formation d'un « Front de gauche », avec le Parti de gauche, entretient l'espoir d'une survie. Ce Parti de gauche, présidé par Jean-Luc Mélenchon, regroupe une partie de ceux qui se situent « à gauche de la gauche », c'est-à-dire en fait à gauche du Parti socialiste. La donne est modifiée quand Jean-Luc Mélenchon fonde son propre mouvement, « La France insoumise » (LFI), et se déclare candidat à la présidentielle de 2017. Changeant de stature, il mène une campagne efficace, moderne (lui-même en meeting à Lyon, il est représenté par son hologramme à Aubervilliers), mais finit 4e, avec près de 20 % des voix. Les législatives lui offrent une revanche : élu à Marseille, il entre à l'Assemblée avec 16 députés de sa formation.

Les dates clés

1920

29 décembre : naissance du Parti communiste français au congrès de Tours.

1922

Les communistes créent une nouvelle centrale syndicale (CGTU).

1924

Après L.-O. Frossard (1920-1923) et Albert Treint (1923-1924), le secrétariat général passe à Pierre Sérnard (1924-1929) qui entreprend la « bolchévisation du parti ».

1929

Première Fête de l'*Humanité* (titre du quotidien conservé par le PC, après la session de 1920).

1930

M. Thorez devient secrétaire général du Parti communiste français.

1936

juin : le Parti communiste français soutient le gouvernement Blum sans y participer.

1938

septembre : les communistes manifestent leur hostilité aux accords de Munich.

1939

23 août : la signature du pacte germano-soviétique, approuvée par le Parti communiste, met celui-ci dans une position délicate.

1939-1941

Les dirigeants du Parti communiste français entrent dans la clandestinité ou sont arrêtés par les gouvernements français. L'attaque d'Hitler sur l'URSS modifie les données.

1941-1944

Les communistes participent activement à la Résistance.

1944-1947

Des ministres communistes font partie de plusieurs gouvernements.

1945

Aux élections d'octobre, le parti recueille plus de 5 millions de suffrage et devient le « premier parti de France ».

1947

Le contexte de la guerre froide tend à marginaliser les communistes français ; ils quittent le gouvernement Ramadier le 5 mai.

1958

Le Parti communiste français préconise le non au référendum sur la Constitution.

1964

mai : XVIIIe congrès ; Waldeck-Rochet devient secrétaire général. Souci d'ouverture : l'élection des dirigeants se fait pour la première fois au vote secret.

1965

décembre : dès le premier tour, le Parti communiste français appuie la candidature de F. Mitterrand.

1969

1er juin : au premier tour des présidentielles, J. Duclos, candidat du Parti communiste recueille 4,8 millions de voix (21,5 % des suffrages exprimés).

1968

Le parti nie tout caractère révolutionnaire aux événements de mai.

1970

Georges Marchais devient secrétaire général.

1973

mars : le Parti communiste présente à lui seul 40 % des candidates aux législatives (y compris les candidates suppléantes).

1976

7 février : Au XXIIIe congrès est décidé l'abandon de toute référence à la dictature du prolétariat.

1981

26 avril : au premier tour des présidentielles, G. Marchais recueille 4,4 millions de voix (15,3 %).

1981-1984

Participation de quatre ministres communistes aux gouvernements Mauroy.

1988

24 avril : 2 053 700 électeurs (6,78 %) se prononcent pour A. Lajoinie.

1994

janvier : lors du XXVIIIe congrès, G. Marchais cède la première place à Robert Hue, qui devient secrétaire national.

1995

3 avril : au premier tour des présidentielles, 8,69 % des suffrages exprimés se portent sur Robert Hue (2 631 173 voix).

2002

21 avril : résultat très faible de R. Hue au 1er tour des présidentielles (3,39 % des voix).

2005

31 mai : le PCF a appelé à voter non au référendum.

2007

Net échec aux présidentielles (moins de 2 %), mais aux législatives de juin, 18 députés communistes et apparentés sont élus.

2009

Février : le NPA (Nouveau parti anticapitaliste), dirigé par Olivier Besancenot, remplace la LCR.

2012

Candidat du Front de Gauche, J.-L. Mélenchon obtient 11 % des voix au 1er tour des présidentielles.

2017

Présidentielles : Jean-Luc Mélenchon, malgré 19,58 % des voix, n'accède pas au second tour.

Pour aller plus loin :

COURTOIS (Stéphane) (dir.), *Dictionnaire du communisme*, Larousse, 2007.

FURET (François), *Le Passé d'une illusion – essai sur l'idée communiste au XXe siècle*, Robert Laffont/Calmann-Lévy, 1995.

GIRAULT (Jacques) (dir.), *Des communistes en France (années 1920 - années 1960)*, Publications de la Sorbonne, 2002.

KRIEGEL (Annie), *Le Congrès de Tours (1920)*, coll. « Archives », Julliard, 1964.

LAVABRE (Marie-Claire), PLATONE (François), *Que reste-t-il du PCF ?*, CEVIPOF/Autrement, 2003.

MARTELLI (Roger), *L'Archipel communiste. Une histoire électorale du PCF*, Éd. sociales, 2009.

SIROT (Stéphane), *Maurice Thorez*, Presses de Sciences Po, 2000.

Document

Maurice Thorez présente le Parti communiste (1949)

(Le chef mythique reste fidèle à la ligne soviétique mais souligne des spécificités françaises susceptibles de rassurer les tenants de la « petite propriété ».)

Le Parti communiste n'est pas un parti comme les autres. Il est le parti des travailleurs, le parti de la classe ouvrière, dont les intérêts sont désormais ceux de la nation. Alors que les autres partis, même lorsque des ouvriers s'égarent dans leurs rangs, ne sont que les représentants des intérêts de classes ou de groupes sociaux plus ou moins privilégiés, plus ou moins hostiles à la classe ouvrière, et étrangers à la nation…

Les communistes veulent socialiser les grands moyens de production ; ils n'entendent nullement supprimer la petite propriété agraire, commerciale ou industrielle. Ils estiment que l'organisation de la vie économique, dont les bases seront constituées par la socialisation des grands moyens de production, ne pourra se réaliser que par une collaboration librement consentie des paysans petits et moyens, des petits commerçants et industriels avec la classe ouvrière. [...]

Dans l'économie soustraite à l'exploitation capitaliste, le produit du travail ira intégralement à la collectivité. Plus de dépenses pour les œuvres de mort, les armements et les guerres, tout pour les œuvres de vie, les maisons, les universités, les hôpitaux, les laboratoires. Les sciences feront des progrès gigantesques. Avec l'argent que coûte la construction d'un cuirassé, on pourrait, en quelques années, vaincre définitivement la tuberculose et le cancer.

Quand le communisme sera la réalité en France, il n'y aura plus de gaspillages, de crises, de chômage, plus de dépenses pour entretenir une bureaucratie pléthorique ou enrichir les marchands de canons. La sécurité du lendemain sera assurée pour tous, l'enfance protégée et instruite, la vieillesse abritée et heureuse, la voie ouverte à tous les talents, et non aux privilégiés de la naissance et de la fortune. L'organisation scientifique de la production permettra de réduire considérablement les heures de travail, et de distribuer gratuitement les produits de première nécessité, au même titre que l'air et l'eau. [...]

Maurice Thorez, *Fils du peuple*, Paris, Éd. sociales, 1949.

LE SOCIALISME

La recherche d'une unité (XIXe – début XXe siècle)

Au milieu du XIXe siècle, déjà, apparaît une opposition entre deux sensibilités. Un courant plutôt étatiste, représenté par Saint-Simon, Louis Blanc – considéré parfois comme le père de l'État-providence – se distingue d'un courant ouvriériste, aux tendances quelquefois libertaires, incarné par Fourier, Cabet, Proudhon, Flora Tristan. Les uns veulent plutôt transformer la société d'en haut – c'est le courant jacobin que renforcera le marxisme – les autres, sont plus attentifs à l'expression de la base et de la « société civile ». N'est-ce pas dans cette perspective que pourrait s'inscrire encore le débat, à gauche, qui a opposé en 1990, les « vieux » républicains (Pierre Mauroy ou Jean-Pierre Chevènement) et les « nouveaux » démocrates (Michel Rocard) ?

Plusieurs socialistes marquants ont siégé dans les Assemblées de 1848 et/ou 1849 (Proudhon, Leroux, Considérant) ou au Gouvernement provisoire (Louis Blanc). En 1849, le relatif insuccès électoral des partisans d'une république démocratique et sociale – « les démocrates sociaux » (« démoc-soc »), ou « rouges », ou encore « partageux » – n'a pas rassuré les conservateurs surpris de l'audience de ces théories sociales jusque dans les campagnes de l'Allier, du Var ou de la Dordogne. C'est le prince-président qui, avec son coup d'État, se charge de les rassurer.

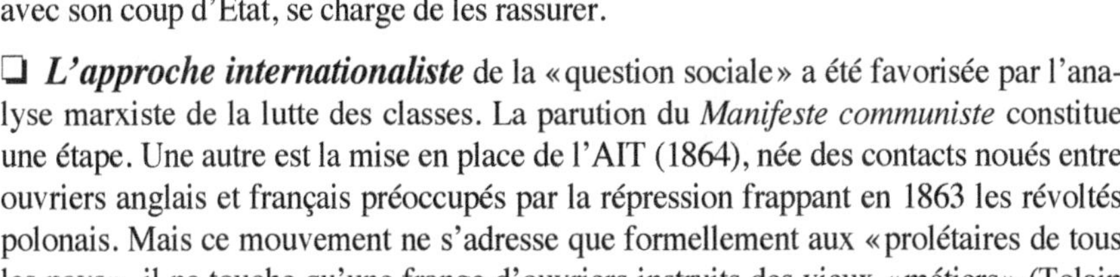

❑ ***L'approche internationaliste*** de la « question sociale » a été favorisée par l'analyse marxiste de la lutte des classes. La parution du *Manifeste communiste* constitue une étape. Une autre est la mise en place de l'AIT (1864), née des contacts noués entre ouvriers anglais et français préoccupés par la répression frappant en 1863 les révoltés polonais. Mais ce mouvement ne s'adresse que formellement aux « prolétaires de tous les pays », il ne touche qu'une frange d'ouvriers instruits des vieux « métiers » (Tolain est ciseleur en bronze, Varlin est relieur). Par la suite, la IIe Internationale (1889) se contente de fédérer des organisations nationales – qui en sont les simples « sections ».

❑ ***Les querelles internes.*** Les conséquences de la Commune de Paris affaiblissent dans un premier temps le développement du socialisme, puis les querelles internes ralentissent la création d'un Parti socialiste fort. Dans les années 1890, cinq tendances se différencient, bien que le Parti ouvrier français de Jules Guesde, appuyé sur le « programme du Havre » d'inspiration marxiste (1880), soit l'élément le plus vigoureux et le défenseur intransigeant de la doctrine qui admet la compétition électorale mais refuse la participation à un gouvernement « bourgeois ». C'est pourquoi en 1899, il ne tolère pas l'entrée de Millerand dans le cabinet Waldeck-Rousseau, d'autant moins que le ministre de la Guerre n'y est autre que le général de Gallifet, le « massacreur » de la Commune. La vive condamnation des **anarchistes**, les dissentiments avec les organisations syndicales au sujet de la conduite de la classe ouvrière et le scepticisme à l'égard du « Grand Soir » alimentent une animosité qu'atténuent parfois les cortèges communs du 1er mai.

L'attitude face au régime recèle aussi une contradiction. Car le patrimoine républicain, l'attachement à 1789 et à la Révolution conçue « en bloc » sont communs au **radicalisme** et au socialisme (dans les congrès, jusqu'en 1900, on chante la *Carmagnole* et non l'*Internationale*). Leurs adeptes occupent le même camp de la gauche. Cependant, les socialistes gardent leurs distances, fustigent les députés corrompus du « Panama » – scandale qui sert de tremplin à plusieurs de leurs élus de 1893 – et critiquent les lois scélérates. L'unité se réalise vers 1905 : le Parti socialiste de France de Guesde et le Parti socialiste français de Jaurès se fondent sous la pression de l'Internationale. La SFIO (Section française de l'Internationale ouvrière) est née. Le parti unifié affiche désormais une rigoureuse intransigeance doctrinale, il multiplie les attaques contre Clemenceau et Briand – ancien socialiste, donc plus détesté – quand leur répression de la grève choque ses convictions ; et tout en faisant preuve de lucidité à l'égard des menaces de conflit en Europe, il mène une active campagne contre la loi de trois ans (1913). La forte personnalité de Jaurès contribue à enraciner le socialisme dans la tradition républicaine en faisant de la révolution prolétarienne l'aboutissement naturel d'une histoire commencée en 1789.

La grève générale comme moyen d'empêcher la guerre ayant montré ses limites, Jaurès assassiné, les socialistes ne boudent pas l'Union sacrée de l'été 1914. Jules Guesde et Marcel Sembat entrent en effet au gouvernement, suivis en 1915 par Albert Thomas. Mais celui-ci, devenu ministre de l'Armement ne participe pas au cabinet

Clemenceau, que les députés socialistes n'ont pas approuvé (novembre 1917). La guerre se prolongeant, les partisans de la paix sont devenus majoritaires au sein du socialisme français. « La révolution bolchevique, en condamnant la guerre et en désignant son responsable, la "bourgeoisie impérialiste", raviva l'identité révolutionnaire et internationaliste du parti » (A. Bergounioux et G. Grunberg).

La compétition entre les frères ennemis (1920-1990)

❑ ***Le congrès de Tours*** provoque une scission définitive à l'échelle du siècle. La IIe Internationale, qui n'avait pas su empêcher la guerre, a déçu. Ceux qui sont impressionnés par le modèle bolchevique, optent pour l'adhésion à la IIIe Internationale (Komintern), réglementée par 21 conditions. Le duel Cachin-Blum se solde par le succès du premier (3208 mandats contre 1022). Blum se dit déterminé à « garder la vieille maison ». Il a expliqué en vain que le débat ne se situait pas entre réforme et révolution, mais entre deux conceptions marxistes de la révolution : « Dictature d'un parti, oui ; dictature d'une classe, oui ; dictature de quelques individus, connus ou inconnus, cela non ». Tout est joué pour longtemps.

La SFIO, toujours exposée au reproche de réformisme, refuse toute participation gouvernementale en 1924, comme en 1932. Ce faisant, elle renforce ses positions électorales. Il faut les événements de février 1934 et les premières initiatives antifascistes, puis l'évolution des communistes pour réaliser le Front populaire. Mais la première expérience socialiste de gouvernement est vite compromise par la non-participation communiste (Thorez, ici face à Blum, rappelle Blum face à Herriot en 1924) et par les répercussions de la guerre d'Espagne. Un important programme social est toutefois réalisé, mais le pouvoir a été seulement exercé et non conquis pour le socialisme.

❑ ***Le temps du « mollettisme ».*** Ayant exclu ceux de leurs parlementaires qui avaient dit oui à Pétain le 10 juillet, et remis en selle par l'activité de leurs résistants, les socialistes se donnent en 1946 un nouveau chef, Guy Mollet, préféré à Léon Blum et à Daniel Mayer : rigueur doctrinale, rappel de la tradition guesdiste, « le renouveau du parti est enveloppé dans l'invocation marxiste du retour aux sources », écrit F. Furet.

Mais la conjoncture de guerre froide pousse aux alliances centristes de la « Troisième force ». Avec le MRP, la SFIO doit assumer les déboires coloniaux. G. Mollet, au grand dépit des partisans de Mendès France, dirige le gouvernement sorti des élections de 1956 et l'image du socialisme se flétrit : intensification de la guerre en Algérie, expédition de Suez. Au bout du compte, ce sera l'appel à de Gaulle et la participation temporaire à son gouvernement. Si les socialistes approuvent la Constitution de 1958, ils s'associent au « cartel des non » pour le référendum d'octobre 1962. Entre-temps les minoritaires, fustigeant le « social-mollettisme opportuniste », ont fondé le Parti socialiste unifié (PSU).

C'est de l'extérieur que le socialisme est rénové : grâce aux présidentielles de 1965, F. Mitterrand qui alors n'est pas socialiste, devient l'homme-clé de la gauche.

❑ ***D'Épinay à la « décennie Mitterrand ».*** Le congrès d'Épinay fonde le Parti socialiste dont F. Mitterrand devient le premier secrétaire (juin 1971) ; il initie une stratégie d'union de la gauche : « Le dialogue avec le Parti communiste ne doit pas être mené à partir de thèmes imprécis d'un débat idéologique. Il portera sur les problèmes concrets d'un gouvernement ayant mission d'amorcer la transformation socialiste de la société. » Mais, plus que le « **Programme commun** » – conclu en 1972 et sujet de conflit en 1977 – et malgré trois élections perdues (1973, 1974, 1978), c'est l'itinéraire de F. Mitterrand qui compte. Le 10 mai 1981, un président socialiste est élu dans le cadre d'institutions qu'il avait précédemment combattues.

La première phase du gouvernement Mauroy s'inscrit dans la tradition progressiste de la gauche : face à la crise on applique une politique de relance de la demande et de **nationalisations** de quelques groupes bancaires et industriels. Le pouvoir socialiste se veut aussi le premier acteur d'une vraie **décentralisation**. Mais la lenteur de la reprise, le déficit extérieur et le maintien d'un fort taux de chômage rendent nécessaire une réorientation, marquée par des dévaluations, un blocage provisoire des prix et des salaires, le soutien de l'État aux entreprises.

La césure de 1982-1983 paraît décisive par l'abandon d'une claire référence au marxisme et l'influence exercée par la « deuxième gauche » et le courant rocardien. Signe révélateur, en présentant l'action de son gouvernement en juillet 1984, L. Fabius retient deux grandes orientations, la modernité et le rassemblement.

Ce repli idéologique s'est opéré en vingt ans. En 1972, il y a un « programme du Parti socialiste », en 1980 un « projet socialiste » et en 1988 des « propositions des socialistes », lesquelles précisent que « l'époque n'est plus à la présentation d'un programme exhaustif » (et l'on note de sensibles limitations d'ambition dans plusieurs domaines : l'école, le Plan, la condition des femmes...). Les socialistes rétorquent qu'ils ont substitué, de façon réaliste, une culture de gouvernement à une culture d'opposition.

❑ ***Les lendemains qui déchantent.*** Mais à partir de 1990, l'influence et la crédibilité des gouvernants socialistes sont, peu à peu, amoindries. Si l'usure du pouvoir a logiquement joué son rôle, plusieurs causes peuvent être invoquées : l'écho ravageur des « affaires » (sang contaminé, affaires boursières, discrédit touchant des ministres, financement illégal du Parti socialiste – même si d'autres formations ont également fait l'objet de poursuites judiciaires –), la fragilité de la majorité gouvernementale, l'incapacité à faire régresser le chômage, alors que F. Mitterrand s'y était engagé ; enfin, la « guerre des chefs », qui s'étale au congrès de Rennes au grand dam des militants (1990), et qui s'accompagne bientôt d'une valse des premiers secrétaires : quatre, de 1992 à 1995 (L. Fabius, M. Rocard, H. Emmanuelli, L. Jospin). Pourtant, le socialisme est resté bien implanté grâce à des maires emblématiques comme Gaston Defferre à Marseille ou Pierre Mauroy à Lille ; et les élections intermédiaires, municipales et cantonales, voire régionales, lui ont souvent permis de marquer des points.

La sanction de 1993 est rude. Mais, requalifié par son bon résultat face à J. Chirac, L. Jospin entreprend de rebâtir, prudemment, un projet socialiste. Entré à Matignon en 1997, à la tête d'une équipe ministérielle dont font partie les communistes, il redonne en France de la crédibilité à un courant social-démocrate qui vient de triompher – avec des nuances spécifiques – au Royaume-Uni (Tony Blair, 1997) et qui, en Allemagne, porte bientôt Gerhard Schröder à la chancellerie (1998).

Mais L. Jospin enregistre un sévère échec à la présidentielle de 2002. À celle de 2007, S. Royal est battue au second tour. Fait inédit, sa candidature avait été en grande part le résultat d'un mouvement d'opinion et le Parti socialiste ne se reconnaissait pas dans toutes ses options. Après trois revers consécutifs des socialistes dans la course à l'Élysée, François Hollande est élu en 2012. Mais, dès 2013, le PS est affaibli par des oppositions internes (les «frondeurs»). Le quinquennat de F. Hollande confirme le recul et même l'amenuisement du socialisme en France – le phénomène est d'ailleurs comparable dans plusieurs pays européens –, au point que le président, élu en 2012, renonce à briguer un second mandat en 2017. Parmi les causes de cette désaffection, Jacques Julliard note : «Il y a ce terrible sentiment d'abandon, bien mis en lumière par Christophe Guilluy dans ses livres : les classes moyennes ne votent plus pour la gauche, parce qu'elles ont le sentiment d'être mal-aimées d'elle. La gauche Attali, la gauche Terra nova, n'a d'yeux que pour les vainqueurs, c'est-à-dire les bénéficiaires de la mondialisation» (éditorial de *Marianne* titré «Le socialisme va-t-il disparaître ?», 18 octobre 2018).

Les dates clés

1839

Louis Blanc publie *De l'organisation du travail.*

1848

Le *Manifeste communiste* est publié à Londres par K. Marx et F. Engels.

1864

Fondation de l'Association internationale des travailleurs (AIT). C'est la Première Internationale (Marx et Bakounine).

1871

La Commune de Paris est une tentative de mise en place d'un pouvoir populaire.

1879

À Marseille se tient le congrès ouvrier socialiste de France. On y affirme la nécessité de la collectivisation des moyens de production et on préconise la formation d'un parti ouvrier pour prendre le pouvoir.

1889

Les bases de la IIe Internationale – celle de Kautsky, de Jaurès et de Rosa Luxembourg – sont posées.

1893

Des socialistes sont élus à la Chambre.

1896

Congrès de Londres : l'Internationale reconnaît l'ascendant des intellectuels et des parlementaires socialistes sur les représentants du monde ouvrier.

1899

Une polémique éclate entre les socialistes au sujet de l'entrée de l'un des leurs, Alexandre Millerand, au gouvernement.

1905

Les différentes formations se fondent dans le Parti socialiste unifié – SFIO (Section française de l'Internationale ouvrière).

1906

octobre : à Amiens, le congrès de la CGT prend ses distances vis-à-vis des « partis et des sectes ».

1914

31 juillet : Jaurès est assassiné par R. Villain.

26 août : les socialistes J. Guesde et M. Sembat entrent dans le cabinet Viviani (« Union sacrée »).

1915

septembre : les délégués de l'Internationale réunis à Zimmerwald (Suisse) adoptent un texte condamnant la guerre et réclamant la paix sans annexions ni indemnités. Cette conférence n'a pas beaucoup d'écho en France.

1920

25-30 décembre : au congrès de Tours, le Parti socialiste se scinde et donne naissance au Parti communiste (Section française de l'Internationale communiste - SFIC).

1922

La scission des partis se répercute au plan syndical : la CGTU regroupe les adhérents de la CGT proches du PCF.

1928

L'attitude du PCF (règle de la tactique « classe contre classe ») fait perdre une cinquantaine de députés à la SFIO.

1929

juillet : l'Internationale communiste confirme la théorie du « social-fascisme » pour condamner les réformateurs.

1934

12 février : le Parti communiste participe à la manifestation de riposte au 6 février.

27 juillet : pacte d'unité d'action PC-SFIO.

1936

Après le succès électoral du Front populaire, L. Blum constitue un gouvernement à majorité socialiste.

1941

Création du Comité d'action socialiste (CAS).

1946

26 janvier : le socialiste F. Gouin succède à de Gaulle à la tête du Gouvernement.

septembre : G. Mollet est élu secrétaire général de la SFIO.

1947

16 janvier : le socialiste V. Auriol est élu président de la République.

4 mai : Ramadier (SFIO) se sépare des ministres communistes.

1956-1957

G. Mollet est chef du Gouvernement.

1960

3 avril : fondation du Parti socialiste unifié (PSU), que le PSA, constitué en septembre 1958, préfigurait.

1971

11 juin : le congrès d'unification du Parti socialiste s'achève sur la victoire de F. Mitterrand – qui devient premier secrétaire – sur G. Mollet et A. Savary.

1972

27 juin : le Parti socialiste et le Parti communiste s'entendent sur un « Programme commun de gouvernement ».

1981

10 mai : effaçant son échec de 1974, F. Mitterrand l'emporte sur V. Giscard d'Estaing aux élections présidentielles.

1982-1983

Le gouvernement Mauroy prend des mesures d'austérité économiques et dévalue la monnaie.

1988

8 mai : réélection de F. Mitterrand.

1993

La déroute électorale du parti de F. Mitterrand traduit le reflux des idées et d'un certain idéal socialistes.

Le suicide de Pierre Bérégovoy, le jour du premier mai, marque les esprits.

1995

Après le retrait de Jacques Delors, Lionel Jospin croit en ses chances pour l'élection présidentielle et se place en tête au premier tour.

1997-2002

L. Jospin dirige le gouvernement de la « gauche plurielle ».

2001

mars : une « vague rose » permet à Bertrand Delanoë de devenir maire de Paris.

2002

21 avril : L. Jospin est éliminé dès le premier tour des présidentielles.

2007

Au second tour des présidentielles, S. Royal est battue (46,94 % des voix) par N. Sarkozy.

2009

Les élections européennes sont une déception pour les socialistes (14 députés).

2014

14 janvier : présentant, en conférence de presse, le pacte de responsabilité, F. Hollande se déclare social-démocrate.

2014-2015

Nettes défaites électorales du PS (municipales, européennes, départementales).

2017

23 avril : premier tour des présidentielles : Benoît Hamon arrive en 5e position, avec 6,36 % des voix ; c'est le plus faible résultat de l'histoire du Parti socialiste.

POUR ALLER PLUS LOIN :

BERGOUNIOUX (Alain) et GRUNBERG (Gérard), *Les socialistes français et le pouvoir. L'ambition et le remords*, coll. « Pluriel », Fayard, 2005, éd. actualisée 2007.

BERSTEIN (Serge), *Léon Blum*, Fayard, 2006.

CASTAGNEZ (Noëlline) et MORIN (Gilles) (dir.), *Socialistes et Radicaux. Querelles de famille*, L'Ours/Presses de Sciences Po, 2008.

KERMALEGENN (Tudi) et al., *Le PSU vu d'en bas*, PUR, 2010.

MARTINET (Gilles), *Une certaine idée de la gauche (1936-1997)*, Odile Jacob, 1997.

RIOUX (Jean-Pierre), *Jean Jaurès*, coll. « Tempus », Perrin, 2008.

VIGNA (Xavier), VIGREUX (Jean), WOLIKOW (Serge) (dir.), *Le pain, la paix, la liberté. Expériences et territoires du Front populaire*, Éd. sociales, 2006.

WINOCK (Michel), *François Mitterrand*, Gallimard, 2015.

DOCUMENT

Les responsabilités du socialisme, vues par Léon Blum (1941)

Publié en 1945, ce livre a été rédigé et achevé en 1941, lorsque Léon Blum était incarcéré en France. Ce jugement lucide et désabusé n'empêche pas Blum, s'appuyant sur Jaurès, de prôner un socialisme humaniste qui reste à construire.

Le socialisme [...], dans son action publique, dans son inspiration politique, dans la justification spirituelle de sa doctrine devait se montrer le plus digne, le plus noble, le meilleur, pour les [...] autres partis et pour la nation tout entière, devait être un modèle et un exemple. Nous devions donner l'exemple de la fierté, du désintéressement absolu, de la grandeur d'âme qui sont l'apanage des forces jeunes.

Je m'interroge après tant d'années vouées à l'action, après tant de mois occupés par une méditation scrupuleuse: n'est-ce pas la faute des chefs que s'était donnés la classe ouvrière? Ont-ils pleinement compris leur mission? Ont-ils entièrement rempli leur devoir? Avions-nous suffisamment pénétré le sens de l'effort par lequel Jaurès avait transformé la déduction marxiste? Marx avait fourni à la volonté de lutte ouvrière le plus tonique, le plus puissant des réconforts; je veux dire la conviction qu'une fatalité de l'histoire travaillait pour elle. Mais ce qui est fatal n'est pas nécessairement juste, n'est pas nécessairement satisfaisant pour la raison critique et pour la conscience morale. Jaurès alors avait montré que la Révolution Sociale n'est pas seulement la conséquence inéluctable de l'évolution économique mais qu'elle serait en même temps le terme d'une exigence éternelle de la raison et de la conscience humaines. C'est donc le Socialisme qui apporterait leur satisfaction complète et leur justification exacte aux devises glorieuses de la Révolution française: Droits de l'Homme et du Citoyen, Liberté, Égalité, Fraternité.

Nous étions devenus trop forts, trop prudents; nous nous étions peu à peu coulés dans le moule de la vie ordinaire. Il y avait en nous quelque chose de trop «arrivé». À l'heure où la nation attendait un cri d'appel, un cri de ralliement, il ne pouvait pas sortir de nos rangs une grande voix.

Léon Blum, *À l'échelle humaine*, coll. «Idées», Gallimard, n^elle^ éd., 1971, pp. 126-129.

L'ÉCOLOGIE POLITIQUE

Vers la fin du XIXe siècle, le socle de l'écologie a été défini par des savants allemands, américains et français, non sans rapport avec une prise de conscience des effets de la civilisation industrielle sur les milieux naturels. Cette science nouvelle, qui regroupe plusieurs disciplines (mathématiques, biochimie, physique de la terre, histoire naturelle...) étudie «de grands fragments de paysage, montagnes, étangs, vallées ou déserts où pullulent mille espèces vivantes, bêtes, plantes, algues, champignons, microbes et molécules, dans des conditions physiques données, eau, air, feu, climat et latitude.» (Michel Serres).

C'est ce même mot d'écologie qui désigne la cause défendue par des militants convaincus des dangers auxquels est exposée la planète et générés pour l'essentiel par les progrès technologiques et le parti pris de la croissance économique. Mais de «grands anciens», tous hommes de science, ont joué aussi un rôle important, comme Théodore Monod (1902-2001), expert des déserts et adversaire de l'arme nucléaire, comme P.-E. Victor, ou le commandant Cousteau, ou le vulcanologue Haroun Tazieff, qui fut secrétaire d'État aux risques naturels et technologiques (1984-1986).

Les associations écologistes, au départ isolées et mal perçues des politiques, ont dû utiliser toutes sortes de moyens pour se faire reconnaître et pour diffuser leurs constats et leurs propositions. Dans un second temps, elles ont opéré des regroupements leur permettant de prendre part à des scrutins. La réceptivité de l'opinion explique l'importance prise, depuis les années 1970, par les questions d'environnement, au point que les formations politiques ne pouvaient que s'y intéresser à leur tour.

Une progressive structuration des mouvements écologistes

Relayée par des groupes variés, parfois entrés en contact en mai-juin 1968, une volonté d'agir se diffuse durant les décennies 1960-1970, face à des menaces de diverses origines : les dégâts causés par les premières marées noires (*Torrey Canyon* en 1967, *Amoco Cadiz* en 1978), les effets destructeurs de remembrements systématiques en régions bocagères (érosion des sols, inondations), les conséquences des rejets industriels ou agricoles sur la qualité des eaux, les craintes liées à la construction de centrales nucléaires ou d'installations de retraitement des déchets radioactifs utilisés. Des manifestations groupant jusqu'à plusieurs milliers de personnes ont lieu à Bugey (1971), Fessenheim (1972) et devant le site de Superphénix à Malville (1977), où un manifestant est tué. Cette activité correspond aussi à des projets dits alternatifs, comme en ébauche le PSU, donc selon une sensibilité de gauche, alors que, dans la tradition politique française, l'intérêt pour la nature et la ruralité se rattachait à la droite ; il y a eu inversion.

❑ ***L'écologie entre en politique en 1974,*** avec la candidature de René Dumont (1904-2005) à l'Élysée. Agronome reconnu et conseiller de plusieurs leaders du tiers monde, il peut exposer ses thèses à la télévision. Il parle de l'épuisement des ressources, du pillage du tiers monde, de la pression démographique mondiale, des excès de la société de consommation et préconise, en France, une « prise en charge par les intéressés eux-mêmes de tous les problèmes les concernant : éducation, auto-organisation des entreprises et des cités, luttes ouvrières, luttes pour la qualité de la vie. » Le message va bien au-delà des 1,32 % des voix recueillis.

❑ ***Les premiers succès symboliques*** des écologistes sont remportés aux municipales de 1977 et aux européennes de 1979 (la liste Europe Écologie, avec 4,39 %, fait mieux que Lutte ouvrière, 3,08 %). Le groupe des Verts (Antoine Waechter) apparaît en 1984 et Génération Écologie (Brice Lalonde) en 1990. Une autre étape est franchie avec la participations des écologistes à des gouvernements socialistes (B. Lalonde entre 1988 et 1992, Dominique Voynet entre 1997 et 2001). De bons résultats aux régionales de 2004 (168 conseillers régionaux, contre 75 en 1998) leur permettent mieux encore de ne plus se cantonner à l'environnement et de briguer des vice-présidences diversifiées (agriculture, économie, santé, formation professionnelle, recherche, etc.). Du reste, ils préfèrent se référer maintenant – comme tous les responsables politiques – à la notion de développement durable, proposée par la norvégienne G. Brundtland en 1987 (« répondre aux besoins du présent sans compromettre la capacité des générations futures à répondre aux leurs») et officialisée au sommet de la Terre de Rio de Janeiro (1992).

L'écologie se partage

Très tôt, les responsables politiques ont vu l'intérêt de thèmes aussi porteurs, mais ont dû aussi faire face à des réalités pénibles relevant de ce domaine: pollution des rivières, algues vertes, veaux aux hormones, «vache folle», et vraisemblablement tempête de décembre 1999. Les élus des grandes formations peuvent d'ailleurs posséder une vraie conviction, comme Michel Barnier (RPR), auteur en 1992 d'un *Atlas des risques majeurs*. Tous les partis politiques ou presque se sont donc «verdis» et vantent l'éco-citoyenneté. Élu président en 2007, Nicolas Sarkozy confie à Jean-Louis Borloo un ministère de l'Écologie, de l'Énergie, du Développement durable et de la Mer, dont la première initiative est la tenue du «Grenelle de l'Environnement». En 2009, deux figures médiatisées de l'information filmée sur les problèmes environnementaux, Yann Arthus-Bertrand et Nicolas Hulot sortent chacun un film: *Home* et *Le syndrome du Titanic*. Le premier, diffusé avec un grand luxe de moyens à la veille des élections européennes, a peut-être «dopé» le vote en faveur de la liste Europe Écologie (16,3 %).

Durant les vingt dernières années, la prise de conscience internationale s'est révélée plus large. Le protocole de Kyoto (1997) était encourageant. La mobilisation contre les effets du réchauffement climatique et pour la limitation des rejets de gaz à effet de serre passe par l'action de l'ONU, par la crédibilité de son groupe d'experts (GIEC) et requiert une concertation renforcée entre ONG et pouvoirs étatiques. Certains de ces derniers, en plein essor comme la Chine, freinent les prises de décisions, comme on l'a vu au sommet de Copenhague (2009).

Pour représenter leur formation à la présidentielle de 2012, les militants d'Europe Écologie Les Verts (EELV) préfèrent Eva Joly à Nicolas Hulot. Celle-ci ne réunira finalement que 2,31 % des suffrages. Yannick Jadot s'étant désisté pour Benoît Hamon, il n'y a pas de candidat EELV à l'élection présidentielle de 2017. Mais l'entrée de Nicolas Hulot, comme ministre de la Transition écologique et solidaire, dans le gouvernement d'Édouard Philippe est une satisfaction pour une partie des Verts.

Les dates clés

1964

Loi instaurant les parcs nationaux.

1970

Création des *Amis de la Terre*, branche française de *Friends of the Earth*.

1972

Manifestation contre la construction de la centrale nucléaire de Fessenheim.

1974

Présidentielles: René Dumont, candidat écologiste (1,32 % des voix).

1978

Grave pollution sur les côtes bretonnes après le naufrage de l'*Amoco Cadiz*.

1984

Naissance des Verts; ils prônent alors le «ni droite ni gauche».

1986

Catastrophe de Tchernobyl.

1988

Brice Lalonde entre au gouvernement de Michel Rocard.

1990

B. Lalonde fonde Génération Écologie, vocable inspiré de Génération Mitterrand.

1997

Le protocole de Kyoto est ratifié par 183 États, mais ni par les États-Unis, ni par la Chine.

1997-2001

D. Voynet ministre dans le gouvernement de L. Jospin.

1999

La tempête du 26 décembre renforce l'attention portée aux problèmes écologiques.

2007

J.-L. Borloo est nommé ministre d'État, chargé de l'Écologie, du Développement et de l'Aménagement durables.
Grenelle de l'Environnement.

2009

Européennes : net succès de la liste « Europe Écologie » (16,2 %).
Débat au sujet de la « taxe carbone ».
Échec relatif du sommet de Copenhague.

2012-2014

Deux ministres EELV font partie du gouvernement Ayrault.

2015

Conférence internationale sur le climat à Paris (COP21).

2017

17 mai : Nicolas Hulot est nommé ministre d'État. Le 29 août 2018, il annonce sa démission en direct sur France Inter, considérant ne pas avoir réussi à faire suffisamment avancer les dossiers du réchauffement climatique, des pesticides et, surtout, de l'électricité nucléaire.

2019

15 mars : quatre ONG, dont Greenpeace et la Fondation Nicolas Hulot, attaquent l'État pour « inaction climatique », en déposant un recours devant le tribunal administratif de Paris.

Pour aller plus loin :

BATHO (Delphine), *Écologie intégrale. Le Manifeste*, Éditions du Rocher, 2019.

BRUNEL (Sylvie), *À qui profite le développement durable ?*, coll. « À vrai dire », Larousse, 2008.

FITOUSSI (Jean-Paul), *La nouvelle écologie politique ; économie et développement humains*, Seuil, 2008.

FREMION (Yves), *Histoire de la Révolution écologiste*, Éditions Hoëbeke, 2007.

GRANDJEAN (Alain) et LE TENO (Hélène), *Miser (vraiment) sur la transition écologique*, Éditions de l'Atelier, 2014.

Sites :
www.un.org/french/events/rio92/rio-fp.htm
www.developpement-durable.fr/

DOCUMENT

La Charte de l'environnement (2004)

Depuis 2005, cette Charte est intégrée au préambule de la Constitution ; elle compte dix articles et ses considérants en fixent clairement l'esprit, tout en multipliant les références à la science.

Le peuple français,

Considérant,

Que les ressources et les équilibres naturels ont conditionné l'émergence de l'humanité ;

Que l'avenir et l'existence même de l'humanité sont indissociables de son milieu naturel ;

Que l'environnement est le patrimoine commun des êtres humains ;

Que l'homme exerce une influence croissante sur les conditions de la vie et sur sa propre évolution ;

Que la diversité biologique, l'épanouissement de la personne et le progrès des sociétés humaines sont affectés par certains modes de consommation ou de production et par l'exploitation excessive des ressources naturelles ;

Que la préservation de l'environnement doit être recherchée au même titre que les autres intérêts fondamentaux de la Nation ;

Qu'afin d'assurer un développement durable, les choix destinés à répondre aux besoins du présent ne doivent pas compromettre la capacité des générations futures et des autres peuples à satisfaire leurs propres besoins ;

Proclame :

Art. 1er – Chacun a le droit de vivre dans un environnement équilibré et respectueux de la santé.

Art. 2 – Toute personne a le devoir de prendre part à la préservation et à l'amélioration de l'environnement.

[...]

Art. 6 – Les politiques publiques doivent promouvoir un développement durable. À cet effet, elles concilient la protection et la mise en valeur de l'environnement, le développement économique et le progrès social.

[...]

LE LIBÉRALISME

Le libéralisme est la défense et l'illustration de la liberté sous toutes ses formes – politiques, religieuses, économiques. Au cours du XIXe siècle, son influence sur la pensée politique est considérable. On la relève particulièrement sous le régime de la monarchie de Juillet, mais aussi durant la seconde décennie du règne de Napoléon III et sous la IIIe République. Si le libéralisme économique constitue déjà un corps de doctrine à la fin du XVIIIe siècle, les libéraux, au sens politique, sont les héritiers de la Révolution française et, après 1815, affirment leur exigence de liberté face aux ultras et, avec des nuances, face à une Église combative. Plusieurs d'entre eux ne se sont pas contentés de théoriser, mais ont exercé des responsabilités politiques, comme députés ou ministres: Thiers, Duvergier de Hauranne, de Rémusat, Tocqueville, Guizot. Ils ont d'abord servi le régime de Juillet, celui qui ne craint pas de se rattacher à l'esprit de 1789.

Au départ, la Révolution

Tout dépend d'elle en effet, à condition de distinguer 1789-1791 de 1792-1794, la période de conquête des libertés de celle de la dictature montagnarde. C'est l'analyse de Benjamin Constant et de Madame de Staël, laquelle parle de «cette fameuse Assemblée (c'est la Constituante), qui a fait un bien durable mais un grand mal immédiat.» Rejet de la Terreur donc, mais pas de la primauté de la volonté générale sur la volonté du particulier. La méfiance à l'égard du peuple assemblé oriente vers le suffrage censitaire, maintenu en 1831. Guizot explique qu'un droit politique n'est rien moins qu'«une portion de Gouvernement», et encourage la promotion civique par sa célèbre formule: «Enrichissez-vous par le travail et l'épargne et vous deviendrez électeurs.» En 1868 encore, après vingt ans de suffrage universel en France, Prévost-Paradol estime fausse l'idée «que le plus grand nombre des citoyens fait un usage raisonnable de son vote». Lors de la discussion des lois constitutionnelles de 1875, les républicains libéraux (Grévy, Gambetta, Ferry) acceptent de ne pas recourir au suffrage universel pour l'élection du président de la République.

Un électeur indépendant et capable de faire un choix doit avoir été instruit. D'où l'intérêt porté à l'école par les libéraux. Mais certains d'entre eux souhaitent le monopole de l'université.

Ainsi en 1816, Guizot invoque la proximité des temps troublés: «Les doctrines publiques ne sont encore ni assez saines, ni assez affermies; les Lumières ne sont ni assez générales, ni assez également réparties pour que l'État puisse sans danger abandonner, soit à des autorités locales, soit à des particuliers, le soin d'élever et d'instruire la jeunesse». En fait, les prises de position des ultras et des évêques ont entraîné de fréquents conflits. Au cours du XIXe siècle, la liberté d'enseignement est accordée successivement dans le primaire, puis dans le secondaire; et sous la IIIe République, les opportunistes libéraux font de l'école l'assise de la République laïque, malgré l'hostilité de l'Église.

L'Église est d'ailleurs constamment sur ses gardes. L'avènement du monde moderne, le développement des sciences, de l'industrie, de l'urbanisation, et l'ascension de la bourgeoisie sont à l'origine d'une culture rivale de la culture catholique, et qui se réfère précisément au libéralisme; en prônant les acquis de 1789, la liberté de l'individu, les droits de l'homme, l'esprit des Lumières et en récusant la prétention d'une religion révélée à gouverner les âmes. C'est donc le choc entre cléricalisme et libéralisme.

La papauté réagit par des encycliques. En 1832, Grégoire XVI dénonce « la liberté la plus funeste, liberté exécrable » c'est-à-dire celle de la presse. En 1864, *Quanta Cura* et le *Syllabus* condamnent globalement le libéralisme.

Dans ce contexte, rares ont été les initiatives pour concilier l'idéal de liberté dans le siècle et le message chrétien. F. de Lammenais s'inscrit dans cette perspective. Son journal l'*Avenir*, de brève existence (1830-1831), porte en sous-titre « Dieu et la Liberté » et penche pour une Église moins liée à la Contre-Révolution. Condamné par Rome, Lammenais garde néanmoins un rayonnement. Quant aux « catholiques libéraux », issus de grandes familles aristocratiques (Montalembert – qui fut rédacteur à l'*Avenir* –, de Broglie, Falloux...) ou de l'épiscopat (Mgr Dupanloup), ils souhaitent construire une Europe chrétienne, n'ignorent pas les évolutions socio-politiques, mais se tiennent à distance du libéralisme voltairien.

Le libéralisme et l'État

L'orléanisme se définit comme un libéralisme face aux ultras, mais l'exercice du pouvoir de 1830 à 1848, l'incline vers le conservatisme. Les libertés que les libéraux avaient défendues sous la Restauration sont même souvent oubliées (presse, réunion). Car le gouvernement, menacé des deux bords, pratique une politique du « juste milieu » qui restera une caractéristique du libéralisme. En 1848-1849, la poussée démocrate inquiète assez pour provoquer un regroupement des libéraux et des légitimistes en un « parti de l'Ordre ». Les événements de juin 1848 ont aussi contribué à rapprocher, dans la sphère politique, l'Église des libéraux, ce qui soude pour longtemps un front des défenseurs de l'ordre établi contre le monde ouvrier, qui réclame des libertés et des droits plus collectifs et se nourrit d'une troisième culture, antagoniste des deux autres.

Plutôt qu'hostile à l'État, l'idéologie libérale encourage la limitation de ses prérogatives et son intervention discrète en matière économique, sauf s'il faut établir une protection douanière. Un des grands thèmes du débat politique français, la centralisation/décentralisation, recueille des avis divergents. Tandis que Guizot reste attaché à l'impulsion du pouvoir central, Tocqueville – qui connaît bien la réalité américaine – préfère un système plus souple, faisant la part belle aux compétences locales, mais aussi aux "pouvoirs intermédiaires", que la IIIe République a laborieusement reconnus, dans les syndicats et les associations. Enfin, fait remarquer N. Roussellier, « Pour la culture libérale, plus la société se révèle divisée, conflictuelle, habitée par les passions et les débordements, plus l'ordre politique doit se définir contre elle. Sans être niées, les aspirations sociales tombent dans la trappe des "intérêts particuliers" (ou corporatistes et catégoriels selon un langage plus moderne). »

Au XXe siècle, la pensée libérale a principalement trouvé ses porte-parole en Alfred Fabre-Luce, Emmanuel Berl, Bertrand de Jouvenel et Raymond Aron. Depuis les années 1970, elle se définit surtout par opposition au socialisme, bien que les champs de préoccupation puissent se recouvrir (libertés et droits de l'homme, par exemple).

Au début de son septennat, V. Giscard d'Estaing a fait préparer et adopter des mesures relatives à la condition pénitentiaire, au service militaire, à la condition féminine (IVG), à l'école (réforme Haby), à la citoyenneté (vote à 18 ans). Innovations qui n'ont pas toutes reçu l'approbation de sa majorité.

Quand l'alternance de 1986 ramène J. Chirac à Matignon, le libéralisme est auréolé des succès du « reaganisme », et le pouvoir socialiste a déjà sérieusement aménagé sa propre doctrine, et réalisé avec la décentralisation un grand pas vers le « moins d'État »

Par la suite, de 2002 à 2012, de nombreuses mesures ont été inspirées par le néolibéralisme. Une tendance encore renforcée depuis l'arrivée d'Emmanuel Macron à l'Élysée.

Les dates clés

1815

Benjamin Constant, *Principes de politique*.

1816

F. Guizot, *De l'Instruction publique*; Chateaubriand, *De la Monarchie selon la Charte*; Ordonnance royale sur l'instruction élémentaire.

1818

G. de Staël, *Considérations sur la Révolution française* (publication posthume).

1823-1827

Thiers, *Histoire de la Révolution française*.

1833

Loi Guizot sur l'instruction primaire.

1835

A. de Tocqueville, *De la Démocratie en Amérique* (la deuxième partie paraît en 1840).

1848

Le suffrage universel masculin est institué; Thiers, *De la propriété*.

1849

Guizot, *De la Démocratie en France*.

1850

Loi Falloux relative aux enseignements primaire et secondaire.

1856

Tocqueville, *L'Ancien Régime et la Révolution*.

1860

Ch. de Rémusat, *Politique libérale*; Traité de libre-échange entre la France et l'Angleterre.

1864

Droit de grève.

1865

Le projet de décentralisation baptisé « programme de Nancy » est signé de plusieurs grands noms du libéralisme.

1868

Prévost-Paradol, *La France nouvelle*.

1875

Le vote d'une partie des libéraux de l'Assemblée permet l'adoption des lois constitutionnelles.

1881

Importante série de lois sur l'enseignement primaire (gratuité dans les écoles publiques). sur la liberté de réunion et sur la liberté de presse et d'affichage.

1882

Loi rendant l'enseignement primaire obligatoire et laïque.

1884

Loi autorisant les syndicats professionnels.

1901

Loi reconnaissant la liberté d'association, sauf pour les congrégations.

1905

Loi de séparation des Églises et de l'État.

1944

Droit de vote pour les femmes.

1965

Raymond Aron, *Essai sur les libertés*.

1974

Élection à l'Élysée de V. Giscard d'Estaing, partisan d'une «société libérale avancée».

1985 (juin)

À Paris, les trois chefs de l'opposition organisent une «Convention libérale».

1986-1988

Le gouvernement de cohabitation de J. Chirac s'inspire, à des degrés divers, du libéralisme revenu à la mode.

Pour aller plus loin :

Bernard (Mathias), *La guerre des droites, de l'Affaire Dreyfus à nos jours*, Odile Jacob, 2007.

Manent (Pierre), *Histoire intellectuelle du libéralisme*, Calmann-Lévy, 1987.

Manent (Pierre), *Les Libéraux*, coll. «Tel», Gallimard, 2001.

Rosanvallon (Pierre), *Le Moment Guizot*, Gallimard, 1985.

Theis (Laurent), *François Guizot*, Fayard, 2008.

Document

Thiers définit «Les libertés nécessaires» (1864)

Dans cette intervention devenue classique, Thiers désigne les points d'appui d'un régime libéral: la sécurité, la liberté de la presse et celle des élections, le contrôle parlementaire et le respect du fait majoritaire.

Pour moi, messieurs, il y a cinq conditions qui constituent ce qui s'appelle le nécessaire en fait de liberté. La première est celle qui est destinée à assurer la sécurité du citoyen. [...] Pourquoi les hommes se mettent-ils en société ? Pour assurer leur sécurité. Mais, quand ils se sont mis à l'abri de la violence individuelle, s'ils tombaient sous les actes arbitraires du pouvoir destiné à les protéger, ils auraient manqué leur but. Il faut que le citoyen soit garanti contre la violence individuelle et contre tout acte arbitraire du pouvoir. [...]

Mais, quand les citoyens ont obtenu cette sécurité, cela ne suffit pas. S'ils s'endormaient dans une tranquille indolence, cette sécurité, ils ne la conserveraient pas longtemps. Il faut que le citoyen veille sur la chose publique. Pour cela, il faut qu'il y pense, et il ne faut pas qu'il y pense seul, car il n'arriverait ainsi qu'à une opinion individuelle ; il faut que ses concitoyens y pensent comme lui, il faut que tous ensemble échangent leurs idées et arrivent à cette pensée commune qu'on appelle

> l'opinion publique ; et cela n'est possible que par la presse. Il faut donc qu'elle soit libre, mais, lorsque je dis liberté, je ne dis pas impunité. [...]
>
> Ainsi, pour moi, la seconde liberté nécessaire, c'est cette liberté d'échange dans les idées qui crée l'opinion publique. Mais, lorsque cette opinion se produit, il ne faut pas qu'elle soit un vain bruit, il faut qu'elle ait un résultat. Pour cela il faut que des hommes choisis viennent l'apporter ici, au centre de l'État, – ce qui suppose la liberté des élections – et, par liberté des électeurs, je n'entends pas que le Gouvernement, qui est chargé de veiller aux lois, n'ait pas là un rôle ; que le Gouvernement, qui est composé de citoyens, n'ait pas une opinion : je me borne à dire qu'il ne faut pas qu'il puisse dicter les choix et imposer sa volonté dans les élections. Voilà ce que j'appelle la liberté électorale.
>
> Enfin, messieurs, ce n'est pas tout : quand ces élus sont ici, mandataires de l'opinion publique, chargés de l'exprimer, il faut qu'ils jouissent d'une liberté complète ; il faut qu'ils puissent à temps [...] apporter un utile contrôle à tous les actes du pouvoir. Il ne faut pas que ce contrôle arrive trop tard et qu'on n'ait que des fautes irréparables à déplorer. C'est là la liberté de la représentation nationale, [...] et cette liberté est, selon moi, la quatrième des libertés nécessaires.
>
> Enfin vient la dernière, [...] dont le but est celui-ci : c'est de faire que l'opinion publique, bien constatée ici à la majorité, devienne la directrice des actes du Gouvernement. *(Bruit)*.
>
> Discours devant le Corps législatif, *Moniteur universel*, 12 janvier 1864.

LA DÉMOCRATIE CHRÉTIENNE

Dans le panorama politique français, la famille d'esprit démocrate-chrétienne occupe une place originale. Pourtant elle n'a généré que deux groupes parlementaires, l'un, peu étoffé, entre les deux guerres, l'autre – le MRP – d'importance réelle, mais peu durable. Au demeurant, l'influence de ce courant ne se mesure pas à l'aune des stricts résultats électoraux ; il faut l'évaluer plus globalement, en repérant l'étape marquante de 1940-1944.

Des initiatives dispersées (1890-1939)

Bien que partiellement liée à lui, la démocratie chrétienne ne saurait se confondre avec le catholicisme social, mouvement de sympathie à l'égard du monde ouvrier, associant apostolat et paternalisme et qu'animent, à l'instar d'Ozanam, des aristocrates comme La Tour du Pin et surtout Albert de Mun (1841-1915). L'encyclique *Rerum novarum* consacre d'ailleurs leur effort de réflexion.

❑ ***Les « abbés démocrates »*** sont un peu le symbole d'une évolution vers un catholicisme social plus populaire. Parmi eux, les abbés Gayraud – élu député du Finistère en 1897 –, Naudet – directeur de la *Justice sociale* – et Garnier. Mais le plus en vue demeure l'abbé Lemire (1833-1928), député du Nord, maire d'Hazebrouck. Allant au-delà des consignes de ralliement du pape, il a décidé que son devoir de prêtre était de se présenter aux élections. À la Chambre, il s'attache à faire prévaloir une politique familiale et sociale ; il fonde la « Ligue du coin de terre » pour les ouvriers. Une partie de l'opinion catholique lui manifeste une franche hostilité ; n'a-t-il pas affirmé : « La République n'est pas et ne sera pas chrétienne. Nous serons heureux si elle est juste » ?

Entre 1894 et 1900, une conjonction renforce ce courant. Les Cercles catholiques d'ouvriers, fondés par A. de Mun – également à l'origine de l'Association catholique de la jeunesse française ou ACJF –, et dont l'industriel champenois Léon Harmel a assuré le développement, réunissent plusieurs congrès qui débouchent sur un éphémère « Parti démocratique chrétien », qu'approuve l'abbé Lemire. Inquiet, Léon XIII réagit par l'encyclique *Graves de communi* (1901) et précise le sens – restreint – qu'il donne à « démocratie chrétienne », celui d'« action populaire chrétienne », de nature sociale et non politique.

❑ ***Marc Sangnier (1873-1950) et le Sillon*** représentent un deuxième mode d'insertion dans le régime. D'une famille de la haute bourgeoisie, c'est au collège Stanislas où il prépare Polytechnique, que M. Sangnier organise ses premiers débats sur des thèmes religieux et sociaux. De cette camaraderie enthousiaste naîtra le Sillon (1899), mouvement de jeunesse inédit avec ses rameaux régionaux et locaux. Le réseau alimente des Cercles et des Instituts populaires, dont l'objectif est de former une jeunesse ouvrière catholique et militante. Le Sillon rencontre surtout des adversaires à droite, au sein de l'Action française et des catholiques intransigeants qui traitent parfois ses membres de « Sillonnards », par allusion perfide aux Communards. À la différence de Jacques Piou et des députés du groupe de l'Action libérale populaire, M. Sangnier ne se situe pas parmi les ralliés ; il a d'emblée comme but de « réaliser en France la république démocratique ».

Des évêques s'inquiètent et le Vatican finit par condamner le Sillon, dont « l'esprit est dangereux » et dont les doctrines « convoient le socialisme ». Sangnier se soumet, puis fonde la Ligue de la Jeune République (1912), non confessionnelle et apte à appliquer un programme politique. Parallèlement, et hors du giron du Sillon, se constituent des Fédérations de républicains démocrates dans la région parisienne, en Limousin et en Bretagne, matrice du futur PDP.

Les représentants de cette « deuxième démocratie chrétienne » ont éprouvé un besoin de filiation, estime J.-M. Mayeur qui souligne ce paradoxe : « Ils se dirent les héritiers des catholiques démocrates de 1848 et d'un catholicisme libéral acquis aux "libertés modernes", respectueux de l'autonomie de la société civile, auquel au départ ils étaient étrangers. »

❑ ***Une répartition des tâches,*** à partir de 1919, clarifie la situation et marque une troisième étape. Tandis que les actions intellectuelle et éducative sont confiées respectivement aux Semaines sociales et à l'ACJF – laquelle donne bientôt naissance aux « mouvements spécialisés », tels la JOC, la JAC –, l'action professionnelle revient à la Confédération française des travailleurs chrétiens (CFTC), fondée en 1919.

Quant à l'action politique, elle appartient essentiellement au **Parti démocrate populaire**. Celui-ci bâtit une doctrine que caractérisent «d'une part, une claire option en faveur du régime d'opinion dans sa forme parlementaire; d'autre part, une conception organique et anti-individualiste de la vie sociale» (M. Prelot). Mais, limité à une quinzaine de députés, le PDP souffre toujours de cette mise à l'écart tacite qui, sous la IIIe République, vise tout homme politique notoirement catholique. Il faut dire que beaucoup de catholiques, inquiets des mesures du cartel des gauches, rejoignent au même moment les gros bataillons de la Fédération nationale catholique, dont le chef de file est le général de Castelnau. M. Sangnier, lui, ne s'inscrit pas au PDP et fait cavalier seul – condamnant par exemple en 1923 l'occupation de la Ruhr –, puis il privilégie les actions pacifistes et internationalistes, œuvrant notamment pour un rapprochement des jeunesses allemande et française.

Le PDP a joué aussi un rôle important dans la création et l'animation du Secrétariat international des partis démocratiques d'inspiration chrétienne (SIPDIC), de 1925 à 1939, organe de coordination à l'échelon européen, très préoccupé par l'aggravation des menaces nazies après 1933.

Succès et émiettement du MRP

❏ ***La Résistance et la Libération*** constituent un temps fort pour la démocratie chrétienne, qui fournit à différents réseaux de nombreux membres; parmi eux, G. Bidault – qui a succédé à Jean Moulin comme président du CNR –, Maurice Schumann, Francisque Gay, Paul-Henri Teitgen, François de Menthon, Eugène Claudius-Petit... Indiscutablement, les états de service de beaucoup d'entre eux dans la Résistance ont rendu irréversible le droit de cité des catholiques dans la république.

En 1944, l'heure paraît venue d'un grand mouvement d'inspiration chrétienne: le Mouvement de libération nationale (MLN), bientôt appelé Mouvement républicain populaire. Le terme de «parti» n'a pas été retenu et l'on gomme la référence au PDP, pour bien marquer la distance avec la IIIe République. Le MRP passe pour le «parti de la fidélité» au général de Gaulle.

La nouvelle formation doit à ses spectaculaires succès électoraux de 1945-1946 une présence imposante dans les assemblées et une relative pérennité au gouvernement, d'abord dans le système du tripartisme, puis dans celui de la «Troisième force». Elle peut donner une vive impulsion à la construction européenne, qu'appuient de leur côté les deux grands partis démocrates-chrétiens d'Italie et d'Allemagne fédérale.

❏ ***L'affaiblissement du MRP*** est néanmoins visible dès les élections municipales de 1947 et aux **législatives** de 1951 et 1956. C'est que la constitution du **RPF** lui porte un rude coup. Des fidèles comme E. Michelet et L. Terrenoire rejoignent alors spontanément de Gaulle. Par ailleurs, certains militants s'éloignent, comprenant mal l'obstination de la politique indochinoise, l'appui bienveillant à J. Laniel et l'hostilité déclarée vis-à-vis de P. Mendès France.

Malgré sa participation au gouvernement de 1958 à 1962, le **MRP** accentue son déclin sous la Ve République. Le gaullisme lui enlève l'essentiel de son électorat. Puis, inéluctablement, la majorité gaulliste (1969), et giscardienne (1974) intègre les responsables. Dans le même temps, des hommes marquants – R. Buron, J. Delors – s'orientent vers **le nouveau Parti socialiste**. « La démocratie chrétienne ne subsiste plus qu'à l'état de diaspora » (R. Rémond).

Incarnée désormais dans le CDS (1976-1995), la sensibilité démocrate-chrétienne a eu du mal à affirmer son identité au sein de l'UDF, et encore plus à trouver dans ses rangs un candidat à l'Élysée crédible : le soutien à R. Barre (1988) en est la dernière occasion. Pourtant, le CDS a placé plusieurs de ses leaders dans les deux gouvernements de cohabitation et dans celui d'Alain Juppé.

Sa base électorale est bien délimitée : l'Ouest – une sorte d'arc, de la Bretagne au Poitou – la Lorraine et l'Alsace, la région Rhône-Alpes et le rebord est du Massif central. Ces secteurs correspondent à un « oui » majoritaire à la ratification du traité de Maastricht (septembre 1992), l'intérêt pour la construction européenne demeurant une caractéristique du centrisme. Maastricht a d'ailleurs révélé l'existence des **souverainistes** – à droite et à gauche –, qui ont confirmé leur vote protestataire (souveraineté nationale contre Europe politique) au référendum de 2005 et réduit d'autant l'espace des centristes pro-européens. Au bout du compte, nombre de notables centristes ont préféré rejoindre au second tour la majorité soutenant N. Sarkozy et se sont alignés sur l'UMP (« Nouveau Centre », 2007).

Le soutien apporté à E. Macron par F. Bayrou avant le premier tour de la présidentielle entraîne un renouveau du Modem.

Les dates clés

1891

Léon XIII signe la première encyclique d'inspiration sociale : *Rerum novarum*.

1892

Par l'encyclique *Au milieu des sollicitudes*, Léon XIII recommande aux catholiques français le ralliement à la République.

1893

Figure de proue des « abbés démocrates », l'abbé Lemire est élu député du Nord. Il le restera jusqu'en 1928.

1904

Fondation des Semaines sociales.

1910

Par une lettre aux évêques français, Pie X condamne les doctrines sociales du « Sillon ». Marc Sangnier se soumet et fonde en 1912 la Ligue de la Jeune République, dotée de statuts laïcs.

1919

Marc Sangnier est élu député de Paris, sur une liste du Bloc national.

1924

Fondation du Parti démocrate populaire (PDP).

1926

Fondation de la Jeunesse ouvrière chrétienne (JOC).

1932

Emmanuel Mounier fonde la revue *Esprit*. Francisque Gay lance le journal l'*Aube*.

1944

Création du Mouvement républicain populaire (MRP).

1950

Robert Schuman lance l'idée d'une Communauté européenne du charbon et de l'acier.

1962

À la suite d'un discours de de Gaulle hostile à l'intégration européenne, les ministres du MRP quittent le gouvernement.

1965

Jean Lecanuet, candidat « démocrate, social et européen » à l'élection présidentielle, contre le général de Gaulle, obtient 16 % des voix.

1966

Le MRP, très affaibli, se mue en « Centre démocrate ».

1976

Fusion des deux branches centristes dans le Centre des démocrates sociaux (CDS).

1988

Les députés centristes créent un groupe autonome, l'Union du centre (UDC).

1995

Novembre : sous l'impulsion de F. Bayrou, le Centre des démocrates sociaux se mue en Force démocrate.

1998

Novembre : Force démocrate se fond dans une UDF unifiée, présidée par François Bayrou ; Alain Madelin et ses partisans créent « Démocratie libérale ».

2007

L'UDF se scinde en deux : MoDem (François Bayrou) et Nouveau Centre (Hervé Morin).

2012

En créant l'UDI (Union des Démocrates et Indépendants), Jean-Louis Borloo fédère les centres.

Pour aller plus loin :

CHOLVY (Gérard) et HILAIRE (Yves-Marie) (dir.), *Histoire religieuse de la France (1880-1914)*, Privat, Toulouse, 2000.

FOUILLOUX (Étienne), *Les chrétiens français entre crise et libération (1937-1947)*, coll. « XXe siècle », Seuil, 1997.

LETAMENDIA (Pierre), *Le Mouvement républicain populaire*, Beauchesne, 1995.

PORTIER (Philippe), *Église et politique en France au XXe siècle*, LGDJ, 1993.

Documents

Catholicisme et politique : des positions contrastées

1 – La droite conservatrice refuse la République

(Mgr Freppel (1827-1891), évêque d'Angers, député de Brest à partir de 1880, siège avec la droite royaliste et s'oppose à toutes les lois laïques. Selon lui, le régime républicain est gâté – notamment – par l'égalité politique et sociale.)

[...] En faisant de l'égalité à outrance, la Révolution française a sinon tué, du moins considérablement affaibli cette grande chose qui s'appelle le respect, et sans laquelle ni la famille ni l'État ne peuvent prospérer, étant donné que tout ordre social implique une idée de hiérarchie, et se compose nécessairement d'éléments subordonnés les uns aux autres et coordonnés entre eux. Le respect naît du sentiment des supériorités sociales; or, c'est à les battre en brèche que tend sans relâche l'esprit révolutionnaire. Aussi que voyons-nous dans la société issue des idées ultra-égalitaires de 1789? On en est arrivé à ne plus pouvoir souffrir personne au-dessus de soi [...] Patron, propriétaire, héritier d'un grand nom, tous ces mots, par cela seul qu'ils insinuent quelque supériorité sociale, excitent dans les masses tourmentées par la passion de l'égalité, de sourdes colères qui font explosion au moindre sujet de mécontentement. C'est à la force qu'on obéit, plutôt qu'au droit [...].

Mgr Freppel, *La Révolution française. À propos du centenaire de 1789*, Roger et Chernoviz éditeurs, Paris, 1889, pp. 79-80.

2 – Le *Sillon* veut réconcilier l'Église et la République

(Regroupant en 1905 environ 10000 jeunes gens, le Sillon affiche son choix de la République et cherche à rapprocher le monde ouvrier de l'Église, sans exclusive.)

[...] Voici donc que ce lent travail commencé naguère dans les patronages, continué par le merveilleux mouvement d'éducation populaire des Cercles d'études qui n'ont peut-être pas appris beaucoup de science à leurs membres mais qui ont été, à coup sûr, d'admirables écoles d'énergie, aboutit aujourd'hui à présenter au pays une force jeune, active et encore vierge, sans aucune promiscuité avec les vieux partis, combattue même par eux, ardemment et hardiment républicaine et démocratique en même temps que passionnément éprise de l'idéal chrétien. Et voici que, d'ailleurs, surgissent, à d'autres points de l'horizon, des bonnes volontés qui, elles aussi, veulent travailler à développer la conscience et la responsabilité, à faire régner plus de justice et de fraternité, et que le Sillon attire [...] Sans doute, quelquefois, elles ne sont pas catholiques, mais pouvons-nous refuser de travailler pour le bien temporel du pays et pour l'élaboration de la Démocratie avec tous ceux qui n'ont pas la même foi positive que nous? [...] Tel ne saurait être évidemment notre esprit.

Marc Sangnier, *Le « plus grand Sillon »*, Au Sillon, Paris, 1907, pp. 83-85.

LE GAULLISME

« Le 18 juin 1940 est ce jour où un homme prédestiné – que vous l'eussiez choisi ou non, qu'importe, l'Histoire vous le donne – où cet homme a, d'un mot qui annulait la déroute, maintenu la France dans la guerre.». S'il ne suffit pas à expliquer le gaullisme, ce mot de Bernanos dit beaucoup. En rendant sa fierté à un peuple, le général aurait-il scellé avec lui une sorte de pacte? Un sondage de novembre 1970 interrogeait sur la période la plus marquante de la carrière gaullienne: la plupart des réponses se fixèrent sur les années 1940-1945; le président ou l'artisan de la décolonisation s'effaçaient derrière le chef de guerre.

De Gaulle, chef de la France libre, arguant d'une légitimité nationale supérieure à la légalité de Vichy, s'était fixé une règle: «Je ne me suis alors jamais occupé de savoir de quelle famille spirituelle provenaient les hommes qui voulaient collaborer avec moi». Le gaullisme veut rassembler les Français. Il récuse les idéologies comme les partis, facteurs de division. Volontiers pragmatique dans la gestion du quotidien, le gaullisme s'enracine dans une histoire qui dessine les contours de la France éternelle et détermine les principes de l'action.

Quelques principes intangibles

❑ ***L'indépendance et la grandeur nationales.*** Elles vont de pair. L'«Homme du 18 Juin» souligne suffisamment, avant 1939, les faiblesses de notre système militaire, mais il prêche dans le désert. À Londres et à Alger, il lui faut souvent batailler contre les Alliés – contre Roosevelt surtout – et en 1944 écarter le projet humiliant d'une administration militaire alliée sur le territoire français. La France doit retrouver son «rang».

À partir de 1958, revenu aux affaires, il affiche son opposition à toute forme d'intégration de la France dans une organisation qui limiterait son indépendance. Ce principe conditionne les relations avec les États-Unis, explique le refus de l'«atlantisme» et le retrait en 1966 du système militaire de l'OTAN (mais non de l'alliance elle-même). D'autre part, de Gaulle, tout en reconnaissant l'importance, pour l'Europe, de la protection nucléaire américaine, préfère une force de frappe et une stratégie de dissuasion nationales. La mise au point de l'arme nucléaire avait d'ailleurs été décidée sous la IVe République mais le général a rendu le processus irréversible.

Cependant, lors des affrontements Est/Ouest de Gaulle s'est comporté en allié fidèle des États-Unis, aussi bien dans la crise de Berlin (1960-1961) que dans celle de Cuba (1962). Mais, voulant pratiquer une politique de bascule, il s'efforce de conserver de bonnes relations avec l'URSS, allant jusqu'à évoquer une Europe «de l'Atlantique à l'Oural». L'Europe des États à laquelle il pense n'est pas supranationale. De Gaulle privilégie le dialogue franco-allemand et soupçonne le Royaume-Uni d'étroite allégeance atlantique. Enfin, la décolonisation accomplie, une autre façon d'affirmer l'indépendance de la France est de se tourner vers les pays qui récusent l'autorité mondiale des deux «Grands», et vers les jeunes nations qui constituent le tiers monde. D'où la reconnaissance de la Chine, le voyage à Mexico, le discours de Phnom Penh, les attentions manifestées à l'égard du monde arabe. On a tant glosé sur sa formule «le machin qu'on appelle l'ONU», qu'on oublie qu'il a qualifié l'organisation d'«aréopage utile» et qu'il y patronna l'adhésion d'une douzaine de nouveaux membres.

❑ ***L'autorité de l'État.*** L'esprit et la lettre du discours de Bayeux (1946) se retrouvent dans la **Constitution de 1958**. Un exécutif fort coexiste avec un système parlementaire. Ce régime solide met toutefois plus de trois ans à régler le problème algérien. La réforme du mode d'élection du président de la République en 1962 renforce la tendance; le chef de l'État n'est plus seulement un arbitre, il gouverne véritablement, et représente l'intérêt national.

Une des originalités du gaullisme est d'avoir accompagné, grâce à un État rénové, l'expansion économique du pays. De Gaulle comprend que les signes de la puissance ont changé; comme «la marine à voile et les lampes à huile», le protectionnisme, les colonies, la primauté du monde rural sont révolus (nommant E. Pisani à l'Agriculture, de Gaulle lui précise: «Votre tâche: convaincre les paysans d'être plus attentifs aux exigences de la nation.»). En regard, la croissance économique, les transports modernes, les technologies de pointe et l'aménagement du territoire doivent mobiliser l'effort national. De Gaulle souhaite que le Plan devienne une «ardente obligation». Ce volontarisme se satisfait parfois de symboles, il vise davantage à maintenir la grandeur de la France que le bien-être des Français.

❑ ***Le peuple, base de la légitimité.*** Dans l'optique gaulliste, la consultation directe fait prime, preuve persistante de la méfiance à l'égard des partis, que de Gaulle égratignait déjà dans un discours de 1947: «Chacun d'eux cuit sa petite soupe, à petit feu, dans son petit coin.» Le référendum – qui en France continue d'être interprété comme un plébiscite camouflé – est utilisé plusieurs fois. Les opposants ne manquent pas d'évoquer les pratiques bonapartistes (en 1969, à la une du *Canard Enchaîné*, un grand dessin de Moisan vise «Badingaulle»). De Gaulle recherche constamment l'adhésion populaire lors de ses voyages – au cours desquels sont ménagés de rituels «bains de foule». Ses discours, largement diffusés par la télévision que le pouvoir contrôle en grande partie, créent l'événement.

Mention doit être faite de la participation, ou de l'intéressement des travailleurs, thème cher à de Gaulle et à quelques gaullistes «de gauche» comme René Capitant ou Léo Hamon, et qui relève aussi du souci de redonner à la France prestige et indépendance, en mettant fin aux «querelles périmées de la lutte des classes d'autrefois». Mais les mesures restèrent fragmentaires en raison du manque de conviction de la majorité parlementaire et du scepticisme des intéressés eux-mêmes.

Le gaullisme et les Français

Le «fait majoritaire» introduit par le gaullisme n'est pas dans la tradition politique française. Ce que le RPF a manqué en 1947-1951, l'UNR l'a réussi après 1958: attirer vers le vote gaulliste la droite traditionnelle des indépendants. Mais cette «droitisation» intervient entre 1966 et 1968. Jusqu'en 1965, de Gaulle a parfois entamé l'électorat traditionnel de la gauche, en allant vers ses attentes (fin de la guerre d'Algérie, départ des troupes américaines).

J. Charlot a fourni une théorie de cette mutation: l'UNR est un «parti d'électeurs» – et pas tellement de militants – mobilisé pour occuper et améliorer des positions électorales. Un programme politique assez vague convient: l'anticommunisme affiché, une conception autoritaire du pouvoir, l'appel au peuple pratiqué par l'homme providentiel. La vocation majoritaire suppose une discipline: les députés y gagnent le surnom de

« godillots », tandis que les figures célèbres du gaullisme deviennent les « barons » (A. Malraux, M. Debré, J. Chaban-Delmas, R. Frey, O. Guichard, A. Peyrefitte...).

Après la crise de 1968, le désaveu subi par de Gaulle en 1969 (échec du référendum sur la régionalisation) peut s'expliquer par la réaction d'une partie de cet électorat héritier de la droite autoritaire bonapartiste. La coalition gaulliste se retrouve derrière G. Pompidou, formant « une majorité que la prudence rassemble autour d'un ancien humanisme conservateur d'intérêts ordinaires ». (Ch. Morazé).

Étroitement lié au rôle historique et à la personnalité du général, le gaullisme peut-il avoir des héritiers ? Pompidou mort, l'Élysée revient à V. Giscard d'Estaing, donc au tenant de la droite libérale – lui-même partisan du non en 1969 –, appuyé par J. Chirac. Ce dernier réorganise le parti gaulliste en 1976 (RPR). La famille se désunit de façon flagrante aux élections présidentielles de 1981. Si une minorité de gaullistes rejoint la gauche socialiste, le RPR doit s'accommoder d'un partage du magistère de la droite avec l'UDF et joue quand même le premier rôle durant les cohabitations de 1986-1988 et de 1993-1995.

Les principales options du gaullisme en politique internationale ont été conservées par les présidents jusqu'à F. Mitterrand inclus. Paradoxalement, il revient à Jacques Chirac, élu président de la République, de confirmer le retour marquant de la France dans le fonctionnement de l'OTAN ; dans un contexte international, certes, fort modifié, mais au sein d'une Europe guettée par de nouveaux types de menaces. Par contre, sa volonté de faire procéder aux derniers essais nucléaires français dans le Pacifique (automne-hiver 1995) et de réaliser une « armée de métier » en supprimant le service national (1996) procède tout à fait de l'intention ou de l'action du général de Gaulle.

Mais, face aux réalités électorales, le mouvement gaulliste est affaibli par les résultats des législatives de 1997 et des européennes de 1999 (liste dissidente de Ch. Pasqua) ; ses chefs se succèdent sans durer (Ph. Séguin, N. Sarkozy, M. Alliot-Marie). Finalement, en 2002, il se satisfait de la création d'une nouvelle formation englobant le RPR et l'essentiel de l'UDF : l'UMP.

Partiellement héritier des nationalismes populistes à tendance autoritaire qui, du **bonapartisme** au boulangisme, ont rencontré l'adhésion des Français, le gaullisme s'en distingue cependant par son attachement aux libertés et à la démocratie.

La commémoration du centenaire de la naissance du général a donné lieu en 1990 à une quasi unanimité des politiques dans l'éloge et le respect. Depuis 1970, les livres, les colloques – dont ceux, essentiels pour la connaissance historique, de la « Fondation Charles de Gaulle » –, les documentaires, la création théâtrale (*Celui qui a dit « Non »* de Robert Hossein, 1999), et la création d'un Historial et d'un Mémorial attestent d'un intérêt multiforme pour l'homme du 18 juin et le fondateur de la Ve République.

Les dates clés

1940

18 juin : à Londres, de Gaulle appelle à la poursuite du combat.

1946

20 janvier : de Gaulle abandonne la direction du gouvernement provisoire.

16 juin : discours de Bayeux.

1947

14 avril : refusant de s'arrêter aux clivages politiques, de Gaulle fonde le RPF.

19-26 octobre : ample succès gaulliste aux élections municipales.

1951

17 juin : les élections législatives sont défavorables au RPF.

1958

octobre : fondation de l'Union pour la nouvelle République (UNR).

21 décembre : de Gaulle élu président de la République.

1960

24 janvier : agitation activiste à Alger (« semaine des barricades »).

février : explosion à Reggane de la première bombe atomique française.

1962

18 mars : signature des accords d'Évian et reconnaissance de l'indépendance algérienne.

15 mai : de Gaulle se montrant hostile à la supranationalité européenne, les ministres MRP démissionnent.

1963

22 janvier : signature d'un traité d'amitié franco-allemand.

mars : longue et dure grève des mineurs de charbon et de fer.

1965

juillet : A. Malraux se rend en Chine, porteur d'une lettre pour Mao Ze Dong.

1966

août : au cours de son voyage au Cambodge, de Gaulle se prononce contre la guerre que mènent les États-Unis au Viêt-nam (« discours de Phnom Penh »).

1967

mars : recul des gaullistes aux législatives. Ce résultat marque un grave écart avec le gaullisme présidentiel.

21 juin : de Gaulle critique sévèrement l'installation d'Israël dans les territoires conquis pendant la Guerre des Six Jours.

juillet : au cours de son voyage au Canada, de Gaulle encourage le séparatisme québécois (« Vive le Québec libre ! »).

1968

juin : l'Union des démocrates pour la République (UDR) est la nouvelle appellation du parti gaulliste.

1969

avril : démission du général après l'échec du référendum. Élection en juin de G. Pompidou à la présidence de la République.

1970

9 novembre : mort du général de Gaulle à Colombey.

1974

avril-mai : le soutien de J. Chirac à V. Giscard d'Estaing enlève toute chance à la candidature gaulliste de J. Chaban-Delmas.

1976

5 décembre : l'UDR devient le Rassemblement pour la République (RPR), présidé par J. Chirac.

1981

avril : parmi les candidats à la présidence, figurent trois gaullistes : J. Chirac, M. Debré et M.-F. Garaud.

1990

Contestation de la direction du RPR, de la part de Charles Pasqua et de Philippe Séguin.

1993

Après les élections de mars, le gaullisme retrouve de fortes positions: le groupe parlementaire le plus important (258 députés sur 577), la présidence de l'Assemblée (Ph. Séguin) et l'Hôtel Matignon.

1995

7 mai: après trois septennats, le succès de J. Chirac marque le retour d'un gaulliste à l'Élysée (voir aussi chronologie du chapitre 1, années 1940 à 1969).

2002

mai: le RPR et la plus grande partie de l'UDF se regroupent dans l'UMP («Union pour la majorité présidentielle», devenue par la suite l'«Union pour un mouvement populaire»).

2015

mai : par vote des militants, et selon le souhait de N. Sarkozy, l'UMP devient «les Républicains».

Pour aller plus loin :

AGULHON (Maurice), *De Gaulle. Histoire, symbole, mythe*, Plon, 2000.

ANDRIEU (Claire), BRAUD (Philippe), PIKETTY (Guillaume), *Dictionnaire de Gaulle*, coll. «Bouquins», Robert Laffont, 2006.

BERSTEIN (Serge), *Le Gaullisme*, «Documentation photographique», CNRS, 2006.

DE GAULLE (Charles), *Mémoires de guerre*, Plon, rééd. 1989; *Mémoires d'espoir*, 1: *Le Renouveau*, 2: *L'Effort*, Plon, 1970 et 1971.

OULMONT (Philippe), *De Gaulle*, coll. «Idées reçues», Le Cavalier bleu, 2008.

PEYREFITTE (Alain), *C'était de Gaulle*, 3 vol., de Fallois/Fayard, 1994, 1997, 2000, et coll. «Quarto», Gallimard, 2002.

VIANSSON-PONTÉ (Pierre), *Histoire de la république gaullienne*, coll. «Bouquins», Robert Laffont, 1984.

Documents

1 – L'indépendance nationale selon de Gaulle (1965)

Le chef de l'État explique la position de la France face à la menace soviétique et au risque de domination des États-Unis ; il justifie l'arme nucléaire et défend le principe selon lequel chaque nation doit être « responsable d'elle-même ».

De fait, après le sursaut de confiance et de fierté française qui, au cours de la dernière guerre, nous tira d'un abîme mortel et en dépit des forces vives qui reparaissaient chez nous avec une vigueur renouvelée, la tendance à l'effacement s'y était momentanément fait jour, au point d'être érigée en doctrine et en politique. C'est pourquoi des partisans eussent voulu nous rattacher corps et âme à l'Empire totalitaire. C'est aussi pourquoi d'autres professaient qu'il nous fallait, non point seulement, comme c'est le bon sens, rester les alliés de nos alliés tant que se dresserait à l'Est une menace de domination, mais encore nous absorber dans un système atlantique, au sein duquel notre défense, notre économie, nos engagements dépendraient nécessairement des armes, de l'emprise matérielle et de la politique américaines. Les mêmes, dans la même intention, entendaient que notre pays, au lieu qu'il participât, ainsi qu'il est naturel, à une coopération organisée des nations libres de l'Ancien Continent, fût littéralement dissous dans une Europe dite intégrée et qui, faute des ressorts que sont la souveraineté des peuples et la responsabilité des États, serait automatiquement subordonnée au protecteur d'outre-Océan. Ainsi, resterait-il, sans doute, des ouvriers, des paysans, des ingénieurs, des professeurs, des fonctionnaires, des députés, des ministres français. Mais il n'y aurait plus la France. Eh bien ! le fait capital de ces sept dernières années c'est que nous avons résisté aux sirènes de l'abandon et choisi l'indépendance.

Il est vrai que l'indépendance implique des conditions et que celles-ci ne sont pas faciles. Mais, comme on peut le voir, nous parvenons à les remplir. Dans le domaine politique, il s'agit que, sans renier notre amitié américaine, nous nous comportions en Européens que nous sommes et, qu'en cette qualité, nous nous appliquions à rétablir d'un bout à l'autre de notre continent un équilibre fondé sur l'entente et la coopération de tous les peuples qui y vivent comme nous. [...] Quant aux problèmes qui se posent dans le reste de l'univers, notre indépendance nous conduit à mener une action conforme à ce qui est à présent notre propre conception, savoir : qu'aucune hégémonie exercée par qui que ce soit, aucune intervention étrangère dans les affaires intérieures d'un État, aucune interdiction faite à n'importe quel pays d'entretenir des relations pacifiques avec n'importe quel autre, ne saurait en être justifiées. Au contraire, suivant nous, l'intérêt supérieur de l'espèce humaine commande que chaque nation soit responsable d'elle-même, débarrassée des empiétements, aidée dans son progrès sans conditions d'obédience. [...]

Au point de vue de la sécurité, notre indépendance exige, à l'ère atomique où nous sommes, que nous ayons les moyens voulus pour dissuader nous-mêmes un éventuel agresseur, sans préjudice de nos alliances, mais sans que nos alliés tiennent notre destin dans leurs mains. Or, ces moyens, nous nous les donnons. [...] Ainsi, en venons-nous au point où aucun État du monde ne pourrait porter la mort chez nous sans la recevoir chez lui ; ce qui est, certainement, la meilleure garantie possible.

Extraits de l'allocution radio-télévisée du 27 avril 1965.

2 – Jacques Chirac et la rafle du Vél'd'Hiv' (1995)

Lors de la 53e commémoration de la rafle du Vélodrome d'Hiver à Paris, le président de la République Jacques Chirac reconnaît la responsabilité de la France dans la déportation des Juifs. C'est un discours d'une portée considérable.

Il est, dans la vie d'une nation, des moments qui blessent la mémoire, et l'idée que l'on se fait de son pays. Ces moments, il est difficile de les évoquer, parce que l'on ne sait pas toujours trouver les mots justes pour rappeler l'horreur, pour dire le chagrin de celles et ceux qui ont vécu la tragédie. [...]

Il est difficile de les évoquer, aussi, parce que ces heures noires souillent à jamais notre histoire, et sont une injure à notre passé et à nos traditions. Oui, la folie criminelle de l'occupant a été secondée par des Français, par l'État français. Il y a cinquante-trois ans, le 16 juillet 1942, 450 policiers et gendarmes français, sous l'autorité de leurs chefs, répondaient aux exigences des nazis. Ce jour-là, dans la capitale et en région parisienne, près de dix mille hommes, femmes et enfants juifs furent arrêtés à leur domicile, au petit matin, et rassemblés dans les commissariats de police.

On verra des scènes atroces : les familles déchirées, les mères séparées de leurs enfants, les vieillards – dont certains, anciens combattants de la Grande Guerre, avaient versé leur sang pour la France – jetés sans ménagement dans les bus parisiens et les fourgons de la Préfecture de Police.

On verra aussi des policiers fermer les yeux, permettant ainsi quelques évasions.

[...]

La France, patrie des Lumières et des Droits de l'Homme, terre d'accueil et d'asile, la France, ce jour-là, accomplissait l'irréparable. Manquant à sa parole, elle livrait ses protégés à leurs bourreaux.

Conduites au Vélodrome d'Hiver, les victimes devaient attendre plusieurs jours, dans les conditions terribles que l'on sait, d'être dirigées vers l'un des camps de transit – Pithiviers ou Beaune-la-Rolande – ouverts par les autorités de Vichy.

L'horreur, pourtant, ne faisait que commencer. Suivront d'autres rafles, d'autres arrestations. À Paris et en province, soixante-quatorze trains partiront vers Auschwitz. Soixante-seize mille déportés juifs de France n'en reviendront pas.

Nous conservons à leur égard une dette imprescriptible.

[...]

Certes, il y a les erreurs commises, il y a les fautes, il y a une faute collective. Mais il y a aussi la France, une certaine idée de la France, droite, généreuse, fidèle à ses traditions, à son génie. Cette France n'a jamais été à Vichy. Elle n'est plus, et depuis longtemps, à Paris. Elle est dans les sables libyens et partout où se battent des Français libres. Elle est à Londres, incarnée par le général de Gaulle. Elle est présente, une et indivisible, dans le cœur de ces Français, ces « Justes parmi les nations » qui, au plus noir de la tourmente, en sauvant au péril de leur vie, comme l'écrit Serge Klarsfeld, les trois-quarts de la communauté juive résidant en France, ont donné vie à ce qu'elle a de meilleur. Les valeurs humanistes, les valeurs de liberté, de justice, de tolérance qui fondent l'identité française et nous obligent pour l'avenir.

[...]

Extraits du discours prononcé par Jacques Chirac le 16 juillet 1995.

LE BONAPARTISME

Le bonapartisme représente une tradition politique et idéologique qui parcourt le XIXe siècle. Il n'existe que par la résurgence du **Second Empire**. Il ne se confond donc absolument pas avec la légende impériale – dans le sillage de laquelle il s'inscrit toutefois – et offre souvent des exemples d'adaptation aux circonstances, notamment en 1851-1852. Plutôt qu'un corps de doctrine, il a offert à ses partisans des recettes de sécurité.

Le bonapartisme, de l'oncle au neveu

❑ ***La notoriété du « Napoléon du peuple »,*** c'est-à-dire celle de l'empereur déchu de Sainte-Hélène, a cheminé à partir de la **Restauration** par la littérature populaire et les récits de veillées. Affichettes, cartes à jouer, mouchoirs et tabatières passent des boîtes des colporteurs aux foyers paysans, diffusant l'image du chef glorieux et de l'organisateur-né, faisant oublier le responsable des hécatombes militaires et le chef d'un pouvoir despotique. Louis-Philippe lui-même, dont les gouvernements n'ont jamais manifesté une grande hardiesse diplomatique, fait bonne figure aux souvenirs de la gloire impériale ; l'initiative du retour des cendres de Napoléon Ier à Paris, en 1840, en apporte la preuve, et sans que les deux tentatives de Louis-Napoléon pour soulever des garnisons soient prises au tragique. En effet, l'attachement de l'opinion au souvenir impérial ne signifie pas adhésion au bonapartisme.

Pourtant, devenu le prétendant le plus plausible depuis 1832, le prince met à profit l'« université de Ham » – le fort où il est enfermé sans rigueur et d'où il s'échappe en 1846 – pour acquérir la réputation d'un politique averti sinon d'un théoricien.

1848 est la chance du bonapartisme, puisque le **suffrage universel** récemment institué attire les voix dès les scrutins législatifs complémentaires. Louis-Napoléon décline sa première élection et se trouve absent lors des « journées de juin », ce qui lui évite de prendre position. Réélu en septembre, il occupe son siège de **député**. Victor Hugo, qui ne l'a pas toujours détesté, met alors le doigt sur la filiation : « Ce n'est pas un prince, c'est une idée. Celui que le peuple vient de nommer n'est pas l'héritier de l'échauffourée de Boulogne, c'est le vainqueur d'Iéna [...], sa candidature date d'Austerlitz. » Mais trois mois plus tard, le succès prend une autre envergure ; appuyé par le « parti de l'ordre », Louis-Napoléon est élu **président de la République** avec 74 % des suffrages exprimés. Cette victoire dépassant toute prévision s'explique par des motivations plus affectives – la candidature du neveu de l'empereur flatte l'amour-propre national – et par la volonté de beaucoup d'émettre un vote de protestation contre les organisations partisanes, les journaux, toutes les formes d'encadrement dont les néo-citoyens se méfient.

Après le coup d'État du 2 décembre 1851, le rétablissement de l'Empire en 1852 est habilement présenté par son bénéficiaire comme le résultat d'une démarche démocratique et non comme une restauration. Il s'adresse ainsi aux grands corps de l'État le 1er décembre : « Je prends dès aujourd'hui, avec la couronne, le nom de Napoléon III, parce que la logique du peuple me l'a déjà donné dans ses acclamations, parce que le Sénat l'a proposé légalement, et parce que la Nation entière l'a ratifié.» Puis il précise qu'il reconnaît tous les gouvernements précédents et n'a donc pas à passer sous silence «le règne glorieux du chef de [sa] famille», ni «un gouvernement auquel nous devons les plus belles pages de notre histoire moderne», mais conclut: «Mon règne ne date pas de 1815.»

Lignes de force et soutiens du bonapartisme

Pour tenter d'éclairer la place du bonapartisme dans le contexte droite/gauche, on peut reprendre la piquante définition qu'en donnait Guizot: «C'est beaucoup d'être à la fois une gloire nationale, une garantie révolutionnaire et un principe d'autorité». R. Rémond a démontré que si la confirmation des acquis révolutionnaires appartient à la tradition de gauche, ainsi que – à ce moment – le principe d'autorité (hérité du jacobinisme et de la centralisation impériale), la référence à la gloire se joue des classifications. Et de fait, le bonapartisme se veut au-dessus des partis. Le régime doit à la conjoncture le choix d'une option plus autoritaire et conservatrice.

❑ ***Le coup d'État du 2 décembre 1851*** fournit l'explication de ce paradoxe. Car il a été, au départ, dirigé contre les monarchistes de l'Assemblée qui avaient restreint la portée du suffrage universel et auxquels le président s'affrontait. Le parti de l'ordre se trouve disloqué. Mais tout est changé par la résistance au coup d'État qui intervient dans certaines régions (Centre, Sud-Est, Midi aquitain...). La réplique armée des «colonnes» villageoises menace des centres administratifs jusqu'au 9 ou 10 décembre. Pour une fois, au XIXe siècle, la province, résignée ou indifférente, n'a pas suivi l'impulsion parisienne. Le pouvoir surpris s'efforce d'assimiler à une jacquerie cette levée en faveur de la Constitution républicaine. Et logiquement se retrouvent soudés les bonapartistes et les courants **légitimiste** et **orléaniste**. L'atteinte aux droits de l'Assemblée est oubliée; devant le danger de «guerre sociale» auquel on pense avoir échappé, les solidarités jouent. Conséquence logique du «coup de barre» à droite, les autorités font gratter sur les monuments publics la devise républicaine et arracher les arbres de la liberté, en avançant des arguments de valeur très inégale, tels ceux du préfet de la Sarthe en janvier 1852: «Considérant que les arbres dits de liberté ont été en plusieurs circonstances l'objet de démonstrations séditieuses ou ridicules chez une nation chrétienne et civilisée; que plusieurs gênent la circulation et qu'il est d'une bonne police de faire disparaître les emblèmes qui peuvent être, par les souvenirs qu'ils rappellent, une cause de discorde [...].»

❑ ***Un programme d'action*** est proposé, avec une certaine solennité, dans le discours de Bordeaux du 9 octobre 1852. Se portant garant de conquêtes strictement pacifiques, le prince-président prône la concorde nationale – facilitée par un pouvoir exécutif solide – et le respect de la religion, l'amélioration du sort des «classes souffrantes», un vigoureux effort de développement économique (spécialement des moyens de transports) et la mise en valeur de l'Algérie. Déjà les candidats bonapartistes aux élections de 1849 intégraient dans leurs professions de foi des propos sur les voies ferrées, les canaux ou les chemins ruraux. Le bonapartisme vise la modernité. Qui peut-il séduire ?

❑ ***Les soutiens.*** Les paysans forment les gros effectifs des partisans de l'Empire. Dans *Le Dix-Huit Brumaire de Louis Bonaparte*, Marx note que « l'élu des paysans, ce n'était pas le Bonaparte qui se soumettait au Parlement bourgeois, mais le Bonaparte qui dispersera ce Parlement ». Les ruraux, décidés à utiliser leur droit de vote, choisissent souvent le candidat officiel pour s'affranchir de la tutelle proche des nobles et notables divers et des prêtres. C'est là un acte d'émancipation politique et la prise de conscience de l'appartenance à une entité civique englobant pouvoir centralisé et expression populaire. La tendance à la hausse des prix des denrées agricoles entretient ces bonnes relations.

Les autres soutiens du régime sont, du moins durant la première décennie, les notables, rassurés par la stabilité du régime (la plupart des préfets ne viennent d'ailleurs pas des rangs bonapartistes), et l'armée. Quant à l'Église, ayant contracté une alliance d'intérêts, elle joue pour la dernière fois le rôle de l'auxiliaire privilégiée, célébrant la fête de l'empereur le 15 août – on a remis à l'honneur la « Saint Napoléon » – et n'omettant pas le chant du *Te Deum* lors des succès de Crimée et d'Italie. Mais les conflits entre gallicans favorables à l'Empire et ultramontains se compliquent après l'intervention française dans les affaires italiennes et la mise en cause du pouvoir temporel de Pie IX.

En revanche, les efforts de Napoléon III pour devenir l'« empereur des ouvriers » se heurtent au rejet du 2 décembre. Rien n'y fait : ni la reconnaissance du droit de grève (1864), ni l'intérêt porté aux formes d'organisation ouvrière, ni l'extrême liberté laissée, en 1868-1870, aux dizaines de milliers d'ouvriers qui ont discuté, à Paris, de la « question sociale » en réunions publiques, ni les messages astucieux adressés lors du plébiscite, évoquant même la « participation aux bénéfices » et présentant l'empereur comme le « recours suprême ».

❑ ***Postérité.*** L'Empire abattu, le bonapartisme a survécu, indirectement, dans des schémas mentaux associant autoritarisme, antiparlementarisme et fierté patriotique. On retrouve donc sa trace dans le boulangisme, dans le courant nationaliste actif entre 1890 et 1914, dans l'agitation des Ligues et les tentations fascistes durant les années trente.

Mais, sur le plan de l'évolution politique, il faut surtout retenir les conséquences de dix-huit années de pratique bonapartiste. Plusieurs pratiques institutionnelles ont été frappées d'un discrédit tenace : le **plébiscite**, le **scrutin d'arrondissement**, et le pouvoir **exécutif** fort. D'autre part, ce régime a été accusé d'avoir favorisé le cléricalisme et l'immoralité. Pourtant, avec la libéralisation progressive des années 1860, il a confirmé les progrès de la presse et l'enracinement du **suffrage universel**.

Les dates clés

1815-1821

La monarchie profite de la diffusion des libelles anti-napoléoniens de la « légende noire ».

1821

Mort de Napoléon Ier à Sainte-Hélène.

1823

Las Cases entreprend la publication du *Mémorial de Sainte-Hélène*, appelé à un très grand succès.

1830

L'ex-roi Joseph, exilé aux États-Unis, adresse à la Chambre des députés une lettre de protestation contre l'installation de Louis-Philippe sur le trône.

1832

Le duc de Reichstadt meurt en Autriche.

1833

Réinstallation de la statue de Napoléon au sommet de la colonne Vendôme.

1840

Le deuxième coup de force de Louis-Napoléon échoue à Boulogne. Les cendres de l'empereur, restituées par les Anglais, sont déposées solennellement aux Invalides.

1848

Élection de Louis-Napoléon à la présidence de la République.

1852-1870

Le Second Empire.

1852

Au cours d'un long voyage dans le Centre et le Sud-Ouest, le prince-président parle à Bordeaux le 9 octobre et présente un vaste programme ouvert par la formule « L'Empire, c'est la paix. ».

1853

Mariage de Napoléon III et d'Eugénie de Montijo.

1856

Naissance du prince impérial.

1873

Mort de Napoléon III en Angleterre.

1874

Le baron de Bourgoing est élu dans la Nièvre sous l'étiquette bonapartiste.

1877

Les députés bonapartistes sont au nombre de 104 à la Chambre, mais leurs électeurs vont se tourner progressivement vers le radicalisme.

1879

Engagé dans l'armée anglaise, le prince impérial est tué en Afrique du Sud dans un combat avec les Zoulous.

1883

Arrestation de Napoléon-Jérôme Bonaparte (1822-1891) accusé de complot contre l'État.

1887-1889

Les tenants du bonapartisme, se voyant privés de la légitimité républicaine, sont attirés par l'« homme providentiel » Boulanger.

1891

Le prince Napoléon-Victor (1862-1926) devient l'éventuel prétendant.

Pour aller plus loin :

Boudon (Jacques-Olivier), *Les Bonaparte*, « La Documentation photographique », 2010.

Tulard (Jean) (dir.), *Dictionnaire du Second Empire*, Fayard, 1995.

Document

À Ham, les réflexions d'un prince démocrate

Dans sa prison de Ham, d'où il s'échappe en 1846, Louis-Napoléon étudie beaucoup et écrit deux livres. Il rédige aussi des articles, non censurés, pourtant acides envers le régime de Juillet.

[…] En fait de politique, nous ne comprenons que les systèmes clairs et nets. Si le gouvernement veut reconstruire l'édifice que les rois et le peuple ont mis cinq cents ans à abattre, qu'il adopte les mesures les plus propres à amener ce résultat ; qu'il donne à tous ces nobles en premier lieu le baptême de la gloire, car, sans prestige, point de noblesse ; qu'il leur donne de vastes propriétés territoriales, car sans richesse point de noblesse ; qu'il rétablisse le droit d'aînesse […] qu'il exécute tout cela, nous le combattrons, mais nous avouerons néanmoins qu'il est logique, et nous reconnaîtrons que l'édifice qu'il veut bâtir aura un corps et une tête. Mais faire à la sourdine quelques petits ducs, quelques petits comtes qui seront sans autorité et sans prestige ! c'est froisser sans but et sans résultat les sentiments démocratiques de la majorité des Français ; c'est condamner des vieillards à jouer à la poupée.

Quant à nous, nous voudrions qu'au lieu de faire quelques nobles, le gouvernement prît la grande résolution d'en faire des milliers et des millions. Nous voudrions qu'il prît à tâche d'anoblir les trente cinq millions de Français en leur donnant l'instruction, la morale, l'aisance, biens, qui, jusqu'ici n'ont été l'apanage que d'un petit nombre, et qui devraient être l'apanage de tous.

Article du prince Louis-Napoléon, dans le *Progrès du Pas-de-Calais*, 23 décembre 1844.

LE ROYALISME

Le légitimisme

Au sens strict, dans l'histoire du XIXe siècle, le légitimisme est le courant de fidélité à la branche aînée des Bourbons, écartée du trône en 1830. Il se nourrit largement, dans un premier temps du moins, de la doctrine plus élaborée des « ultras ». Ces derniers, après 1815, représentaient la tendance la plus dure, trouvaient que la Charte rognait trop sur les pouvoirs du roi, abhorraient la Révolution et voulaient redonner la première place à l'Église et à la religion catholique, ainsi qu'à la famille. Les théoriciens de l'ultracisme les plus écoutés ont été Louis de Bonald (1754-1840) et Joseph de Maistre (1754-1821).

❑ ***La doctrine.*** Après 1830, les légitimistes ne craignent pas d'envisager une sensible augmentation du nombre des électeurs pour le choix des députés et pour les scrutins locaux, ce qui leur donne l'avantage de paraître plus « libéraux » que les défenseurs du régime de Louis-Philippe. Le suffrage universel n'est même pas exclu, parce que les classes populaires leur semblent moins attachées à la monarchie de Juillet que la petite bourgeoisie. Cette tendance s'accentue après 1848, lorsque certains légitimistes, tenant à la notion de «pacte» entre la monarchie et le peuple, trouvent souhaitable que celui-ci s'exprime sans entraves par le suffrage universel. Mais ce point de vue reste minoritaire et la manière dont le prince-président tire parti du vote plébiscitaire a de quoi inquiéter; en 1871 encore, le prétendant n'approuverait qu'un suffrage universel «organisé».

L'élection de mandataires – quel qu'en soit le mode – suppose-t-elle que le peuple dispose d'une représentation? Ce qui serait en cohérence avec les principes de 1789. La plupart des légitimistes estiment pourtant qu'un «droit propre» à la monarchie s'inscrit dans l'héritage coutumier depuis le Moyen Âge. Ces discussions théoriques ne nuisent d'ailleurs pas à la vision – que les points de contact entre légitimisme et mouvement romantique ont peut-être renforcée –, d'une nation confiante, administrée par un prince à la fois paternel et ferme.

La chute de la monarchie de Juillet a posé le problème de l'autorité respective des prétendants. Le mouvement royaliste s'en trouve affaibli. Les plus réalistes envisagent alors la «fusion», bien délicate dans les faits. Car, d'un côté, le comte de Chambord, sans concurrent depuis 1844, n'accepterait d'oublier l'«usurpation» de 1830 que si ses cousins reprenaient leur rang dans la famille royale sans aucune condition ni négociation. De l'autre, les princes d'Orléans, fils de Louis-Philippe, se considèrent comme les garants d'une monarchie parlementaire qui a pu fonctionner dix-huit ans durant, selon des principes démocratiques, au moins dans certains domaines. La fusion signifierait pour eux l'abandon des principes de la Révolution; la réconciliation avec Chambord passe donc par des concessions de la part du plus intransigeant.

Dans le domaine des institutions sociales, la doctrine légitimiste prône la décentralisation, remède à l'excessive centralisation napoléonienne. Selon cette conception, les communes sont constituées par un certain nombre de familles – la famille reste la notion-clé – et l'opération ne tend pas à séparer mais à unir. «C'est le retour pur et simple à l'adage ancien: le Roi en ses conseils, le peuple en ses États» (S. Rials).

Le paternalisme politique se double d'un paternalisme social, qui pare de toutes les vertus la formule associative, afin de régler la «question sociale». Mais ici, l'association ne valorise pas des individus regroupés selon leur gré; elle doit seulement fournir un cadre juridique à des forces économiques complémentaires et souvent antagonistes; car depuis la suppression des corporations, le monde du travail n'a jamais été structuré de façon systématique, et ce ne sont pas les libéraux, influents sous Louis-Philippe et sous Napoléon III, qui s'en chargeraient, bien au contraire.

❑ ***Les partisans.*** À la différence de l'orléanisme, le légitimisme peut être qualifié de mouvement interclasses, même si ses gros bataillons et la presque totalité de ses cadres appartiennent à l'aristocratie, toutes strates additionnées (noblesses d'Ancien Régime, d'Empire et de la Restauration). Les salons, en milieu urbain, et les châteaux, en province, tissent un réseau de solidarités. Il existe par ailleurs une bourgeoisie légitimiste, dans le Nord et le Midi en particulier, appartenant aux milieux de la justice, de la banque, du commerce et de l'industrie. Ces représentants sont catholiques, ce qui contribue aussi à les distinguer de leurs homologues orléanistes, plus sceptiques, voire voltairiens. Enfin, le légitimisme peut compter des adeptes dans les couches populaires, et pas uniquement dans les terres de fidélité du Grand Ouest catholique. Le Sud-Est, où la « Terreur blanche » a sévi en 1815, garde des sympathies royalistes. Visitant Avignon en 1844, Flora Tristan note comme royalistes « la noblesse, le clergé, les femmes, les vieux du peuple ». Mais à Toulouse ou à Marseille, ce sont aussi des générations plus jeunes, parmi le peuple et des gens de condition modeste (artisans, ouvriers, manœuvres) qui peuvent réagir à des mots d'ordre légitimistes.

❑ ***Une influence politique déclinante.*** La Révolution de juillet 1830 a fait place nette. Sont révoqués soixante-seize préfets, cent-quatre-vingt-seize sous-préfets, soixante-cinq généraux, et quantité de fonctionnaires de diverses catégories. La noblesse exclue du pouvoir se replie sur la province. Le haut-fonctionnaire redécouvre la gestion de ses propriétés, se mue parfois en agronome compétent, participe souvent à la création du comice agricole de son canton. Fréquemment, les nobles gardent un contact avec la spéculation intellectuelle en animant des sociétés savantes départementales, qui traitent volontiers d'histoire, d'archéologie, ou « d'agriculture, sciences et arts », dans la tradition des Lumières du siècle précédent. La plupart de ces « émigrés de l'intérieur » se sont tenus à l'écart de la conspiration de la duchesse de Berry. Ils affectent d'ignorer les fonctionnaires du nouveau régime. La *Gazette de France* ne leur apporte plus qu'une information politique filtrée, donc faussée. R. Rémond note que l'opposition légitimiste a moins inquiété le pouvoir de Louis-Philippe que les contingents ouvriers des villes, pourtant sans instruction et sans chefs. Le mouvement légitimiste est tout de même revigoré par les éléments plus jeunes, qualifiés de « Jeune France », qui utilisent les ressources de la presse pour faire entendre leur voix et deviennent, par la force des choses, les plus ardents défenseurs de la liberté d'expression.

La IIe République marque un regain d'activité des légitimistes ; ils reparaissent nombreux dans les assemblées, renforcent le « parti de l'Ordre » et sont parmi les premiers à déceler les ambitions du prince-président. De son exil, le comte de Chambord distribue ses consignes après le coup d'État. Son manifeste d'octobre 1852, imprimé à l'étranger, est diffusé en France par le « Bureau du Roi ». Mais, à la suite d'une indiscrétion, le gouvernement, pour en diminuer la portée, le fait paraître dans le *Moniteur universel*. Si les légitimistes acceptent le mot d'ordre d'abstention au plébiscite portant sur le rétablissement de l'Empire, ils jugent dans l'ensemble peu opportune l'interdiction de se présenter à un scrutin législatif ou local. Le parti du roi est marginalisé ; de rares ralliements à l'Empire se produiront toutefois.

La défaite de 1870-1871 semble redonner une sérieuse chance aux monarchistes. Le comte de Chambord se rend en France en 1871 et en 1873. Il croyait que la récolte de drapeaux tricolores faite par les armées allemandes provoquerait le discrédit de l'emblème qu'il récusait. Vain calcul. Fidèle à sa logique, au désespoir de ses partisans nombreux dans l'Assemblée de 1871, « Henri V » refuse tout accommodement qui exclurait le drapeau blanc : « Avec l'emblème de la Révolution il me serait impossible de faire aucun bien, de réparer aucun mal. Pourquoi tient-on tellement à ce que je prenne les couleurs qui ont présidé à tant de crimes, qui ont toujours été le signalement du renversement de la monarchie légitime ? » écrit-il en mai 1871 à un chef légitimiste. Hors la période de l'« Ordre moral », qui coïncide avec un style de gouvernement conservateur et une constante sollicitude envers l'Église catholique, le royalisme doit s'accommoder du régime républicain. En dépit des résultats plus flatteurs des élections de 1885, le parti monarchiste ne peut jamais influencer les destinées du régime ; encore moins après les consignes de ralliement du pape Léon XIII.

Seule, au début du XXe siècle, l'idéologie royaliste retrouvera une vigueur inattendue et un chef d'école avec Charles Maurras.

L'orléanisme

L'orléanisme est bien plus que le nom donné au mouvement d'adhésion à Louis-Philippe et à la branche d'Orléans en général. Il correspond à une vision politique intégrant les acquis de 1789, mais souhaitant combiner l'exercice des libertés et la canalisation réaliste des poussées sociales intempestives. L'orléanisme est d'abord un **libéralisme** conservateur. Après 1830, les orléanistes s'opposent donc aux légitimistes, pour lesquels la Révolution a brisé l'ordre monarchique multiséculaire ; c'est l'origine du destin parallèle de deux des droites – la troisième étant la droite bonapartiste – distinguées par René Rémond.

❑ ***La spécificité : le juste milieu.*** Louis-Philippe Ier a été préféré en 1830 parce qu'il avait déjà fourni des gages de libéralisme. Mais l'orléanisme ne suppose aucun lien organique avec la branche cadette ni aucun attachement d'essence religieuse à la personne royale. L'exécutif est laïque. « Aux orléanistes, la personne importe moins que le régime et la dénomination du régime moins que les institutions » (R. Rémond). Des deux tendances majeures, l'« ordre » et le « mouvement », la première l'a emporté donnant sans doute à l'orléanisme une coloration plus conservatrice, accentuée par une situation de fait : pendant toute la décennie qui suit son installation, le régime de Louis-Philippe est mis en cause par des révoltes, des attentats et par la bouderie hautaine des perdants de 1830. Il tend ainsi à s'affirmer par réaction contre ses adversaires républicains et légitimistes, lesquels ont lancé à son adresse ce vocable ironique de « juste milieu », qui lui convient fort bien, et correspond au courant des « doctrinaires » tel qu'il s'exprimait sous la Restauration. Élevée est l'ambition – réconcilier les Français –, élevés aussi sont les risques de compromissions, d'opportunisme, de favoritisme, tous travers qu'un pouvoir politique évite rarement et qui, sous Louis-Philippe, étaient repérés et dénoncés âprement par des pamphlétaires actifs. Le « juste milieu » passe par la pratique du parlementarisme et l'orléanisme trouve là une de ses justifications. Le principal reproche adressé à Napoléon III concernera précisément la suppression, durant la première partie du règne, du régime parlementaire. Dans les années 1930, c'est le dysfonctionnement du système parlementaire qui heurtera le plus un André Tardieu et lui inspirera un projet de réforme constitutionnelle.

❑ ***Les bourgeois et les autres.*** La solidité des liens unissant l'orléanisme et la bourgeoisie a été fréquemment soulignée et prouvée. À condition de préciser qu'il s'agit d'une bourgeoisie ouverte, ne se limitant pas à la haute bourgeoisie d'affaires et de la finance. Le régime ne disposait d'ailleurs pas de tant d'appuis pour négliger cette alliance, au demeurant logique, et il a œuvré dans le sens des intérêts bourgeois, par exemple en matière de politique douanière. Le maintien de tarifs de protection était réclamé en effet par les industriels du textile et de la métallurgie. On a remarqué aussi que les habitudes d'épargne et de gestion méticuleuse avaient en quelque sorte déteint sur la conduite de l'État. Tableau classique : avec la Révolution de Juillet, la société bourgeoise a pris sa revanche sur une société hiérarchique.

Il convient néanmoins de nuancer. L'orléanisme ne vaut pas que par les bourgeois. Il concerne des nobles d'Empire et des strates plus anciennes (Molé, Pasquier, Broglie). Il fait une place de choix aux universitaires (Guizot, Villemain, Cousin) et aux intellectuels promus par le journalisme (Thiers). L'université et les premières formes de la presse moderne représentent les assises de l'orléanisme en tant que doctrine ; l'une et l'autre sont attachées aux libertés et veulent réduire l'influence de l'Église. Parallèlement, s'effectue une recomposition de la société. Le faubourg Saint-Germain, plutôt légitimiste, s'isole quelque peu, et l'innovation s'installe sur la rive droite (chaussée d'Antin, grands boulevards...). La définition de nouvelles élites entraîne celle d'un « nouvel espace de mondanité » (A. Corbin). L'orléanisme se caractérise donc par le « gouvernement des élites », par un attachement aux libertés, à la paix et par un intérêt constant porté aux progrès des sciences et des techniques. S'il est, selon le mot d'Albert Thibaudet, non un parti mais un état d'esprit, il survit sans peine à la monarchie de Juillet.

❑ ***La filiation.*** Tout en participant aux gouvernements d'Ordre moral, les orléanistes évitent dans l'ensemble de s'associer aux manifestations catholiques voyantes de cette époque (culte du Sacré-Cœur, appui au pape « prisonnier » au Vatican). Une partie d'entre eux se fond dans les rangs des républicains opportunistes et leur tradition s'incarne dans des hommes politiques comme A. Tardieu, Paul Reynaud ou Pierre-Étienne Flandin. Sous la IVe République, le courant orléaniste est toujours entretenu par les Indépendants, devenus les Républicains indépendants de V. Giscard d'Estaing.

Dans *Démocratie française*, publié en 1976, en cours de mandat, il précise : « La démocratie, selon moi, ne peut fonctionner par les extrêmes. Il faut donc essayer de faire émerger une démocratie axée sur le centre, avec une oscillation entre centre gauche et centre droit, dans des conditions de compréhension réciproque, comme c'est le cas en Allemagne, même si ce pays ne constitue pas un modèle absolu » (rapporté par Éric Roussel).

Nous suivons le schéma d'interprétation des trois droites initié par René Rémond. Mais d'autres historiens, comme Gilles Richard, ont compté jusqu'à 14 familles politiques (dont 8 de droite) et s'intéressent plus au contexte qu'à l'origine des courants. Pour aider à comprendre le conflit longtemps binaire entre deux camps principaux, il propose le concept de « question centrale » ; ainsi, jusqu'en 1870, c'est le régime politique de la France qui en tient lieu.

Les dates clés

1820

Assassinat du duc de Berry.

1825

Lamartine et Victor Hugo consacrent chacun un poème au sacre de Charles X.

1828

Louis de Bonald publie *Démonstrations philosophiques du principe constitutif de la société.*

1830

2 août: Charles X abdique en faveur de son petit-fils le duc de Bordeaux, fils posthume du duc de Berry.

1836

Mort de Charles X. Son fils aîné, le duc d'Angoulême se considère comme roi en exil, sous le nom de Louis XIX.

1842

Mort accidentelle du duc d'Orléans, fils aîné de Louis-Philippe.

1844

Mort du duc d'Angoulême. Le duc de Bordeaux, comte de Chambord, prend le nom d'Henri V.

1848

Louis-Philippe est renversé.

1848-1851

Amorce d'un rapprochement entre la branche aînée (Bourbon) et la branche cadette (Orléans). Le comte Molé est le plus actif des partisans de la «fusion».

1852

25 octobre: dans une proclamation le comte de Chambord rappelle ses droits héréditaires. Création du «Bureau du roi», structure de coordination des légitimistes.

1857

Échec de la tentative de fusion.

1871

Le comte de Chambord se rend en France. Son refus du drapeau tricolore rend impossible une éventuelle restauration.

1873

Échec définitif de la restauration, malgré une tentative de pression du prétendant sur le maréchal de Mac-Mahon.

1883

Mort du comte de Chambord. Le comte de Paris, fils du duc d'Orléans, devient le prétendant.

1900

Dans la *Gazette de France*, Charles Maurras entreprend la publication de son Enquête sur la monarchie.

1908

Parution de l'*Action française*, inspirée et animée par Charles Maurras.

Pour aller plus loin :

Berstein (Serge) et Thomas (Jean-Paul) (dir.), *Le PSF. Un parti de masse à droite*, CNRS Éditions, 2016.

Bensoussan (David), *Combats pour une Bretagne catholique et rurale. Les droites bretonnes dans l'entre-deux-guerres*, Fayard, 2006.

Bonafoux-Verrax (Corinne), *À la droite de Dieu. La Fédération nationale catholique 1924-1944*, Fayard, 2004.

Rémond (René), *Les droites en France*, Aubier, 1982, 2008.

Richard (Gilles), *Histoire des droites en France (de 1815 à nos jours)*, Perrin, 2017.

ROUSSEL (Éric), *Valéry Giscard d'Estaing*, Éditions de l'Observatoire, 2018.

VAVASSEUR-DESPERRIERS (Jean), *Les droites en France*, coll. « Que sais-je ? », PUF, 2006.

WEILL (Claude), *Les droites en France (1789-2008)*, Le Nouvel Observateur/CNRS Éditions, 2008.

WINOCK (Michel), *La Droite (racontée en famille)*, Plon, 2008.

DOCUMENTS

1 – Les contradictions de la Restauration

Charles de Rémusat (1797-1875), qui fut député libéral de 1830 à 1847, souligne les erreurs commises, surtout au début de la Restauration, en les attribuant à l'« esprit de parti » plus qu'à la volonté de Louis XVIII.

[...] C'est encore une assez belle prérogative que de pouvoir le jour venu, se présenter avec un nom que tout le monde sait, et dire à un pays: « Votre histoire est aussi la mienne ». Aussi, certes, en reparaissant parmi nous, la maison de Bourbon était-elle fondée à se prévaloir de ce qu'elle n'avait, pour se faire connaître, qu'à citer Saint-Louis ou Henri IV ; mais elle aimait mieux parler de ses droits que de sa gloire [...].

Par la Charte, par ses actes journaliers, elle reconnaissait dans leurs œuvres l'autorité des gouvernements auxquels elle succédait, et elle les déclarait nuls. Elle se soumettait aux décrets de l'Empire, et elle l'appelait usurpation. Elle acceptait tout et niait tout. La constitution qu'elle avait jurée établissait les principales garanties de la liberté politique, et dans la langue officielle le mot liberté était suspect. [...] On satisfaisait aux vœux essentiels de la Révolution, et l'on déclarait qu'elle n'avait prêché que le faux, causé que le mal, et que la France ne lui devait rien. Par ménagement pour l'égalité, on s'entourait de bourgeois pour gouverner l'État et commander les armées, et on appelait l'égalité une folie ou une maladie du siècle. On décrétait la liberté des cultes, en représentant comme un temps de bénédiction celui où l'unité catholique était le rêve de l'absolutisme. [...] On cédait sur les grandes choses à l'esprit du temps et l'on s'en dédommageait en l'appelant *un esprit d'imprudence et d'erreur*. Enfin, on agissait d'une façon, on se vantait de penser d'une autre, et l'on reprochait à la nation ce qu'on faisait pour elle. [...]

Charles de Rémusat, *Politique libérale ou Fragments pour servir à la défense de la Révolution française*, Michel Lévy éditeur, Paris, 1860, pp. 207-209.

2 – Une « dynastie » orléaniste ?

Le journaliste Albert-Paul Lentin (1923-1993) décrit de manière ironique l'ascendance de Valéry Giscard d'Estaing. Celui-ci est alors ministre des Finances et des Affaires économiques dans le gouvernement de Georges Pompidou.

La vie de Valéry Giscard d'Estaing, c'est le roman d'un jeune homme riche, héritier d'une puissante dynastie.

[...]

Le petit Valéry, lorsqu'il vient au monde, le 2 février 1926, trouve dans son berceau un nom, un domaine, une fortune. Papa, un inspecteur des Finances qui a réussi dans les affaires, appartient à de multiples conseils d'administration.

Du côté maternel, ce n'est pas mal non plus. Le grand-père Jacques Bardoux, pilier du «Comité de l'Empire», appartient à l'Institut de France, dont Paul Bourget disait qu'il représente avec la Curie vaticane et le grand état-major allemand les permanences les plus profondes de l'Europe traditionnelle. Menant de pair la culture de la terre et celle de l'Esprit, il exploite des propriétés agricoles sans pour autant négliger les valeurs industrielles. Il a des actions dans le caoutchouc, les mines, l'import-export, principalement sous l'égide de la Banque de l'Indochine, bonne fée de la famille Bardoux comme de la famille Giscard.

L'héritier de la dynastie grandit dans cet univers, peuplé d'affaires de bourse, de commerce et de finances. Son adolescence ignore l'évasion poétique du Grand Meaulnes ou les chevauchées imaginaires du petit prince de Saint-Exupéry, mais se familiarise avec ces personnages abstraits et obsédants qui portent comme les nobles de vieille souche d'étranges noms à tiroir: Taux de l'Escompte, Masse de la Monnaie, Volume du Crédit ou Compte Courant du Trésor.

Très jeune, il a les plus hautes visées, mais il n'a pas besoin d'être Rastignac. Il lui suffit d'être Giscard d'Estaing. Son chemin est tout tracé. Il y fonce avec l'ardeur du jeune poulain dont on sait qu'il sera le meilleur cheval de toutes les «écuries» qui préparent les grands concours. [...]

Albert-Paul Lentin, in *Le Nouvel Observateur*, 24 décembre 1964.

3 – Un député-maire dénonce les inégalités (1995)

Jean-Louis Borloo est alors député (UDF) du Nord et maire de Valenciennes ; il sera ministre, sans interruption, de 2002 à 2010. Il connaît bien les problèmes de l'exclusion qu'il évoque dans un style très personnel.

Ma France est joyeuse et angoissée, enthousiaste et résignée, riche et pauvre, polytechnicienne et en zone d'éducation prioritaire, rappeuse et philharmonique, arrogante jusqu'au ridicule et soucieuse d'humanitaire, sans ennemi désigné et pourtant très armée, lucide jusqu'aux anxiolytiques et pourtant aveugle sur ses choix fondamentaux. [...]

Mais attention, derrière toutes ces diversités qui tuent le manichéisme, retardent l'explosion, brouillent l'analyse, rassurent les élites, et surtout aident à ne pas choisir, derrière toutes ces facettes vivantes, des écarts irréductibles se creusent, des pans entiers se délabrent, des haines définitives s'installent.

Ma France est celle des contremaîtres, techniciens ouvriers et ingénieurs, celle de ceux qui se battent pour un demi-point de productivité, celle qui est confrontée à la compétition internationale dans nos usines, à l'intégration dans nos écoles, c'est la France du courage, de l'ingéniosité et de la patience ; cette France sait que le génie est rare, qu'une stratégie repose sur la durée, qu'une décision se discute, se valide, se teste, avant d'être réellement prise, bref, l'inverse de notre agitation médiatico-politique. [...]

Ma France ne comprend pas pourquoi seuls les actifs, donc l'emploi, paient, par la raréfaction et le coût du crédit, les erreurs spéculatives et budgétaires de ses élites ; et cette France voit les siens, ses proches lâchés au bord de la route et filer à toute allure vers le RMI.

Et elle ne dit encore rien...

Mais cette France du RMI ne supporte plus d'être traitée d'assistée quand les élites défaillantes jouent aux chaises musicales, de se faire donner des leçons de citoyenneté, elle qui, perdue et sans repères, se bat avec la dernière énergie pour ses enfants, son quartier. Ma France à moi a cinq ans et parfois ne va pas à l'école faute d'habits ou de réveille-matin, elle connaît un retard nutritionnel insupportable mais elle a envie d'aimer, de montrer ce qu'elle peut faire, de donner.

[...] Ma France est, dans certaines villes, entassée dans des HLM humides alors que la Caisse des dépôts se lance dans l'audiovisuel et les stations de sports d'hiver. Ma France entend parler d'emploi alors que tout freine l'économie solidaire, l'économie mixte, l'économie publique. [...] Ma France ne croit plus que des paquets de lois générales et uniformes, subventions ou incitations aveugles qui dégringolent verticalement, seront réellement efficaces ; elle croit en l'état d'urgence sur le terrain où chacun à son niveau, mairies, entreprises, commerçants, associations, services publics, détermineraient son propre plan local.

[...] Ma France ne supporte plus qu'un hôpital de région riche soit deux fois mieux doté qu'un hôpital de région pauvre, que l'on parle de politique de la ville alors que les villes pauvres ont cinq fois moins de moyens que les villes riches, pour dix fois plus de besoins.

Et pourtant ma France tient le coup, elle se bat contre l'inceste qui progresse, elle anime les jeunes cet été, elle écoute ses ados qui glissent vers les stups et casse la gueule des dealers.

Ma France veut qu'on comprenne qu'il n'y a pas de quartiers sensibles mais des gens sensibles dans des quartiers qui le sont peu ; oui elle souhaite être comprise et entendue mais refuse que ces quartiers deviennent des plateaux de télé pour gouvernants en mal de promotion.

[...] Dans ma France, ses banlieues et villes « difficiles », ce n'est pas le bruit des explosions sporadiques qui est le plus dangereux et le plus blessant pour la démocratie, c'est le silence assourdissant derrière les volets où se taisent ces hommes et ces femmes convaincus *« qu'ils n'ont rien à dire »*.

Et si l'on écoutait, pour une fois, ceux qui n'ont rien à dire ?

Jean-Louis Borloo, « Écouter ceux qui se taisent »,
paru dans *Le Monde*, le 29 juillet 1995.

L'EXTRÊME DROITE

Le terme « extrême droite » ne suppose aucune continuité systématique ni aucune homogénéité absolue entre les courants successifs de cette famille très typée ; mais il peut s'appliquer à des groupements qui ont pratiquement tous en commun un nationalisme vif – sinon virulent –, assorti d'une nette prédisposition à la xénophobie, un antiparlementarisme notoire, un goût prononcé pour un pouvoir fort et une propension à s'exprimer dans la rue et au besoin par la violence.

Le nationalisme est, à la fin du XIXe siècle, comme le révélateur de ces prises de position. Jusque-là, le régime républicain enfin stabilisé contenait, grâce à sa force de conviction patriotique, tout nationalisme cocardier. Puis, coup sur coup, le boulangisme, la prudence extrême de certaines démarches diplomatiques – vis-à-vis de l'Allemagne et de l'Angleterre –, et surtout l'affaire Dreyfus, accréditent l'idée que l'institution militaire est sous-estimée, voire suspectée et dévalorisée, ce qui rend la nation vulnérable. Mais bien des nuances existent entre le nationalisme sentimental du lorrain Maurice Barrès, fondé sur le respect « de la terre et des morts », et l'attitude plus brouillonne d'un Paul Déroulède ou, plus encore, les élucubrations racistes d'un Drumont. En tout cas, une ligue se singularise par une forme de nationalisme intégré dans une doctrine relativement cohérente.

L'Action française

Le Comité d'Action française, fondé par M. Pujo et H. Vaugeois en 1898, reçoit l'année suivante le renfort décisif de Charles Maurras (1858-1952), méridional admirateur de Mistral et gagné, depuis 1896, à l'idée d'une restauration monarchique. Maurras, qui tient en piètre estime la démocratie, voit au contraire dans le royalisme le « nationalisme intégral ». L'Action française ravive donc le débat, toujours présent au long du XIXe siècle, sur la signification de la Révolution. Maurras, qui ne parvient que progressivement à convaincre ses partenaires, veut gommer 1789 pour retrouver la pérennité de la France des Capétiens. Il ne s'agit donc pas d'un attachement à la personne du prétendant, mais d'une construction idéologique. Dans cette optique d'Ancien Régime, Maurras envisage également la reconstitution des corps intermédiaires (famille, profession, commune, province) – le gouvernement de Vichy subira manifestement cette influence – et pense pouvoir concilier régime d'autorité et décentralisation. Enfin, le libéralisme et le capitalisme, les partis, les francs-maçons et les juifs sont réunis dans le même opprobre ; ils sont à l'origine de tous les maux du pays. Le propre de l'extrême droite, en effet, est de toujours exploiter un constat – largement exagéré – de décadence ou de déclin du pays. La déclaration exigée des adhérents de la Ligue d'Action française (1912) contient un paragraphe révélateur : « Je m'engage à combattre tout régime républicain. La République en France est le régime de l'étranger. L'esprit républicain désorganise la défense nationale et favorise les influences religieuses directement hostiles au catholicisme traditionnel. Il faut rendre à la France un régime qui soit français. »

Les postulats de l'Action française trouvent un écho dans diverses couches sociales. Dans les milieux conservateurs, toujours réticents à l'égard du régime de « défense républicaine », et prêts à croire que l'issue de l'affaire Dreyfus révèle « le triomphe du parti juif » ou, comme dit Maurras, « l'avènement de la Quatrième République ». Les classes moyennes sont sensibles à l'antisémitisme et à l'antiparlementarisme, sentiment très répandu dans la France contemporaine. Avec l'Action française s'affirme une sorte de pouvoir des intellectuels, visible au Quartier latin avant et surtout après la Grande Guerre, quand les étudiants du mouvement et les équipes organisées des « Camelots du Roi » occupent le haut du pavé, intimident et frappent à l'occasion. Dans les milieux catholiques, qui ont souffert des mesures anticléricales et de l'opération des inventaires consécutive au vote de la loi de séparation, on constate non sans satisfaction que les interventions des groupes d'Action française rendent moins fréquentes les vexations et les insultes visant le clergé ou les processions. Le culte rendu à Jeanne d'Arc, héroïne nationale – et nationaliste –, prend racine avant 1914 et tendra à devenir une espèce de chasse gardée de l'extrême droite avec, dans la seconde moitié du siècle, le renfort de nouveaux zélateurs, pétainistes et intégristes. Les milieux ouvriers, apparemment moins concernés, sont toutefois sollicités par Georges Valois, qui les connaît bien, et qui adresse en 1908 aux « militants et théoriciens du syndicalisme » (dont Georges Sorel et Jean Grave) une lettre-questionnaire dans laquelle il affirme : « Avec le développement du syndicalisme, s'accuse l'irréductible antagonisme de l'intérêt ouvrier et de l'intérêt républicain, qu'avaient déjà marqué les lois férocement anti-ouvrières des révolutionnaires de 1789. » Tout est donc ici « contre-discours » : « excroissance née du flanc de la République victorieuse, le mouvement de Maurras en a épousé en creux les formes comme une sorte de parasite historique » (J.-F. Sirinelli).

Un « fascisme français »

On savait que, dans l'entre-deux-guerres, certaines ligues et une partie de la presse d'extrême droite avaient affiché une préférence, des sympathies pour le fascisme italien et le nazisme. Il s'agit en fait de formations aux effectifs faibles, minées par des querelles de personnes (le Faisceau, le Francisme). Plus lourde paraît la responsabilité de certaines feuilles comme *Je suis partout* ou *Gringoire*, dont les rédacteurs en chef tiennent des propos véritablement fascisants. Tel Henri Béraud développant le thème de la France dépotoir : « Par toutes nos routes d'accès, transformées en grands collecteurs, coule sur nos terres une tourbe de plus en plus grouillante, de plus en plus fétide. C'est l'immense flot de la crasse napolitaine, de la guenille levantine, des tristes puanteurs slaves [...] » (*Gringoire*, 7 août 1936).

Les problématiques ont été modifiées par les travaux de Z. Sternhell. L'historien israélien a vu dans les mouvements « pré-fascistes » français du début du XXe siècle la source d'inspiration quasi unique des fascismes européens classiques. En effet, le nationalisme d'exclusion, l'antisémitisme, l'antiparlementarisme, la volonté d'un pouvoir fort et le culte de l'armée, autant d'éléments, qui aux yeux de l'auteur, permettent de parler « d'origines françaises du fascisme ». Cette thèse, qui aboutit à donner à des précurseurs isolés, voire à des brochures de faible diffusion, une importance exagérée, a été vivement critiquée. Elle construit une généalogie du fascisme davantage fondée sur le plan intellectuel que sur le plan historique. En revanche, Sternhell a raison de souligner que les formes françaises du fascisme ne sont pas une « importation étrangère ni une imitation vague du modèle italien » (Pierre Milza).

Le terreau issu de la Grande Guerre, les scandales politico-financiers (affaire Hanau, Oustric, Stavisky) et la crise économique des années 1930 ont fourni le contexte favorable à la contestation. Mais les ligues, bien qu'elles adoptent souvent une gestuelle paramilitaire, ne sont pas imprégnées de fascisme au sens complet du mot. D'ailleurs, l'attitude des chefs des Croix de Feu a été prudente lors de la soirée du 6 février 1934. Et le modeste fermier, souvent ancien « poilu », qui applaudit Dorgères, parce qu'il a l'impression qu'on lui a rendu sa dignité, peut-on globalement – comme tend à le démontrer R. Paxton – le soupçonner de menées fascistes ? Le dorgérisme serait « plus proche d'un poujadisme avant la lettre que d'un fascisme rural » (D. Bensoussan). Enfin, on peut souligner que l'imprégnation républicaine-radicale a constitué, dans la France des années 1930, une efficace barrière à l'installation du fascisme.

À l'approche de la Deuxième Guerre mondiale, les groupuscules « fascistoïdes », qui s'installent dans le camp collaborationniste, sont en place. Plus qu'un groupuscule, le Parti populaire français de Doriot en est probablement la seule formation qu'on puisse qualifier de fasciste. Les dérives fascistes les plus marquées sont venues des transfuges de la gauche, Déat, Doriot, et Bergery. Philippe Burrin analyse leur itinéraire en montrant que le Front populaire leur a « coupé l'herbe sous le pied » et que leur désir d'unifier la gauche contre le nazisme s'est mué en un projet de rassemblement national, sous des traits autoritaires, puis totalitaires.

Si le fascisme français est incomplet, c'est parce qu'il ne contient ni ambition expansionniste, ni nationalisme exacerbé, tandis que les totalitarismes italien et allemand associent le façonnement de la nation par le parti unique et l'État omniprésent et hypernationaliste. D'ailleurs, Vichy prolonge le nationalisme de repli des ligues. Il réactualise aussi le traditionalisme de la vieille droite française, catholique par souci d'ordre, xénophobe dans sa recherche du bouc émissaire de la décadence française. À l'inverse de l'idéologie des groupuscules parisiens de collaborationnistes, l'idéologie vichyste se situe dans la droite ligne d'une extrême droite française.

Le « national-populisme »

Un important courant d'extrême droite, moins soucieux de doctrine, se caractérise par la diffusion de slogans simples, susceptibles de toucher les « masses ». On retrouve les attaques contre la classe politique – toutes tendances confondues –, contre l'étranger concurrent sur le marché du travail, contre l'État monstre froid et son armée de fonctionnaires. Ce mouvement est observable depuis l'époque de Drumont. Il est relayé, sans démonstrations forcément spectaculaires, dans les années 1920, par des ligues de défense (des gouvernés, de contribuables...). Le phénomène du poujadisme s'inscrit dans cette logique. Pierre Poujade a su mobiliser, dans les années 1950, les commerçants et artisans inquiets d'une modernisation risquant de les menacer, mais aussi les mécontents de tous bords et les rageurs de l'antiparlementarisme. « Sortez les sortants ! » est d'ailleurs le slogan fédérateur des poujadistes en vue des élections législatives de 1956.

Dans les années 1960, l'extrême droite se réduit à la frange des fidèles de Vichy, relayés par les furieux de l'OAS au temps de la guerre d'Algérie. Elle est alors très minoritaire ; son représentant obtient 5 % des voix aux présidentielles de 1965.

Le Front national, à l'origine lié à la volonté de maintenir la présence française en Algérie, s'est renforcé à mesure que la communauté nationale éprouvait des difficultés d'adaptation (crise des années 1970, problème de l'immigration, déceptions liées à l'expérience de la gauche après 1981). Les résultats électoraux du Front national ponctuent les progrès, en partie conjoncturels, du national-populisme, dont les méthodes ont fait leurs preuves. On identifie les responsables d'une décadence présumée, on harcèle l'opinion de formules choc – « remettre de l'ordre dans la maison France » – on propose des solutions « nationales » qui passent par un homme providentiel. On peut voir là une résurgence de la tendance bonapartiste.

Pour autant la sociologie électorale montre bien que l'électorat du Front national n'est pas le même que celui des poujadistes mais qu'il renvoie plutôt à la carte du chômage. Dans certaines régions, il se renforce même de transfuges du communisme. Le Front national paraît surtout le produit de la crise et trouve ses appuis, non dans une catégorie particulière de la société, mais dans les secteurs menacés et fragilisés (les fameux « 18-34 ans » des sondages, les ouvriers, les chômeurs, les retraités). À beaucoup d'égards, ce sont des Français assez comparables, inquiets et désabusés, voire révoltés contre la classe politique, qui ont voté pour Philippe de Villiers aux élections européennes (1994) et présidentielles (1995).

Les **médias**, comme on l'a prétendu, sont-ils à l'origine du succès de Jean-Marie Le Pen ? Non. Le leader du Front national, tribun indiscutable, serait écouté même sans la télévision. Il sait exploiter les réflexes xénophobes, le thème de l'insécurité, annexer l'héritage des années d'Occupation et nouer localement des alliances électorales qui renforcent sa crédibilité. Il tente aussi d'annexer la vieille extrême droite traditionaliste, réfugiée dans un intégrisme catholique, renforcé par son refus de l'évolution de l'Église et de la transformation des mœurs.

Vichy, l'Algérie, l'immigration, le chômage, la décadence des mœurs, la criminalité, l'avortement, les banlieues de béton... le Front national capitalise avec efficacité toutes les peurs françaises, celles qui sont inscrites dans la mémoire historique comme celles d'aujourd'hui.

Le phénomène du Front national n'est plus une simple péripétie. Il préoccupe la droite dite parlementaire, mais la gauche aussi. Les années passant, J.-M. Le Pen a diversifié ses méthodes. Il sait faire parler de lui, alterne invectives, formules choquantes et calembours douteux, ou joue la carte de la respectabilité ; il pense exploiter, sans y parvenir, l'affaire de la profanation du cimetière juif de Carpentras (mai 1990).

Le succès moral de 2002 stimule le FN. En 2011, Marine Le Pen succède à son père à la tête du parti. Elle obtient près de 18 % des voix – et la 3e place – au premier tour de la présidentielle, et renforce son plan de « dédiabolisation » du Front (antisémitisme évité, sortie de l'euro écartée, contact avec les milieux économiques recherché). De nets succès électoraux (2014-2015) accompagnent l'évolution du « Rassemblement bleu marine », même si aucun département n'a été gagné, et malgré le sévère conflit quasi doctrinal entre le père et sa fille.

Malgré l'échec de la présidentielle de 2017 (tempéré par l'élection de 8 députés), le Front national, devenu Rassemblement national en juin 2018, continue de rajeunir son encadrement et de consolider son influence territoriale. Il arrive en tête lors des élections européennes de 2019.

Les dates clés

1882

Paul Déroulède et l'historien Henri Martin fondent la Ligue des patriotes, qui n'est pas, au départ, antiparlementaire.

1886

La France juive d'Édouard Drumont connaît un retentissement considérable.

1887-1889

Agitation et crise boulangistes.

1892

Drumont lance le quotidien *La Libre parole*.

1899

En fondant la Ligue de la Patrie française, Jules Lemaître veut défendre l'armée et dénoncer la franc-maçonnerie et le personnel gouvernemental. Les remous de l'affaire Dreyfus se dissipant, cette ligue au programme flou disparaît en 1905.

1899-1908

La droite prolétarienne et le syndicalisme « jaune » illustrés par Biétry connaissent une éphémère audience.

1905

Naissance de la ligue de l'Action française.

1908

Parution du quotidien l'*Action française* et organisation des Camelots du Roi ; Georges Sorel publie *Réflexions sur la violence*.

1919

Léon Daudet, un des chefs de l'Action française, élu député à Paris.

1925

Georges Valois fonde le Faisceau et rompt avec l'Action française.

1926

Le Vatican condamne l'Action française ; le mouvement, qu'appuyaient nombre de catholiques, se trouve affaibli.

1927

Création de l'association nationale des combattants et des blessés de guerre cités pour action d'éclat (Croix de Feu), qui absorbe bientôt les Briscards. Le lieutenant-colonel de La Rocque en prend la présidence en 1931.

1930

Parution de *Je suis partout*, dont le rédacteur en chef est Pierre Gaxotte et auquel participent L. Rebatet et R. Brasillach.

1930-1934

Henry Dorgères et les Comités de défense paysanne critiquent tant les gouvernements que les organisations agricoles traditionnelles ; ils prônent le corporatisme dans la profession.

1933

Marcel Bucard crée le parti franciste, directement inspiré du système mussolinien. À la SFIO, scission des « Néos » qui fondent le Parti socialiste de France.

1934

6 février : manifestation des anciens combattants et des ligues à Paris.

1935

Les « Chemises vertes » constituent les troupes de choc du dorgérisme.

1936

Dissolution des ligues par le gouvernement Sarraut ; les anciens Croix de Feu se regroupent au sein du Parti social français (PSF), dont l'audience augmente jusqu'en 1939. Jacques Doriot fonde le Parti populaire français (PPF).

1940

Déat et Bergery proposent – sans succès – à Pétain et à Laval leur projet de parti unique, de facture fasciste.

1941

Déat fonde le Rassemblement national populaire. Création d'un Commissariat aux questions juives, dont le premier responsable est Xavier Vallat. Juillet : La Légion des volontaires français (LVF), constituée par Doriot pour combattre l'URSS, reçoit l'appui de Déat et de Deloncle.

1942

L. Rebatet connaît un important succès de librairie à Paris avec la sortie de son ouvrage *Les Décombres*.

1943

janvier : création de la Milice française.

février : Darnand en devient le secrétaire général.

septembre : plan de redressement national des collaborateurs.

1945

La Haute Cour condamne Pétain à mort ; la peine est commuée en détention perpétuelle. Après la mort de Pétain à l'île d'Yeu (1951), une partie de l'extrême droite ne cessera de réclamer la réhabilitation du maréchal et le transfert de ses restes à Verdun.

1956

Les poujadistes font leur entrée à l'Assemblée nationale.

1957

Dans le contexte de la guerre d'Algérie, création du Front national des combattants par J.-M. Le Pen et J.-M. Demarquet.

1961

En Algérie, création de l'Organisation armée secrète (OAS), qui commet de nombreux attentats.

1965

Aux présidentielles, J.-L. Tixier-Vignancour réunit 5,2 % des suffrages exprimés.

1974

J.-M. Le Pen, candidat du Front national à l'Élysée, recueille 0,7 % des suffrages exprimés. Le Club de l'Horloge, composé d'énarques et de polytechniciens, renforce la « nouvelle droite » déjà animée, depuis 1969, par le Groupement de recherches et d'études pour la civilisation européenne (GRECE).

1984

Le Front national dépasse 10 % des voix aux élections européennes.

1986

Bénéficiant du scrutin proportionnel, le Front national envoie 35 députés à l'Assemblée nationale.

1988

Aux élections présidentielles, J.-M. Le Pen atteint 14,4 % des voix.

1995

Le Front national est conforté par la quatrième place de J.-M. Le Pen dans la compétition présidentielle (plus de 15 % des voix) et par les succès remportés aux élections municipales de juin (gain de Toulon, Orange, Marignane).

1999

Scission au Front national : en conflit avec J.-M. Le Pen, Bruno Mégret constitue une formation minoritaire.

2002

21 avril : 1er tour des présidentielles : J-M. Le Pen se place deuxième. Les médias parlent d'un séisme (pourtant, en janvier, *L'Express* consacrait un article à la remontée du FN).

2014

Élections européennes : le Front national arrive en tête avec 25 % des suffrages.

2017

avril-mai : élections présidentielles : Marine Le Pen accède au second tour, mais est battue par Emmanuel Macron.

2018

1er juin : le Front national devient le Rassemblement national.

2019

26 mai : élections pour le Parlement européen : le Rassemblement national devance d'un peu plus de 200 000 voix la majorité (LREM).

Pour aller plus loin :

BURRIN (Philippe), *La Dérive fasciste. Doriot, Déat, Bergery*, 1933-1945, Seuil, 1986.

CRÉPON (Sylvain), DÉZÉ (Alexandre) et MAYER (Nonna) (dir.), *Le Front national. Faux semblants*, Presses de Sciences Po, 2015.

HIGOUNET (Valérie), *Le Front national, de 1972 à nos jours*, Seuil, 2014.

PREVOTAT (Jacques), *L'Action française*, coll. « Que sais-je ? », PUF, 2004.

WINOCK (Michel), *Le XXe siècle idéologique et politique*, coll. « Tempus », Perrin, 2009.

Documents

1 – Le « danger juif » vu par l'antisémite Édouard Drumont (1890)

Le journaliste Edouard Drumont (1844-1917) s'est fait connaître par La France juive *(1886), livre violemment antisémite et succès de librairie. Il récidive avec* La Dernière Bataille. *Il fonde en 1892 le journal* La Libre Parole, *et son audience culmine avec l'Affaire Dreyfus. Député d'Alger de 1898 à 1902, il ne conçoit sa mission qu'à travers la lutte contre les Juifs d'Algérie.*

[...] La vérité est que la race juive ne peut vivre dans aucune société organisée ; c'est une race de nomades et de Bédouins. Quand elle a installé momentanément son campement quelque part, elle détruit tout autour d'elle, elle coupe les arbres, elle tarit les sources et on ne trouve plus que de la cendre à la place où elle a dressé ses tentes.

Le Juif n'a pas le cerveau fait comme nous. Dans son cerveau, il n'y a pas de place pour l'idée du prochain, pour la pensée qu'il existe d'autres hommes qui aient des droits, des intérêts légitimes. Une fois qu'une convoitise s'est emparée de ce cerveau, le Juif va tout droit, il a une espèce d'hypertrophie du MOI. Emporté par ce moi inexorable, il n'est gêné par aucun scrupule, il obéit à une sorte d'impulsion de névrosé servie par une merveilleuse subtilité pratique.

[...]

Le type chez A. de Rothschild appartient à l'ordre des rongeurs, à le voir, il fait l'effet d'un rat blanc et c'est un rat blanc en effet, un rat colossal du genre hamster, rat tout particulier qui a des abat-joues pour y accumuler les provisions... Infatigable, il visite toutes les armoires qu'il met à sac et tous les garde-manger qu'il met à sec...

Il n'y a plus que lui qui soit debout en France ; il a renversé tous les établissements qui auraient pu le gêner ; l'Union générale a été étranglée, le Comptoir d'Escompte saccagé de fond en comble. Au point de vue financier, rien ne fait plus obstacle à la puissance juive.

En politique, les Juifs ont agi de même, ils ont tout détruit autour d'eux. Il y a quelques années à peine, il existait des royalistes, des bonapartistes, des républicains, des radicaux. Tout cela s'est volatilisé, pulvérisé, atomisé... C'est la dissolution propre à tous les pays où les Juifs sont arrivés à disposer de tous les ressorts de l'État, à dominer absolument la situation économique.

É. Drumont, *La Dernière Bataille*, E. Dentu, Paris, 1890, préface, p. XVI.

2 – Européennes 2019 : le nouveau succès du Rassemblement national

Cet article décrit les réactions de joie des vainqueurs et pose la question des effets des succès cumulés du parti de Marine Le Pen.

[...] Depuis des mois, le RN a fait de ce scrutin européen un référendum contre le chef de l'État, *« contre sa politique et sa personne »*.

Marine Le Pen n'y a pas fait exception, dimanche soir. *« Il n'est pas tenable que, dans notre pays, autant de Français soient représentés par sept députés à l'Assemblée nationale. Cette crise de représentativité était déjà à l'origine de la crise des "gilets jaunes" »*, lâche-t-elle face à la nuée de caméras.

Gilbert Collard, député apparenté RN, acquiesce en prenant à témoin la participation en hausse (51,3 %) : *« Ce soir, on voit que le peuple a envie de s'exprimer. Si Macron était un homme d'État, il écouterait, et dissoudrait l'Assemblée nationale »*. Ovationné plus tôt dans la soirée, Jordan Bardella, tête de liste victorieuse, a ciblé d'emblée le chef de l'État en saluant *« un sursaut populaire contre le pouvoir en place »*, *« une sanction claire et une leçon d'humilité au président de la République »* : *« Ce soir, c'est lui et sa politique qui sont rejetés. »*

[...] Marine Le Pen, elle, voit dans *« l'effacement des vieux partis »* la *« bipolarisation »* du paysage politique entre son parti et celui du président ; la confirmation du face-à-face qu'elle tente d'installer depuis des mois entre *« mondialistes »* et *« nationaux »*, aidée par Emmanuel Macron qui développe le même duel, dans un vocabulaire parallèle opposant les *« progressistes »* aux *« nationalistes »* [...].

Face aux minimisations du score du RN, plus bas qu'en 2014, de leur *« petit »* écart avec La République en marche, de l'abstention moins forte qu'il y a cinq ans mais tout de même à 48,7 %, Jordan Bardella s'agace : *« Je veux bien qu'on essaie de trouver des excuses à nos opposants à chaque fois qu'on gagne une élection, mais on a gagné. »*

Le directeur de l'Observatoire des radicalités politiques à la Fondation Jean Jaurès, Jean-Yves Camus, s'étonne à peine, habitué aux soirées où les scores électoraux de l'ex-FN, pourtant implanté dans le paysage politique depuis plus d'un scrutin, occupent le devant de la scène. *« La veille de l'élection, on s'alarme ; le soir d'élection, on se rassure ; le lendemain, on oublie jusqu'à la prochaine élection... Et on recommence à la suivante. »*

Pour le spécialiste de l'extrême droite, après une victoire de l'ex-FN aux européennes de 2014, des mairies remportées, un second tour à la présidentielle en 2017 et un nouveau succès ce dimanche de mai 2019, *« on n'arrive toujours pas à penser la famille des droites radicales comme étant une composante durable de la vie politique française. »* [...]

Lucie Soullier, *Pour le RN, une première place aux airs de revanche*, paru dans *Le Monde*, le 28 mai 2019.

LE RÉPUBLICANISME[1]

L'idéologie républicaine, inséparable de la Révolution française, doit à cet événement fondateur une bonne part de la méfiance qu'elle suscite durant la plus grande partie du XIXᵉ siècle. Car le mot même de république évoque aussitôt la Terreur de 1792-1794, et fait peur. L'assimilation de la Iʳᵉ République et de la dictature d'inspiration jacobine perdure.

Après 1830, moins contraints par des formes clandestines d'opposition, les républicains se différencient des adeptes du socialisme. Ils font porter leurs priorités sur l'instauration d'un pouvoir non personnel et non héréditaire, sur l'élargissement du suffrage, sur la mise en pratique de la déclaration des Droits de l'homme et sur l'accès des jeunes citoyens à l'école. Ils s'expriment par la presse.

Pourtant, la proclamation de la **IIᵉ République** n'entraîne pas la fondation durable de la démocratie. Passée l'illusion de la fraternité nationale, l'insurrection de juin 1848 semble ramener les fantômes des sans-culottes et les risques de pression populaire sur l'Assemblée. Et la parenthèse se referme avec la mainmise d'un autre Bonaparte sur le pouvoir. Mais c'est aussi sous l'Empire que, nourrie de la rancœur du 2 décembre,

1. Voir chronologie, p. 30.

se forme une nouvelle génération de républicains, moins romantique que celle des « quarante-huitards », attachée à un projet mieux défini qui associe conquête des libertés et conservation sociale. Et il revient au duo Thiers-Gambetta de réaliser, sous les traits d'une république conservatrice, la synthèse attendue depuis la « grande » Révolution. Cette république, affermie en 1876-1877, victorieuse en 1879, n'affiche pas une doctrine impérieuse, qui serait d'ailleurs contraire à son désir de laisser se côtoyer et s'exprimer les choix intellectuels les plus variés. Mais les intentions des premiers gouvernants, ceux qu'on appelle les républicains « opportunistes », se cristallisent sur trois conceptions-clés.

L'État

La république réalise la double intégration du **suffrage universel** masculin et du régime parlementaire, régime dont la **monarchie censitaire** avait permis l'expérimentation et que l'**Empire**, sur le tard, avait réappris. Lorsqu'il était le « commis voyageur de la république », principalement entre 1872 et 1877, et qu'il tenait de multiples réunions – bien souvent encore à l'occasion de banquets et en déjouant les interdictions des ministres de l'Intérieur et de l'Ordre moral –, Gambetta avait clairement défini les perspectives de la démocratie espérée : un suffrage – déjà acquis – garantie d'ordre et facteur de libre confrontation, une reconnaissance du citoyen à travers des consultations électorales à différentes échelles (conseils municipaux, conseils généraux, **Chambre des députés**, puis **Sénat**), la participation d'un plus grand nombre aux affaires de l'État du fait du « transport de la politique dans des mains nouvelles ». L'orateur reprend ce thème à Aix-en-Provence (janvier 1876) : « Jusqu'à ce jour, la politique avait été réservée à une élite plus ou moins éclairée, plus ou moins capable, abritée derrière de grands airs de dédain, injurieuse pour les petits et gonflée outre mesure du sentiment de sa valeur ; aujourd'hui, toute la politique jusque-là réservée à quelques-uns, à une oligarchie jalouse, va tomber dans les mains du petit bourgeois, de l'ouvrier, du petit capitaliste et du paysan, de tous ceux qui travaillent ou pensent. » L'égalité politique complète l'égalité civile et donne plus de sens à la devise républicaine « Liberté, Égalité, Fraternité ».

Tel commence à se définir l'État républicain capable de faire pièce d'un côté aux partisans d'un quelconque régime monarchique (y compris **bonapartiste**), de l'autre aux tenants du jacobinisme et aux nostalgiques de la Commune. Défenseurs d'un idéal d'ordre et de progrès, inspirés par la doctrine positiviste, les opportunistes n'ont pas simplement en vue l'« opportunité » de décisions politiques pragmatiques ; ils adaptent leur idéologie à une situation, en s'efforçant de « limiter avec soin le champ des réformes, pour le parcourir plus sûrement » (J. Ferry).

La IIIe République, et son héritière indirecte la IVe, présentent sans doute une faiblesse : l'exécutif y dépend entièrement de l'Assemblée. Mais la Troisième a su faire face à des menaces intérieures graves (boulangisme, attentats anarchistes, mouvements des ligues dans les années trente), réduire l'importance et la pugnacité de ceux qui ne voient dans la république que la « Gueuse », et même gagner une guerre d'une longueur et d'une intensité sans précédent. La mémoire nationale garde aussi la trace d'alarmes provoquées par des épisodes ponctuels. On a craint une confiscation de la république par les milices patriotiques contrôlées par le Parti communiste (1944), par les généraux putschistes d'Alger en 1961. L'exemple le plus significatif reste toutefois le passage de la IVe à la Ve République. En effet, quand de Gaulle revient au pouvoir, porté par l'insurrection du 13 mai 1958 – qu'il n'a pas formellement désavouée –, c'est au nom de la tradition républicaine que l'opposition de gauche réagit, voulant voir dans le nouveau régime une résurgence de **bonapartisme**. Et, orientation non prévisible en 1958, le **gaullisme** a fait approuver **l'élection** du président de la République au suffrage universel, manière de renforcer puissamment l'État républicain conçu en 1875.

La société

La conception républicaine de la société est normalement égalitaire et intégratrice. Elle attache la plus grande importance à l'école, à toutes les formes de « promotion républicaine » et de solidarité. Mais cette démarche ne s'éclaire qu'avec le principe majeur de la **laïcité**, elle-même arme contre le « cléricalisme », dénoncé comme « l'ennemi de toute indépendance, de toute lumière et de toute stabilité [...], de tout ce qu'il y a de sain et de bienfaisant dans l'organisation des sociétés modernes » (Gambetta, 1872). L'Église catholique est très présente en effet dans le débat politique et social, et s'est compromise avec l'Ordre moral. De plus, son analyse culpabilisatrice de la défaite de 1871 a tout pour déplaire aux républicains. Plusieurs lois adoptées au cours des années 1880 expriment le souci de limiter l'influence de l'Église, entendons de l'Église interventionniste et désireuse de gouverner les esprits ; elles concernent les obsèques civiles, le divorce, la limitation de l'activité des congrégations. Sur ce dernier point, l'attitude gouvernementale est en contradiction avec les règles de conduite libérales observées par ailleurs.

❑ ***L'École devient un enjeu.*** En même temps qu'un lieu d'affrontement. Depuis longtemps, surtout depuis la loi Falloux, le rôle du clergé est primordial dans le domaine de l'enseignement ; les républicains veulent prendre une revanche, mais l'intérêt qu'ils portent à l'école ne tient pas à ce seul contexte. Comptent largement le désir de parfaire la formation du citoyen (« le suffrage universel appelle l'instruction universelle »), la triste exemplarité du modèle scolaire prussien et allemand, les besoins déjà manifestes de l'industrie et du commerce en main-d'œuvre alphabétisée.

Pourtant l'instruction publique n'avait pas été négligée ; de Guizot à Duruy, la scolarisation a progressé. Jules Ferry n'a pas inventé l'école pour tous, mais il a créé l'école laïque de la République, après avoir instauré la gratuité et l'obligation. Le corps des instituteurs et institutrices, au départ disparate, se renforce des promotions des Écoles normales et défend l'« esprit républicain ». Ces « hussards noirs » comme le disait Péguy, affrontent à l'occasion, dans le cadre clos de la commune, l'hostilité des adversaires de l'« école sans Dieu », voire de l'« école du Diable », et trouvent leur place, jamais confortable, dans la trilogie que complètent le maire et le curé. Bien que ni J. Ferry, ni Jean Macé, fondateur de la Ligue de l'enseignement, n'aient voulu imposer une marque matérialiste, leur logique laïciste les a amenés à séparer l'éducation morale et l'éducation religieuse, ce qui choque les catholiques à cette époque. Le ministre a pourtant su tenir aux instituteurs un langage de probité: «Au moment de proposer aux élèves un précepte, une maxime quelconque, demandez-vous s'il se trouve à votre connaissance un seul honnête homme qui puisse être froissé de ce que vous allez dire [...]. Si oui, abstenez-vous de le dire» (1883). Et Jean-François Chanet a montré que, dans la pratique pédagogique, l'instituteur républicain relie constamment le local au national et – contrairement à un cliché du XXe siècle –, ne dévalorise pas les références et l'originalité du milieu local et régional.

Cette grande ambition stimule le mouvement des constructions scolaires, bâtiments publics, donc expression de l'État, comme les mairies ou les préfectures. L'architecture scolaire a fait l'objet de tous les soins des gouvernants soucieux d'afficher leur confiance dans ce service public par définition porteur d'avenir. En imposant des normes, mais en laissant une grande liberté aux architectes, «la Troisième République produira un type unique, alliance de trois facteurs: la rationalité, le progrès, la pédagogie ou, en d'autres termes, le sens pratique, l'idéal démocratique, la vertu éducative» (J.-Y. Andrieux).

Cet encadrement officiel ne doit pas étonner. Si la république encore contestée voit dans l'école le moyen de former des citoyens et des acteurs politiques et sociaux responsables, le projet d'ensemble est plus structuré, il porte l'individu-élève à se plier à la règle collective. Tel est le schéma de l'école de la IIIe République. Mais ce n'est pas le seul. Après 1945, les républiques ont pu voir fleurir des pratiques tenant moins compte de la pression du corps social, ce que les responsables de l'éducation ont traduit en termes pédagogiques différents (recherche d'un épanouissement personnel, prise en compte des différences individuelles). Au point que l'initiative de J.-P. Chevènement en 1984-1986, favorable au recentrage de l'école sur sa vocation d'enseignement (plutôt que d'éducation dans un sens trop large) et de transmission des connaissances, a été perçue par bon nombre comme un «retour» vers le modèle ferriste.

De toute manière, l'école bâtie à la fin du XIXe siècle est restée, à travers plusieurs modifications législatives, un sujet de controverses et de conflits (problème de l'application des lois laïques à l'Alsace-Lorraine recouvrée, loi Barangé (1951), loi Debré (1959), manifestations entraînant le retrait par la gauche du projet Savary (1984), premier débat sur le «foulard islamique» (1989), abandon par la droite d'un projet de modification de la loi Falloux (1994), loi de 2004 sur les signes religieux dans les établissements scolaires.

La nation

Évidente apparaît encore la filiation avec la Révolution: la souveraineté nationale est indivisible, l'indépendance demeure un impératif absolu. En revanche, les républicains de la IIIe République ne se reconnaissent pas dans la nation française sorte de guide des peuples aspirant à s'émanciper, utopie forte de 1848, mais malencontreusement traduite par la politique des nationalités de Napoléon III.

Frappée par la défaite, la république de Thiers, dès 1872, se préoccupe d'une réorganisation de l'armée, bien que le thème de la Revanche ne soit jamais abordé officiellement par les gouvernements; « pensons-y toujours, n'en parlons jamais », conseille Gambetta. La diplomatie française veillera méticuleusement à éviter tout reproche de nationalisme ou de bellicisme, surtout de la part du voisin allemand. Mais on ne peut faire l'économie d'un patriotisme de circonstance, qui pousse loin ses racines. « La République aux républicains » se marque déjà par le choix de la *Marseillaise* comme hymne national, puis par une plus grande sollicitude envers l'armée et les conscrits (la popularité naissante du général Boulanger provient de là). Le service militaire, véritable instrument d'acculturation – comme l'école –, tend à se démocratiser par suppression des dispenses ou des réductions des temps d'incorporation, et prend sa forme définitive en 1906, avec la disparition du tirage au sort. L'intérêt civique explique la naissance en 1882, et pour une dizaine d'années, des bataillons scolaires, surtout symboliques à dire vrai, mais aussi, plus révélatrice, l'éclosion de nombreuses « sociétés conscriptives » où l'on acquiert la pratique de la gymnastique, du tir et de l'instruction militaire.

Les thèmes patriotiques trouvent une place de choix dans les manuels scolaires. L'historien Lavisse, auteur d'un ouvrage à succès pour les écoliers, et maître à penser républicain jusqu'à la guerre de 1914-1918, voit du reste dans l'instituteur et l'officier les « piliers jumeaux de la patrie ». Quant au *Tour de la France par deux enfants*, publié, en 1877, sous le pseudonyme de G. Bruno et promis à de nombreuses rééditions, il associe le culte rendu aux provinces de l'Est à la prise de conscience de la diversité régionale de la patrie.

Au sujet de la nation, les républicains peuvent faire leurs les formules de Renan (conférence de 1882 à la Sorbonne) insistant sur la solidarité, le désir de vivre ensemble, le « plébiscite de tous les jours ».

Un autre stimulant du patriotisme provient de la reprise de la colonisation, à partir de 1881 et de l'implantation en Tunisie. Mais l'entreprise coloniale ne fait pas l'unanimité entre les républicains: aux opportunistes qui l'approuvent s'opposent les radicaux, partisans d'un maintien des forces armées sur le territoire national et d'un patriotisme plus « continental ». Ralliés dès la fin du siècle à l'expansion coloniale « civilisatrice », les **radicaux**, constitués en parti en 1901, défendent dans la première moitié du XXe siècle la pérennité de l'esprit républicain, et la fidélité à ses origines.

Mais cette culture politique républicaine doit presque tout, remarque Vincent Duclert, au quart de siècle 1880-1905 et à sa législation cohérente: « Dans une République qui n'avait pas véritablement de Constitution, ce sont les grandes lois qui ont servi de textes fondateurs: sur la liberté de la presse, sur l'école, sur les syndicats, sur la liberté d'association, sur la séparation des Églises et de l'État. »

Esprit républicain et héritage révolutionnaire

La fête nationale fixée au 14 juillet est pour la première fois célébrée en 1880. Il est indifférent que la Ire République ait vu le jour en 1792 et non en 1789. Le symbole garde assez de valeur. On peut le jauger au nombre de municipalités de l'Ouest, qui, durant des années, vont bouder la célébration d'un événement honni par la France conservatrice. Or ces commémorations doivent présenter un caractère intégrateur. Comparons maintenant, à cent ans de distance. 1889 : le centenaire de la Révolution fait suite à la fondation de la IIIe République. D'où le souci de regrouper les partisans du régime récemment stabilisé par une référence *globale* à la Révolution ; souci qui éclaire le mot – si discuté plus tard – de Clemenceau : « La Révolution est un bloc ». 1989 : le bicentenaire est célébré dans des conditions plus complexes. Le legs révolutionnaire paraît sans doute moins homogène, car nous savons mieux distinguer les tendances libérales et autoritaires qui ont alterné, en somme mieux distinguer 1789-1791 de 1793. Rehaussée par la présence d'invités du monde entier, placée sous le signe des Droits de l'homme, la grande célébration a eu ses effets internes qu'analyse avec pertinence Maurice Agulhon : « On vit des Français de droite bouder le bicentenaire et dénigrer la Révolution pour mieux attaquer le gouvernement, des Français de gauche user du Bicentenaire pour relancer leur propre offensive idéologique contre la droite [...] ». Mais il est logique qu'une partie des Français soit moins attachée à la tradition révolutionnaire intégrée dans la tradition républicaine ; il s'agit de celle qui représente la descendance des royalistes et des catholiques qui se sont ralliés finalement au régime républicain.

Les attentats terroristes contre les journalistes de *Charlie Hebdo* et le magasin Hyper Cacher de la Porte de Vincennes (7-9 janvier 2015) causent la mort de 17 personnes et provoquent une émotion considérable. « Je suis Charlie » résonne partout. Le 11 janvier, des marches sont organisées dans toute la France et celle de Paris réunit, en tête du cortège, un nombre impressionnant de chefs d'États et de gouvernements. Les dirigeants et les commentateurs saluent cette manifestation de l'esprit républicain pour défendre les libertés. « Quand des millions de citoyens spontanés et désintéressés se dressent de la même façon, cela s'appelle une identité nationale », écrit Christophe Barbier dans son éditorial de *L'Express* (14 janvier).

Le 13 novembre 2015, la tentative d'attentat au Stade de France, à Saint Denis, puis les attentats au *Bataclan* et aux terrasses de cafés et de restaurants dans Paris, provoquent stupeur, indignation et colère, et le déclenchement de l'état d'urgence.

Après les attentats « ciblés » contre *Charlie Hebdo* et l'Hyper Cacher, il s'agit d'une tuerie aveugle. Le président de la République s'adresse aux parlementaires lors d'un Congrès extraordinaire à Versailles, le 16 novembre. Au plan politique, l'union nationale est très tempérée : la droite (LR) demande une inflexion de la politique extérieure, le Front national relance la question de l'afflux des migrants et le Front de gauche s'inquiète des excès possibles de l'état d'urgence. Le 27 novembre, se déroule, aux Invalides, une cérémonie à la mémoire des victimes des attentats du 13, au cours de laquelle sont lus les noms et âges des 131 personnes tuées. La République se défend.

L'installation du macronisme ?

Marc Lazar pose la question : « De quoi le macronisme est-il le nom ? Ses adversaires de droite voient en Emmanuel Macron un homme de gauche qui se fait passer pour un libéral. Ceux de gauche fustigent l'exact opposé, un libéral au service de gros intérêts financiers qui laisse croire qu'il viendrait de leur famille et en conserverait certaines traces. » Conscient des limites du clivage droite/gauche, E. Macron se veut « et de droite et de gauche », souhaitant exploiter ce qui est positif des deux côtés, et revendiquant donc d'être progressiste, pro-européen et pour une société ouverte. Il prône l'adaptation de la France à une économie mondialisée, transformée comme jamais par la numérisation et la robotisation. En tant que ministre de l'Économie (2014-2016), il avait déjà avancé sur cette voie par la loi qui porte son nom (adoptée en juillet 2015) et qui concerne l'ouverture des commerces le dimanche, l'épargne salariale élargie, le transport par autocars... Il est favorable à un État modernisé et plus efficace et ne conçoit pas d'avenir français en dehors de l'Europe.

E. Macron a conquis l'Élysée avec une troupe plus enthousiaste qu'expérimentée, simple mouvement devenu un parti, La République En Marche (LREM). Du fait du discrédit des partis traditionnels, le vote a consacré la jeunesse et la nouveauté. Revers de la médaille, LREM a fait élire des députés novices, qui se voient conviés à un séminaire de formation dans la semaine qui suit leur élection. Le socle électoral de ce parti est donc mince, mais la force du macronisme naissant tient aussi à la faiblesse relative des opposants, le Rassemblement national excepté. Une preuve en est donnée par les résultats du scrutin européen du 26 mai 2019. Affaiblie par six mois de conflits sociaux, la majorité fait mieux que limiter les dégâts, tant sont flagrants les effets de la recomposition politique : PS, LR et même LFI n'enregistrent que des scores décevants. Cela confirme une nouvelle polarisation entre les néolibéraux – macronistes et leurs alliés – et les nationalistes. Gilles Richard voit justement dans la question nationale la « question centrale » des trente dernières années.

Pour aller plus loin :

AGULHON (Maurice), *Marianne au combat (1792-1880) et Marianne au pouvoir (1880-1914)*, Flammarion, 1979 et 2001 ; *Coup d'État et République*, coll. « La Bibliothèque du citoyen », Presses de Sciences Po, 1997.

ANDRIEUX (Jean-Yves), *L'architecture de la République*, coll. « Patrimoine/Références », Sceren/CNDP, 2009.

BIANCHI (Serge) *et al.*, *Citoyenneté, République et Démocratie en France de 1789 à 1899*, PUR, Rennes, 2014.

BRIZZI (Riccardo) et LAZAR (Marc) (dir.), *La France d'Emmanuel Macron*, PUR, Rennes, 2018.

CHANET (Jean-François), *L'École républicaine et les petites patries*, Aubier, 1997.

DALISSON (Rémi), *Célébrer la nation. Les fêtes nationales en France de 1789 à nos jours*, Nouveau Monde Éditions, 2009.

DUCLERT (Vincent), *La France, une identité démocratique*, Seuil, 2008.

GARRIGUES (Jean), *La République incarnée (De Léon Gambetta à Emmanuel Macron)*, Perrin, 2019.

NAQUET (Emmanuel), *Pour l'humanité. La Ligue des droits de l'homme de l'affaire Dreyfus à 1940*, PUR, Rennes, 2014.

NICOLET (Claude), *L'idée républicaine en France (1789-1924)*, Gallimard, 1982, rééd. « Tel », 2007.

OZOUF (Mona), *De Révolution en République. Les chemins de la France*, coll. « Quarto », Gallimard, 2015.

REBERIOUX (Madeleine), *Vive la République !* (édité par G. Candar et V. Duclert), Démopolis, 2009.

WINOCK (Michel), *La France républicaine (Histoire politique XIX*e*-XXI*e *siècle)*, coll. « Bouquins », Robert Laffont, 2017.

DOCUMENTS

1 – L'opposition républicaine en Lorraine (1873)

Ce texte fait suite à l'intégration du Territoire impérial d'Alsace-Lorraine dans l'empire allemand (de 1871 à 1918), après le traité de Francfort du 10 mai 1871 mettant fin à la guerre franco-prussienne. On peut y voir une opposition, certes discrète, mais tout en finesse et ironie.

« Véritable histoire du Petit Chaperon rouge »

Il y avait une fois une petite fille que l'on appelait le Petit Chaperon rouge parce que dans son berceau on l'avait coiffée d'un bonnet phrygien, et que, depuis, elle avait été vouée au bleu par sa famille.

Un jour, le Petit Chaperon rouge alla voir sa grand-mère qui était encore toute meurtrie des coups qu'une bande d'Allemands lui avait donnés, en lui prenant ses vaches, ses chèvres et en mettant le feu à sa chaumière.

Le Petit Chaperon rouge lui portait, dans un panier, une galette constitutionnelle, un petit pot de beurre électoral, et des friandises libérales que la bonne femme attendait avec impatience pour retrouver le repos et la santé.

La petite fille passait dans un grand bois que l'on appelait le parc de Versailles. Elle rencontra compère le loup qui avait bien envie de la manger tout de suite ; mais il n'osa pas, à cause de quelques bûcherons qui jouissaient encore de leurs droits de citoyens ; il lui demanda fort civilement où elle allait.

[Le texte se poursuit par un dialogue, sans aucune allusion politique ; puis le loup s'en va.]

Le loup ne fut pas long à arriver à la maison de la grand-mère. Il heurte. Toc ! Toc !

– Qui est là ?

– C'est votre fille *[sic]*, le Petit Chaperon rouge.

– Tire la chevillette du pacte de Bordeaux, et la bobinette de la république cherra.

[Le loup entre, mange la grand-mère et prend sa place dans le lit ; le Petit Chaperon rouge entre à son tour.]

– Ma mère-grand, que vous avez de grands bras !
– C'est pour tenir des cierges, mon enfant ! [...]
– Ma mère-grand, que vous avez de drôles de préfets !
– C'est pour mieux t'empoigner mon enfant ! [...]
– Ma mère-grand, que vous avez de grandes dents !
– C'est pour te manger mon enfant !

Et en disant ces mots, l'Ordre moral se jeta sur le Petit Chaperon rouge et le mangea.

Extrait de *L'Éclaireur*, journal républicain de l'arrondissement de Lunéville, 3 août 1873.

2 – « Une République chez elle » (1876)

Dans une prose très maîtrisée, Gambetta gomme, ici, une partie de la tradition révolutionnaire – et volontiers annexionniste – de la France et souligne le changement. Au-delà de l'auditoire lyonnais, il s'adresse en effet à l'Europe.

[...] La première règle de conduite, c'est de continuer à inspirer au monde cette conviction que la démocratie française – et par là je n'entends pas un parti, mais la France tout entière –, en se tenant à la République comme forme nécessaire de l'ordre et du progrès, a l'intention d'être une République vraiment française, c'est-à-dire une République chez elle, une République ordonnée, recueillie, pacifique, libérale, ayant renoncé absolument au prosélytisme et au cosmopolitisme, comprenant très bien qu'ailleurs les peuples sont maîtres chez eux et que la politique extérieure d'une République française comporte, exige, impose la nécessité de respecter la constitution des autres peuples, quelle qu'elle soit. (*Assentiment unanime. Bravos.*)

C'est parce que l'Europe comprend ainsi notre démocratie, c'est parce qu'elle est assurée que cette démocratie entend désormais n'être pas plus révolutionnaire au dehors qu'au-dedans, qu'il se produit un fait inouï et nouveau, dont il faut s'applaudir et se réjouir, et pour lequel vous serez glorifiés dans l'avenir : c'est que la République française est considérée non seulement par les peuples, mais par les gouvernements de l'Europe, comme un gage de paix et de salut général, comme un gage de moralité pour la France, comme un gage d'ordre et d'apaisement, et que, pour la première fois, on comprend en Europe que la République française peut exister, c'est-à-dire que le gouvernement libre par excellence peut être exercé par un grand peuple sans susciter aux pays voisins de ses frontières ni appréhensions, ni craintes, ni dommages. *(Marques générales d'approbation.)*

[...]

Discours de Gambetta à Lyon (28 février 1876), après le premier tour des législatives.

3

L'ÉVOLUTION DU SYSTÈME ÉLECTORAL

Le premier des signes symboliques de l'exercice de la démocratie est le vote, la désignation des mandataires. D'où l'importance des stratégies mises en place pour préparer et gagner les élections, mais aussi pour convaincre les abstentionnistes. Selon le type d'élection, le vote acquiert une portée nationale (président de la République, Parlement, référendum), locale (conseil municipal, conseil général, conseil régional) ou supra-nationale (Parlement européen).

LES SYSTÈMES ÉLECTORAUX ET LES MODES DE CONSULTATION

LA MONARCHIE CENSITAIRE (1815-1848) : LES ÉLECTIONS À LA CHAMBRE DES DÉPUTÉS

1815

août : élections. Chambre dite « introuvable ».

1816

octobre : élections générales favorables aux constitutionnels après la dissolution de la Chambre introuvable par ordonnance du 5 septembre.

1820

novembre : élections de 223 députés par application de la nouvelle loi électorale dite du « double vote ».

1823

Dissolution de la Chambre, le 24 décembre 1823.

1824

25 février et 6 mars : élections générales (« Chambre retrouvée »).

1827

novembre : dissolution de la Chambre et élections qui mettent en minorité Villèle.

1830

juillet : élections générales.

juillet : ordonnance prononçant la dissolution de la nouvelle Chambre avant même sa réunion.

1834

juin : élections générales.

1837

novembre : élections générales.

1839

mars : élections générales.

1842

juillet : élections générales.

1846

août : élections générales.

Le caractère sélectif du vote est à l'origine de la distinction – appelée à perdurer – entre le « pays légal » et le « pays réel », le second étant absent des élections. Sous la Restauration, il faut payer 300 francs d'impôt pour être électeur, et 1 000 francs pour se porter candidat. Diverses mesures, au cours de la Restauration, sont prises pour restreindre encore le suffrage, notamment celle du « double vote » en 1820. Les électeurs les plus imposés votent alors deux fois : d'abord, avec tous les autres électeurs pour désigner 258 députés d'arrondissements, puis seuls, au niveau du département pour en désigner 172 autres. Grâce à ces artifices, la Chambre des députés est d'un royalisme intransigeant. Il faut attendre 1830 pour que les critères s'allègent. L'âge de l'électorat passe de 30 à 25 ans, celui de l'éligibilité de 40 à 30 ans. Le cens s'abaisse de façon sensible : de 300 à 200 francs pour les uns, de 1 000 à 500 francs pour les autres. Il y a presque doublement du « pays légal » (de 90 000 personnes en 1830 à 166 000 en 1831). Ce chiffre atteint 240 000 en 1846, ce qui traduit l'enrichissement de la France.

La IIe République : élections aux Assemblées constituante puis législative et élections présidentielles

1848

23-24 avril : élection de l'Assemblée constituante

10-11 décembre : élection du président de la République, Louis-Napoléon Bonaparte.

1849

13-14 mai : élection de l'Assemblée législative.

La République procède à l'instauration du **suffrage universel** direct à 21 ans, pour les hommes. Le vote se déroule au chef lieu de canton. Les hauts fonctionnaires ont reçu l'ordre de ne pas exercer de pression.

L'Assemblée constituante de 1848 est élue par un scrutin départemental de liste : les électeurs sont invités à voter pour plusieurs candidats. Les candidats obtenant le plus grand nombre de suffrage à l'unique tour de scrutin (et au moins 2 000 voix) sont déclarés élus. Le système est maintenu en 1849 pour l'élection de l'Assemblée législative. Le régime électoral bénéficie en 1848 aux républicains modérés et en 1849 aux conservateurs qui s'unissent dans le « parti de l'Ordre » face à des adversaires divisés : les modérés et les démocrates-socialistes.

Le Second Empire : plébiscites et élections au Corps législatif

1851

Plébiscite.

1852

Plébiscite ; élections au Corps législatif.

1857

Élections au Corps législatif.

1863

Élection au Corps législatif.

1869

Élections au Corps législatif.

1870

Plébiscite.

La pratique du suffrage universel est sans doute altérée par l'intervention des préfets, l'appui exclusif apporté aux « candidats officiels », l'absence d'une information libre (même si les historiens sont aujourd'hui portés à atténuer le caractère coercitif de ces pressions). En effet, l'Empire opte pour un **scrutin uninominal** et l'exigence d'une majorité absolue au premier tour, avec le cas échéant un second tour si cette majorité n'est pas réalisée. Cette pratique favorise l'influence de l'administration et des grands propriétaires conservateurs. La liberté de candidature au second tour rend possible des manœuvres pour diviser les suffrages des opposants. Ce régime électoral contribue à donner au Corps législatif des majorités stables. L'apprentissage électoral des Français se poursuit et la participation, toujours forte en milieu rural, prouve que les paysans voient dans les scrutins des prétextes à l'émancipation sociale. Mais ce n'est qu'en 1863 qu'apparaît au Corps législatif un groupe d'opposants capable de faire entendre sa voix.

LA IIIe RÉPUBLIQUE (1870-1940) : LES ÉLECTIONS LÉGISLATIVES

1871

8 février : majorité royaliste (il y a même un tiers de députés nobles).

1876

20 février-5 mars : majorité républicaine.

1877

14-28 octobre : après dissolution, les républicains conservent la majorité.

1881

21 août-4 septembre : victoire des opportunistes.

1885

4-18 octobre : majorité « centre/droite ».

1889

22 septembre-6 octobre : succès républicain. Premiers élus socialistes.

1893

20 août-3 septembre : forte majorité modérée.

1898

8-22 mai : victoire des modérés.

1902

27 avril-11 mai : succès du bloc des gauches.

1906

6 et 20 mai : le bloc des gauches conserve la majorité.

1910

25 avril-8 mai : recul de la gauche.

1914

26 avril-10 mai : les partis de gauche obtiennent la majorité absolue.

1919

16 novembre : victoire du bloc national (élection de la chambre « bleu horizon »).

1924

11 mai : victoire du cartel des gauches.

1928

22-29 avril : l'Union nationale est renforcée.

1932

8 mai : victoire de la coalition de gauche (socialiste et radicaux).

1936

5 mai : victoire du Front populaire.

❑ ***Élections de 1871 et de 1885 : scrutin majoritaire départemental.*** Pour l'élection de l'Assemblée nationale, le 8 février 1871, le gouvernement provisoire remet en vigueur le mode de scrutin de 1849. Ce scrutin de liste à un tour, où les candidats sont élus à la majorité relative, aboutit à l'élection d'une Assemblée à majorité conservatrice.

La loi de 1873 exige la majorité absolue des suffrages au premier tour. Elle a été votée par les conservateurs monarchistes que les querelles dynastiques ont empêchés à plusieurs élections partielles de triompher face aux républicains, alors qu'au total ils avaient davantage de suffrages. Ce mode de scrutin est également employé pour les élections de 1885.

❑ ***Élections de 1876, 1877 et de 1889 : scrutin uninominal ou d'arrondissement à deux tours.*** En 1875, les conservateurs rétablissent le système électoral de l'Empire, convaincus que les notables les aideront si les luttes électorales ont lieu dans un cadre plus étroit, celui de l'arrondissement. En 1889, alors que le scrutin de liste a été rétabli pour les élections de 1885, le scrutin d'arrondissement est à nouveau adopté devant le danger boulangiste. Pour éviter que le général ne prenne la tête de plusieurs listes, on interdit de surcroît la multiplicité des candidatures. De fait, le boulangisme est vaincu.

Le scrutin d'arrondissement à deux tours est, en partie, à l'origine de la fragilité des majorités de coalition et de l'instabilité ministérielle qui marque la IIIe République durant ces années. Le premier tour favorise en effet les surenchères entre les différents partis ou tendances et contribue à l'émiettement des courants politiques. La réforme électorale que prônent notamment les socialistes n'aboutit pas en 1914. Il faut attendre les lendemains de la guerre.

❑ ***Élections de 1919 et 1924 : scrutin majoritaire et représentation proportionnelle dans le cadre départemental (loi du 12 juillet 1919).*** La loi prévoit un scrutin à un tour. Les candidats obtenant plus de la moitié des suffrages (majorité absolue) sont proclamés élus ; les sièges restants sont répartis à la représentation proportionnelle, selon le système du quotient (chaque liste a droit à autant de sièges que la moyenne des suffrages obtenus par ses candidats contient le quotient : le nombre des suffrages exprimés dans la circonscription divisé par le nombre de sièges à pourvoir). En 1919 et en 1924, la loi favorise l'émergence de coalitions bien définies : le bloc national d'abord, le cartel des gauches ensuite. Entre 1924 et 1927, les tiraillements qui s'affirment désormais entre radicaux et socialistes provoquent le retour de l'instabilité ministérielle. En 1927, afin de pouvoir maintenir néanmoins leur alliance électorale en favorisant des désistements mutuels, les socialistes et les radicaux rétablissent le scrutin d'arrondissement.

❑ ***Élections de 1928 à 1936 : scrutin majoritaire à deux tours, dit « scrutin d'arrondissement » (la loi du 27 juillet 1927).*** Le retour de ce mode de scrutin s'accompagne, comme cela s'était déjà produit avant la guerre, d'une dissociation entre coalition électorale et coalition gouvernementale. Si les forces de gauche se trouvent unies aux élections, la pratique du pouvoir fait renaître les dissensions au sein des coalitions et provoque un renversement de la majorité au pouvoir. Une nouvelle majorité se constitue (1938), plus à droite, faite des radicaux et des modérés, qui ne reflète plus désormais le choix des électeurs.

Intérim constitutionnel (1945-1946) et IVe République (1946-1958) : les élections législatives

1945

21 octobre : première Assemblée constituante. Le vote des femmes.

1946

2 juin : deuxième Assemblée constituante. Les résultats des élections aux deux Assemblées sont très voisins et placent nettement en tête le PC, le MRP et la SFIO, chacun avec à peu près un quart des suffrages exprimés.

10 novembre: succès des partis communiste et MRP.

1951

17 juin: succès de la «Troisième force».

1956

2 janvier: victoire du Front républicain. Poussée poujadiste.

❑ ***Élections de 1945 et de juin et novembre 1946 (ordonnance du 17 août 1945 et loi du 5 octobre 1946): la représentation proportionnelle.*** Il s'agit d'un scrutin de liste départemental. Les sièges sont répartis entre les listes proportionnellement au nombre des voix qu'elles ont obtenues. Chaque liste a autant de sièges qu'elle a de quotient électoral. Les restes, c'est-à-dire les sièges qui n'auraient pas été attribués par ce procédé, sont répartis selon une règle mathématique appelée la plus forte moyenne. Les sept départements ayant plus de neuf députés sont divisés en deux ou plusieurs circonscriptions. Les résultats des premières élections avec un électorat qui a presque doublé du fait du vote des femmes (1944) met en évidence la force de trois partis: la progression spectaculaire du Parti communiste, le maintien du Parti socialiste et l'apparition d'une force nouvelle, le Mouvement républicain populaire (MRP). Le système ne met pas pour autant fin à l'instabilité ministérielle chronique qu'avait connue la France durant la IIIe République: 23 gouvernements se succèdent depuis le départ du général de Gaulle en 1946 jusqu'en 1958. La fréquence des chutes de ministères entretient une atmosphère permanente de crise.

❑ ***Élections de 1951 et 1956: le système des apparentements.*** Pour les élections de 1951, on institue les apparentements qui permettent aux listes «apparentées» d'enlever tous les sièges d'un département si elles totalisent plus de 50 % des suffrages exprimés. Les sièges sont alors répartis entre les listes apparentées suivant la règle de la plus forte moyenne. C'est donc un système mixte à la fois majoritaire et proportionnel. Il a été conçu pour parer au risque de l'élection d'une Assemblée où les opposants communistes et gaullistes auraient obtenu la majorité, rendant ainsi tout gouvernement impossible. En ce sens il a réussi, mais il n'a pas mis fin pour autant à l'instabilité parlementaire.

La Ve République: élections législatives

1958

23-30 novembre: la droite (surtout l'UNR) arrive en tête. De nombreux leaders de gauche (Duclos, Mendès France, Mitterrand) sont battus.

1962

18-25 novembre: très large succès de l'UNR.

1967

5-12 mars: les gaullistes reculent au profit de la gauche, mais conservent cependant la majorité.

1968

23-30 juin: après dissolution, victoire écrasante des gaullistes.

1973

4-11 mars : progrès de la gauche mais l'alliance UDR – républicains indépendants l'emporte.

1978

12-19 mars : succès de la majorité giscardienne malgré des résultats plutôt favorables à la gauche au premier tour.

1981

14-21 juin : après dissolution, ces élections sont marquées par un raz de marée socialiste (majorité absolue).

1986

16 mars : victoire du RPR et de l'UDF. Le scrutin proportionnel donne 35 sièges au Front national. F. Mitterrand désigne J. Chirac comme Premier ministre.

1988

5-12 juin : à la suite de la dissolution de l'Assemblée nationale, les socialistes n'obtiennent que la majorité relative ; ils se montrent partisans de « l'ouverture » au centre-droit.

1993

Victoire sans partage du RPR et de l'UDF.

1997

Victoire écrasante du Parti socialiste et de ses alliés.

1999-2000

La loi sur la parité facilite, enfin, l'éligibilité des femmes

2002 et 2007

Majorité absolue pour le regroupement de la droite parlementaire (UMP).

❑ ***Élections de 1958 à 1986 : scrutin majoritaire uninominal à deux tours (ordonnance du 13 octobre 1958).*** Accusée d'être à l'origine de l'instabilité parlementaire, la représentation proportionnelle est abandonnée au profit du scrutin majoritaire. Ce dernier diffère quelque peu du scrutin d'arrondissement de la IIIe République : d'une part, seuls les candidats ayant obtenu au premier tour un nombre de suffrages au moins égal à 10 % des électeurs inscrits en 1966, 12,5 % en 1976, peuvent se présenter au second tour. D'autre part, des suppléants se présentent avec chaque candidat ; ils sont appelés à succéder à l'élu si celui-ci est décédé ou en cas d'incompatibilité entre le mandat parlementaire et l'exercice de fonctions ministérielles. Enfin, le nouveau scrutin s'accompagne d'un redécoupage des circonscriptions : les arrondissements ayant des populations d'importance variable, il faut redécouper le territoire en 465 circonscriptions qui doivent avoir une population à peu près semblable. Ce mode de scrutin, allié à l'émergence d'un parti dominant d'obédience gaulliste dès 1958, a favorisé la stabilité gouvernementale. Ce phénomène majoritaire se double, depuis 1962, d'un phénomène de bipolarisation engendré par l'élection présidentielle. La gauche a ainsi été amenée à s'organiser et se regrouper. En 1981, elle obtient la victoire. Mais dans la perspective des élections de 1986 et d'une sanction éventuelle de son électorat, F. Mitterrand décide de changer de mode de scrutin pour atténuer les effets d'un reflux attendu de la gauche et favoriser les minorités susceptibles de réduire l'influence de la droite traditionnelle.

❑ ***La parenthèse du scrutin proportionnel.*** La loi du 26 juin 1985 prévoit l'établissement de la proportionnelle à un tour dans le cadre départemental, avec répartition des restes à la plus forte moyenne. La droite n'en a pas moins conquis la majorité absolue des sièges à l'Assemblée nationale en 1986 même si le Parti socialiste, avec près de 32 % des suffrages exprimés, reste le premier parti de France. Plus inquiétant est le succès du Front national, favorisé par la proportionnelle. La représentation proportionnelle a donc réduit les écarts entre les différents courants politiques mais elle n'a pas mis fin à la bipolarisation. C'est pourtant la première fois que la majorité parlementaire ne coïncide pas avec l'appartenance politique du chef de l'État. F. Mitterrand est alors contraint de nommer Premier ministre un leader de l'opposition. Il fait appel à J. Chirac.

❑ ***Le rétablissement du scrutin majoritaire.*** Même si la loi du 11 juillet 1986 rétablit les règles du scrutin majoritaire, en vigueur sous la Ve République (avec 577 circonscriptions), les élections de juin 1988 ont pourtant vu apparaître un phénomène nouveau: l'absence de majorité politique sûre. En effet, les socialistes et radicaux de gauche ne disposent pas de la majorité. Le gouvernement Rocard a été ainsi obligé de s'adjoindre les voix communistes ou centristes selon les cas.

Les élections de mars 1993 traduisent bien les effets d'amplification du scrutin majoritaire. Au premier tour en effet, plusieurs formations engrangent un nombre non négligeable de voix: un peu plus d'1,9 million pour les frères concurrents (Verts et «Génération Écologie»), et plus de 3,1 millions pour le Front national, tandis que le PCF enregistre 2,3 millions, le PS 4,4, l'UDF 4,8 et le RPR presque 5,2. Or, avec les désistements et la bipolarisation du second tour, ni les écologistes, ni le Front national n'obtiennent le moindre siège. On comprend les plaidoyers d'ailleurs récurrents pour l'introduction, au moins, d'une dose de proportionnelle.

De 2002 à 2017, les législatives intervenant après la compétition pour l'Élysée confirment la primauté de la majorité présidentielle.

L'évolution du suffrage universel

L'oscillation a donc été constante entre la représentation proportionnelle – intégrale ou aménagée – et le scrutin uninominal. La loi électorale étant restée – sauf en 1852 – à l'extérieur de la Constitution, les Assemblées peuvent la modifier. Mais le mode de scrutin n'est pas tout. Compte aussi l'évolution du suffrage universel, lequel était bien incomplet en 1848. Le débat le plus important a concerné le vote féminin. En 1921, Poincaré déclarait: «C'est faire injure aux femmes françaises que de les tenir pour inaptes à l'exercice d'un droit que possèdent maintenant ou sont sur le point de posséder toutes les femmes des pays civilisés.» Et A. Tardieu, en 1936: «La femme est exclue du vote, comme en sont exclus le fou et le condamné.» Ces belles paroles n'ont pas empêché la France d'être en retard sur le Royaume-Uni et ses dominions, l'Allemagne, les États scandinaves, les États-Unis... Mais le mouvement s'est heurté à l'opposition opiniâtre des sénateurs marqués par l'anticléricalisme, qui craignaient l'influence politique du clergé sur l'électorat féminin. Même si L. Blum, en 1936, fait entrer des femmes comme secrétaires d'État dans son gouvernement, le droit de vote ne leur est définitivement reconnu qu'en 1944. Dans les années 1990, le problème est enfin abordé, du faible nombre des femmes candidates aux élections. En deux temps, la parité est rendue obligatoire au niveau local pour les conseillères municipales et les conseillères régionales, puis au niveau de l'Assemblée nationale et du Sénat (avec alternance stricte femmes/hommes sur les listes. Mais, pour l'Assemblée, la mesure n'est qu'incitative (pénalités financières). Ce qui fait qu'en 2007, les députées n'atteignent pas 19 % de l'effectif. Mais, en 2017, le taux atteint 38,8 % des sièges (224 femmes), un record historique.

Autre étape de l'évolution : en 1974, la majorité légale était abaissée à 18 ans. Tous les commentateurs s'interrogèrent alors sur les effets électoraux prévisibles et prêtèrent aux plus jeunes citoyens une attirance vers les thèmes de la gauche. En fait, les jeunes ne se laissent enfermer dans aucun schéma. Dans des scrutins plus récents, ils ont pu marquer leur préférence aussi bien pour le Front national, ou pour le candidat à l'Élysée J. Chirac. Mais depuis les années 2000, l'abstention de la part la plus jeune de l'électorat est très forte, notamment dans les quartiers « sensibles » des villes.

Marqueur de l'éloignement civique, l'abstention est préoccupante. Les élections de 2017 montrent une tendance à la hausse : 25,44 % au second tour des présidentielles, 51,30 % au 1er tour des législatives. La vieille explication par l'indifférence ne vaut plus ; la sanction, motivée par le rejet ou la méfiance, et faute d'une prise en compte du vote blanc, est bien l'intention première des abstentionnistes.

Le cas du Sénat

Après la réforme de 1884, le Sénat de la IIIe République fut élu au suffrage indirect par un collège électoral groupant députés, conseillers généraux et conseillers d'arrondissement mais aussi délégués élus par les conseils municipaux. Il se trouvait ainsi défini comme une assemblée de notables, majoritairement issus des milieux ruraux et des petites villes. Le mandat était de neuf ans, un renouvellement par tiers intervenant tous les trois ans. Sous la IVe République, un système électoral assez proche a été finalement retenu pour le Conseil de la République.

Sous la Ve République le schéma est resté proche. Les délégués des conseils municipaux forment les 9/10e des collèges électoraux ce qui confirme le poids des petites communes. Pour le renouvellement par tiers, les sénateurs sont répartis en trois séries A, B et C. Selon le nombre de sénateurs par départements – jusqu'à quatre, et au-delà – l'élection se déroule au scrutin majoritaire à deux tours ou à la proportionnelle sans panachage. Depuis 2003, la durée du mandat est passée de neuf à six ans. Les sénateurs sont renouvelés par moitié, et les élections ont lieu tous les trois ans.

La consultation directe

❏ ***L'élection du président de la République au suffrage universel.*** Hormis en 1848, au cours des républiques précédentes, le président était élu pour sept ans par les députés et les sénateurs, réunis en « Parlement », à Versailles. La Constitution de 1958 prévoit, quant à elle, que le président est élu par un collège assez large de 80000 élus locaux. La décision du général de Gaulle, en 1962, de confier à l'ensemble des électeurs la désignation du chef de l'État, est une innovation fondamentale qui a profondément modifié la nature même du régime. La procédure adoptée prévoit désormais une élection à deux tours à la majorité absolue, avec quinze jours d'intervalle. Depuis 1965, non seulement l'autorité de l'exécutif se trouve renforcée mais la vie politique dans son ensemble subit l'influence des «pré-campagnes» électorales, des supputations de candidatures, de la multiplication des sondages d'opinion. Cette élection est donc centrale dans le fonctionnement du système politique français.

L'élection du président au suffrage universel a, d'autre part, accentué le clivage gauche/droite. Ses effets, alliés à ceux du scrutin majoritaire, ont renforcé la bipolarisation, alors même que le général de Gaulle pensait que ce mode d'élection permettrait d'asseoir l'autorité du chef de l'État sur un large consensus.

Depuis 1962, dix élections présidentielles ont eu lieu. Notons que celle de 1981 a vu le renversement de la majorité en place et le ralliement de la gauche socialiste aux institutions de la Ve République. Et que celle de 1995 a présenté une double originalité. D'une part, le candidat socialiste a été désigné tardivement, en février, à l'issue d'une consultation de militants. D'autre part, faute d'avoir pu, ou voulu, organiser une «primaire», les deux candidats du RPR E. Balladur et J. Chirac se sont opposés au premier tour dans un duel fratricide, recueillant respectivement 18,54 et 20,73 % des voix. En 2002, fait sans exemple, mais dans un contexte imprévu, J. Chirac l'emporte avec plus de 80 % des voix. En 2017, la dramaturgie est inédite (une primaire à droite, très disputée, une primaire à gauche, l'irruption d'E. Macron) et ultra-médiatisée ; pourtant, le taux d'abstention a frôlé les 20 %.

❑ ***Les référendums.*** Poursuivi par la mauvaise réputation du plébiscite impérial, le référendum est réintroduit discrètement dans la Constitution de 1946, et clairement affirmé dans celle de 1958 qui donne au président de la République le droit de consulter le peuple sur certaines questions. Il faut distinguer la consultation portant «sur l'organisation des pouvoirs publics, sur des réformes relatives à la politique économique, sociale ou environnementale» (art. 11), qui associe le peuple au pouvoir législatif, et le référendum constitutionnel dans le cadre de la procédure de révision (art. 89). Les conditions d'utilisation des référendums et le caractère très personnalisé et limité quant à son objet de ce mode de consultation ont contribué à entretenir des ambiguïtés. «Les référendums “algériens” visaient moins à l'adoption des projets de loi concernés qu'à obtenir un vote de confiance populaire au général de Gaulle» (R. Hadas-Lebel). À l'occasion des consultations de novembre 1962 et de 1969, dont l'objet risquait d'entraîner l'hostilité de l'Assemblée nationale, l'opposition a lancé de nouveau le reproche du «plébiscite»; et de même en 1972 et en 1988. Pour lever cet obstacle, certains juristes prônent la soumission initiale du projet au Conseil constitutionnel (ce qui ne figure pas, pour l'instant, dans ses prérogatives). Il faudrait, en outre, dépersonnaliser la mise en œuvre du référendum.

Le référendum sur le traité de Maastricht (20 septembre 1992) s'est conclu par une courte victoire du « oui » : 51,05 %. Son enjeu a divisé les familles politiques classiques, sauf le PCF et le Front national, qui appelaient à voter « non ». Mais le « non » était aussi prôné par le socialiste Chevènement, par les gaullistes Pasqua et Séguin, et par une partie des écologistes. A l'inverse, les autres chefs du RPR, l'UDF et la plupart des socialistes étaient partisans du « oui » et du renforcement de l'Union européenne. Les commentateurs ont insisté sur une coupure sociologique de la France en deux, le « oui » provenant de citoyens moins touchés par la crise et plus instruits, le « non » exprimant différentes formes de vote protestataire. Cette remarque vaut, à quelques nuances près, pour le référendum de 2005 sur la « Constitution » européenne (55 % des voix pour le « non »). Quant au quinquennat, approuvé en 2000, il a suscité un record d'abstentions.

Les élections européennes

Depuis 1979, tous les cinq ans, les Français élisent leur quota de députés à l'Assemblée des Communautés européennes, nommée désormais Parlement. Les 27 États de l'Union européenne y sont représentés actuellement. C'est un scrutin de liste, à la proportionnelle. Ce scrutin ne saurait s'isoler de la compétition nationale. En 1979, la liste socialiste (F. Mitterrand) se place derrière la liste UDF (S. Veil) et devant la liste RPR (J. Chirac). En 1984 et 1989, des listes communes UDF-RPR remportent un net succès, tandis que le Front national se maintient autour de 11-12 %. Bien que modérément mobilisatrices – jusqu'à présent – ces élections marquent les évolutions de l'opinion. On le voit par celles de 1994, qui offrent une chance de notoriété à des praticiens atypiques de la politique (de Villiers, Tapie), ou qui provoquent le départ de Michel Rocard de la direction du Parti socialiste, la liste qu'il dirigeait n'ayant pas dépassé 14,5 % des voix. De la même façon, le scrutin de 1999 sert les visées de leaders atypiques (Charles Pasqua – qui fait équipe avec Ph. de Villiers – ou D. Cohn-Bendit pour les Verts), confirme les ambitions ruralistes des « chasseurs » et accentue la crise au sein du RPR. En 2009, sur 72 sièges d'eurodéputés, l'UMP en gagne 29, soit plus que ses deux poursuivants, le PS et Europe Écologie (14 chacun) : résultat interprété comme un succès de la politique de N. Sarkozy.

Les élections de 2014 font du Front national le « premier parti de France » (24,86 %), les observateurs voyant là un des effets de la dédiabolisation réussie ; l'UMP (20,81 %) et le PS (13,98 %) sont distancés. En mai 2019, le contexte est à une nouvelle bipolarisation : le RN l'emporte encore (23,3 %), devant l'alliance LREM-Modem (22,4 %), la troisième place revenant aux Verts (13,5 %).

Les grands perdants sont les Républicains (8,5 %), LFI (6,3 %) et le PS (6,2 %). La recomposition politique se poursuit.

LES ÉLECTIONS LOCALES

Les dates clés

1831

La monarchie de Juillet rétablit l'élection du conseil municipal au suffrage censitaire.

1848

La IIe République substitue le suffrage universel au suffrage censitaire.

1871

La IIIe République élabore rapidement la charte des départements.

1884

5 avril : après douze ans de discussions, les 168 articles de la loi municipale sont enfin votés. Les maires sont élus par les conseillers municipaux après élection du conseil au suffrage universel.

1891

Les communes sont autorisées à se regrouper en syndicats.

1940

novembre : Vichy supprime l'élection des conseils municipaux dans les villes de plus de 2000 habitants. Et les maires sont désormais nommés par le gouvernement ou le préfet.

1946

La Constitution affirme solennellement « l'autonomie municipale » et assure que des lois organiques étendront les libertés départementales et communales. En pratique, c'est la loi de 1884 qui s'applique de nouveau.

1958

La Constitution précise que l'autonomie communale s'inscrit dans le cadre de la loi. Les ordonnances de 1959 instituent les districts et les SIVOM (syndicats à vocation multiple).

1969

Échec du référendum sur la régionalisation.

1972

5 juillet : institution des EPR (établissements publics régionaux) à l'initiative du président Pompidou.

1976

Publication du rapport Guichard qui propose de regrouper les 36 400 communes françaises au sein de quelque 350 communautés de communes.

1982

22 octobre : nouvelle loi électorale pour les villes de plus de 3500 habitants, à partir de mars 1983 : abandon du système majoritaire intégral en vigueur depuis 1974, et introduction d'une dose de proportionnelle (les femmes auraient dû représenter un quart de l'effectif de chaque liste, mais le Conseil constitutionnel a déclaré non conforme à la Constitution l'instauration d'un quota).

1991

27 mars : l'Assemblée nationale adopte le principe des consultations populaires (appelées par simplification référendums locaux), dans les communes de plus de 3500 habitants.

18 avril : l'Assemblée adopte le projet de loi sur la solidarité financière entre les communes.

Élections et vie politique locale

❑ ***La commune.*** Le grand problème est d'abord celui du maire. Après le « laxisme » révolutionnaire, le Consulat a imaginé un système rigoureux : le maire et les adjoints seront nommés par le préfet. À peu de choses près, cette situation prévaut jusqu'en 1871.

Les membres des conseils municipaux sont élus au suffrage censitaire jusqu'en 1848 et au suffrage universel après cette date. Selon la loi de 1831, les maires et les adjoints sont nommés par le roi dans les communes de plus de 3000 habitants et par les préfets ailleurs, mais ils sont toujours choisis parmi les conseillers municipaux élus; c'est une concession faite aux opposants républicains ou légitimistes. Le magistrat municipal devient ainsi l'élément clé d'un réseau piloté par le chef-lieu du département. Combien de circulaires préfectorales n'a-t-on pas rédigé et adressé, tout au long du siècle, à « Messieurs les sous-préfets et maires» ? On a pu voir dans la loi de 1831, le début, modeste, d'un apprentissage de la politique, mais surtout une occasion de faire renaître des luttes entre familles ou de révéler de vives tensions sociales qui restent malgré tout locales.

La place de la commune et l'autorité de ses élus s'évaluent par rapport au pouvoir central. Problème particulièrement sensible au lendemain de l'insurrection parisienne en 1871. Les législateurs de 1884 optent pour un contrôle des communes « sous peine de briser l'unité nationale ». Le suffrage universel règle tout. Le panachage des listes ou des bulletins individuels permet une personnalisation des consultations. Le climat politique commence à être influencé: en 1892, la presse nationale commente le succès de plusieurs listes socialistes aux municipales. De la IIIe à la Ve République, la figure du député-maire – surtout dans une ville importante – est omniprésente dans la vie politique.

❑ ***Paris.*** Depuis le XIXe siècle, la capitale connaissait un statut particulier, de sujétion, administrée qu'elle était, conjointement par le préfet de Police et le préfet de la Seine, et disposant d'un conseil municipal presque symbolique. Les maires des arrondissements étaient nommés. Récemment, la loi du 31 décembre 1975 a appliqué à Paris le droit commun municipal. Au premier scrutin (1977), une mémorable bataille a opposé M. d'Ornano, l'« homme du président», à J. Chirac, président du RPR. Ce dernier l'a emporté sans coup férir.

En 2001, le duel Séguin/Delanoé tourne à l'avantage du socialiste qui s'installe à l'Hôtel de Ville. La fonction de maire de Paris vaut, du reste, à son titulaire d'être, souvent avec des tensions, un des interlocuteurs privilégiés de l'État.

❑ ***Le département*** a connu dès 1833 le principe de l'élection de ses représentants selon le mode censitaire. Le système fut maintenu jusqu'en 1848. Puis, la loi du 10 août 1871 a organisé pour longtemps le fonctionnement des élections et des assemblées. Le conseiller représente un canton, il est élu pour six ans, au scrutin majoritaire à deux tours. Un renouvellement par moitié du conseil général intervient tous les trois ans. Selon la loi du 17 mai 2013, un nouveau système a été appliqué aux élections de 2015 : nombre de cantons ramené à 2054 ; binôme femme/homme par canton ; mandat de six ans pour ces nouveaux conseillers « départementaux », et non plus généraux.

❑ ***Les élections régionales*** sont plus récentes et ne concernaient pas le citoyen de base jusqu'à la loi du 10 juillet 1985. Les conseillers régionaux sont élus pour six ans, dans le cadre départemental, et rééligibles. On applique le système de la représentation proportionnelle à la plus forte moyenne, sans panachage. Depuis 2004, le scrutin est proportionnel, à deux tours, et la liste arrivée en tête au second tour bénéficie d'une prime de 25 % des sièges.

Les élections locales : des « élections-tests » ?

Avec les temps de la politique médiatisée, les élections locales font l'objet d'une attention nouvelle: n'enregistrent-elles pas les mouvements de l'opinion? Les alliances nouées pour les campagnes ne sont d'ailleurs plus isolées du contexte national. En 1971, par exemple, dans des villes de plus de 30000 habitants, des accords entre centristes et socialistes avaient été conclus; ils n'ont pu être renouvelés en 1977 à cause de la signature du « Programme commun» de la gauche de 1972. Depuis les années 1970, on parle volontiers de «test», pour minimiser les effets des élections locales, plus spécialement dans le camp susceptible d'enregistrer un revers. Mais les majorités au pouvoir se sont toujours préoccupées des gains adverses aux élections locales; ainsi, la droite lors des succès du Parti socialiste aux cantonales de 1976 et aux municipales de 1977, et la gauche devant les résultats de l'UDF et du RPR en 1982 (cantonales) et 1983 (municipales). D'autre part, quand des leaders confirmés sont tentés de battre en brèche l'hégémonie des «appareils» des partis, leur succès aux élections municipales augmente fortement leur audience; la preuve en fut faite en 1989, à Marseille, Lyon et au Mans, au détriment respectivement du PS, du RPR et du PCF. Plus ponctuellement, le scrutin d'une ville moyenne, s'il est lié à une question de politique nationale peut connaître un écho inattendu; ce fut le cas à Dreux, en 1983, où le problème de l'immigration a permis la victoire du candidat du Front national.
Les élections dites locales s'insèrent de plus en plus dans le dispositif politique national et leurs effets dépassent quelquefois les prévisions. Par exemple, les résultats des cantonales et des régionales de mars 1992, médiocres pour la gauche, ne sont pas étrangers au remplacement d'Édith Cresson à Matignon. Les municipales de juin 1995, qui enregistrent une forte poussée du Front national (gain de trois villes du Sud-Est) et un affaiblissement du RPR à Paris – six arrondissements sont gagnés par le PS – ne sont plus seulement l'écho des compétitions usuelles pour la gestion des villes. Élection test: le terme s'applique à coup sûr aux régionales de 2004 (20 régions sur 22 à la gauche) et à celles de 2010, mauvaises pour l'UMP au point d'entraîner un léger remaniement ministériel.

Pour aller plus loin :

BRÉCHON (Pierre), *La France aux urnes. Soixante ans d'histoire électorale*, Les études de la Documentation française, édition 2009.

DELOYE (Yves), IHL (Olivier), *L'acte de vote*, coll. «Références», Presses de Sciences Po, 2008.

LARRÈRE (Mathilde), *Voter en France (de 1789 à nos jours)*, «Documentation photographique», n° 8122, La Documentation française, 2018.

MAYAFFRE (Damon), *Les Discours présidentiels sous la Ve République*, Presses de Sciences Po, 2015.
Le vote de tous les refus. Les élections présidentielle et législatives de 2002, 2003.
Le vote de rupture. Les élections présidentielle et législatives de 2007, 2008.

PERRINEAU (Pascal), REYNIÉ (Dominique) (dir.), *Dictionnaire du vote*, PUF, 2001.

ROSANVALLON (Pierre), *Le Sacre du citoyen. Histoire du suffrage universel en France*, Gallimard, 1992.

Documents

1 – Les présidents de la République

Les présidents de la IIIe République

Adolphe Thiers : 31 août 1871 – 24 mai 1873
Maréchal de Mac-Mahon : 24 mai 1873 – 30 janvier 1879
Jules Grévy : 30 janvier 1879 – 3 décembre 1887
Sadi Carnot : 3 décembre 1887 – 26 juin 1894
Casimir-Perier : 27 juin 1894 – 15 janvier 1895
Félix Faure : 15 janvier 1895 – 16 février 1899
Émile Loubet : 16 février 1899 – 18 février 1906

Armand Fallières : 18 février 1906 – 18 février 1913
Raymond Poincaré : 18 février 1913 – 18 février 1920
Paul Deschanel : 18 février 1920 – 20 septembre 1920
Alexandre Millerand : 20 septembre 1920 – 11 juin 1924
Gaston Doumergue : 11 juin 1924 – 13 juin 1931
Paul Doumer : 13 juin 1931 – 6 mai 1932
Albert Lebrun : 10 mai 1932 – 10 juillet 1940

Les présidents de la IVe République

Vincent Auriol : 16 janvier 1947 – 23 décembre 1953
René Coty : 23 décembre 1953 – 21 décembre 1958

Les présidents de la Ve République

Général de Gaulle : 21 décembre 1958 – 19 décembre 1965
Général de Gaulle : 19 décembre 1965 – 28 avril 1969
Georges Pompidou : 15 juin 1969 – 2 avril 1974
Valéry Giscard d'Estaing : 19 mai 1974 – 21 mai 1981
François Mitterrand : 21 mai 1981 – 8 mai 1988
François Mitterrand : 8 mai 1988 – 17 mai 1995
Jacques Chirac : 17 mai 1995 – 5 mai 2002
Jacques Chirac : 5 mai 2002 – 6 mai 2007
Nicolas Sarkozy : 6 mai 2007 – 6 mai 2012

François Hollande : 6 mai 2012 – 7 mai 2017
Emmanuel Macron : 7 mai 2017 –

2 – Les droits de la femme

(Le député des Basses-Alpes Louis Andrieux (1840-1931) réclame avec vigueur pour les femmes les droits de suffrage et d'éligibilité, en n'avançant que des arguments de droit et de justice civique.)

Qu'il s'agît de labourer, d'ensemencer la terre, d'en récolter les produits pour la subsistance du pays ; de tourner des obus, de forger pour sa défense des engins de guerre ; de suppléer les hommes absents dans les services publics ou les entreprises privées ; de panser les blessés près des lignes de feu ou de soigner les malades dans les hôpitaux, au risque de la contagion, partout, durant la guerre, la femme française s'est montrée à la hauteur de ses nouvelles tâches.

Aucun de nous ne saurait lui marchander les témoignages de notre gratitude. Mais ce n'est pas à titre de récompense, comme un galon d'avancement ou une décoration, que nous demandons pour la femme de France les droits qui feront d'elle une citoyenne au sens le plus noble de ce mot, c'est-à-dire l'égale de l'homme devant la loi.

La jouissance de l'électorat et de l'éligibilité, dans une démocratie, pour tout individu majeur que les sentences des tribunaux n'ont pas frappé d'indignité, ce n'est pas un prix d'excellence ou d'encouragement : c'est un droit !

[…] La démocratie, c'est le gouvernement du peuple par le peuple. Qui donc oserait dire que les femmes ne font pas partie du peuple ?

Le suffrage universel, organe de la volonté de toute démocratie, c'est le suffrage de tous. Qui donc oserait dire que le suffrage est universel là où la meilleure moitié du genre humain ne participe pas à l'élection de ceux qui font les lois qu'elle subit et votent les impôts dont le fardeau pèse sur elle pour une lourde part ?

J'ai dit et je répète, pour être bien entendu, « la meilleure partie du genre humain ». Le barbu ricane sous son poil. On lui a dit, il est convaincu qu'il est le plus intelligent comme il est le plus fort […]

Approchons-nous des urnes, assistons au défilé où préside Monsieur le Maire. À côté de l'instituteur, du notaire, du curé, du facteur des postes, gens de capacités diverses, voilà l'idiot […], l'illettré incapable de lire le nom inscrit sur son bulletin. Tous sont admis à voter, tous sont égaux devant le scrutin ; le bulletin du premier magistrat de la République ne vaut pas plus que celui du chiffonnier. Il faut qu'il en soit ainsi : c'est la loi de la démocratie qui a supprimé les présomptions de supériorité et n'a institué aucune magistrature pour faire l'impossible triage des bons et des mauvais.

Pour atteindre cet idéal d'égalité, nos pères ont fait des barricades, des banquets et des révolutions ; après quoi, nous avons élevé une statue à Ledru-Rollin, père putatif du prétendu suffrage universel.

Je demande que l'œuvre du tribun ne se borne plus à l'adjonction des incapacités, qu'on la complète par les droits politiques accordés aux femmes, en toute matière,

> sans restrictions [...]. Je demande que le nom de Ledru-Rollin ne reste pas rivé à un souvenir d'injustice.
>
> Sinon, qu'on le déboulonne !
>
> Louis Andrieux, *Le Journal*, 27 décembre 1918.

GÉOGRAPHIE ÉLECTORALE

TRADITIONS ET RECLASSEMENTS POLITIQUES

La visualisation par la carte des résultats électoraux est toujours riche d'enseignement. À condition de ne comparer, d'une époque à une autre, que ce qui peut l'être. À ce prix, ces cartes permettent de prendre en compte la stabilité ou les évolutions des forces politiques. Des rapprochements ont été opérés, en gardant comme référence le clivage droite/gauche admis par tous ; quitte à connaître, parfois, la marque d'un changement de comportement chez des électeurs du centre.

Les démocrates-sociaux aux élections législatives du 13 mai 1849

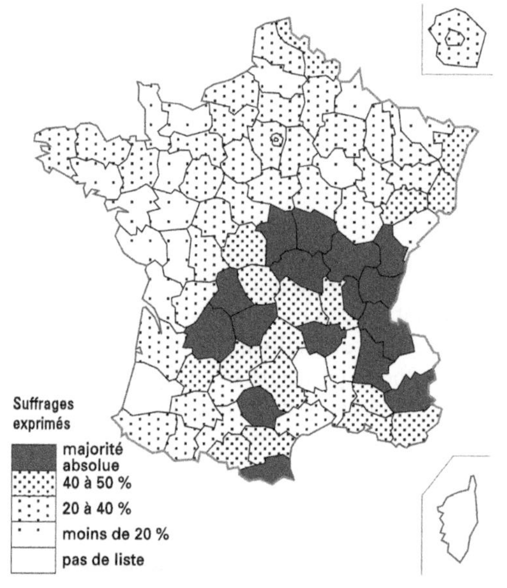

Naissance d'un Midi républicain : après le 2 décembre, la grande majorité des paysans ne bouge pas ; cependant des insurrections éclatent dans certaines régions du Centre et du Sud – où deux ans plus tôt, les « Montagnards » avaient obtenu la majorité. L'enracinement de la gauche républicaine dans ces régions esquisse un des traits de la France contemporaine.

Événements insurrectionnels en décembre 1851

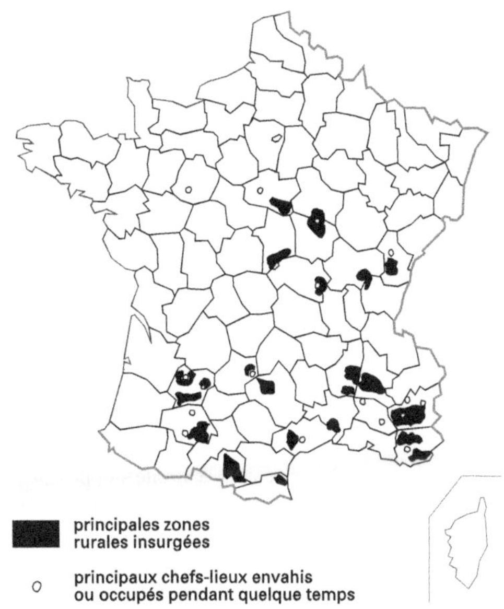

Les radicaux aux élections du 26 avril 1914

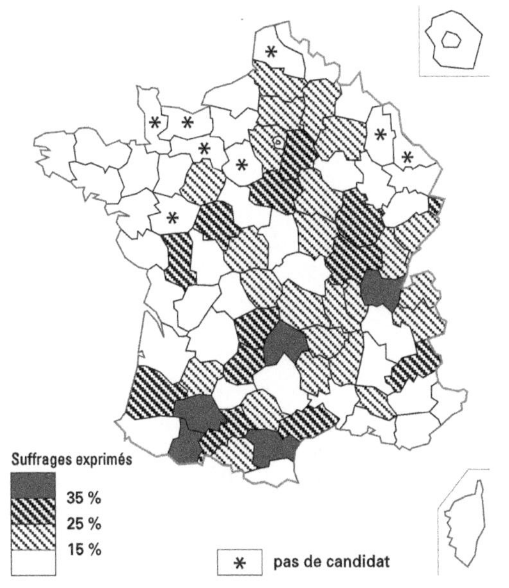

Sauf exception, les fiefs radicaux sont situés dans une grande bande diagonale Bayonne-Amiens et Montpellier-Belfort. Ce qui coïncide en partie avec les bastions républicains de la fin du XIXe siècle.

La droite en 1928

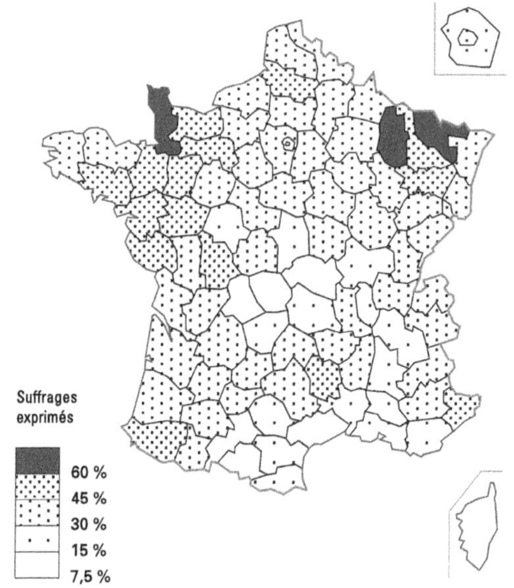

Les électeurs de droite s'opposent aux communistes, aux socialistes, mais même aux radicaux. Les points forts se trouvent à l'Ouest, à l'Est, sur les hautes terres du Centre.

La droite au référendum du 5 mai 1946

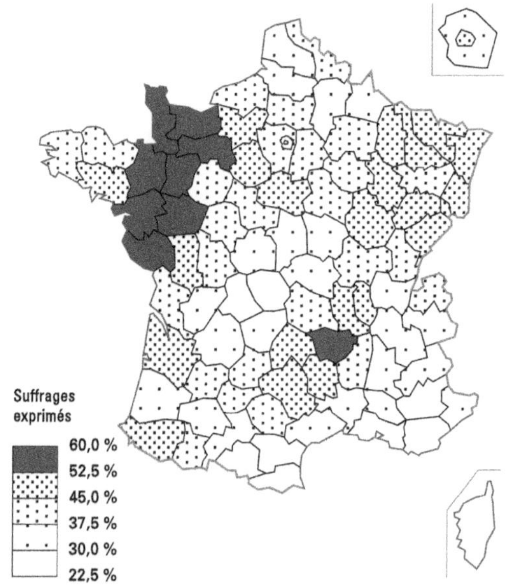

Ici, le succès du non au référendum du 5 mai 1946. C'est un vote antimarxiste. Par rapport à 1928, des extensions se sont produites, reliant les «places fortes» de l'Ouest, de l'Est et de l'Auvergne.

Les élections présidentielles de 1974 : les votes pour V. Giscard d'Estaing au 2e tour

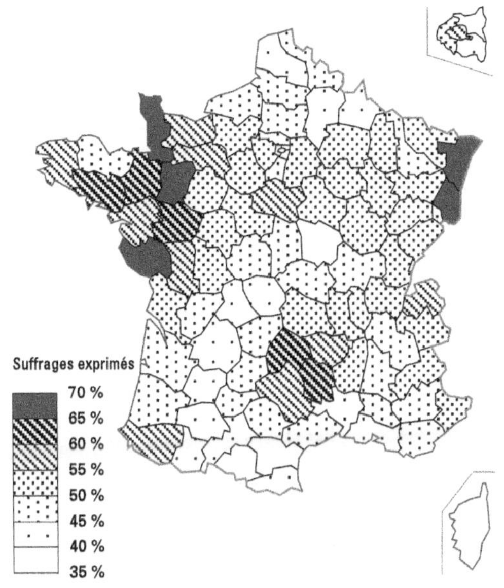

En comparant avec la carte de 1946, on situe globalement la stabilité géographique de la droite. Tout au plus, dans le Sud-Ouest l'influence radicale a-t-elle donné des voix supplémentaires à F. Mitterrand.

Les élections législatives de 1968 : les votes gaullistes

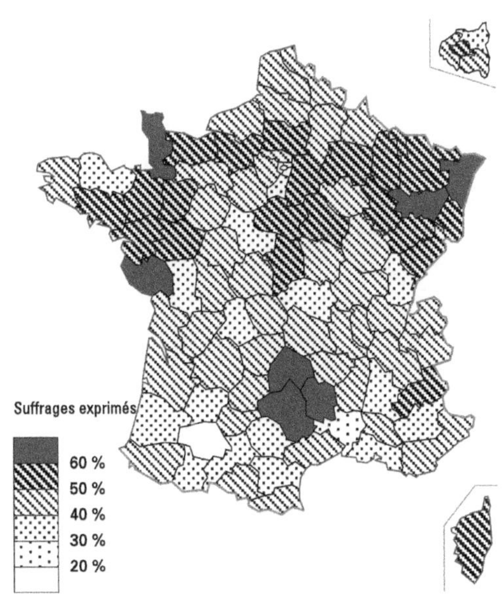

Les troubles de mai-juin 1968 ont provoqué un raz de marée gaulliste. Le gaullisme s'étend au sud de la Loire en 1968. Mais le Nord est en retrait par rapport au scrutin de 1965.

Les votes Pompidou le 1er juin 1969

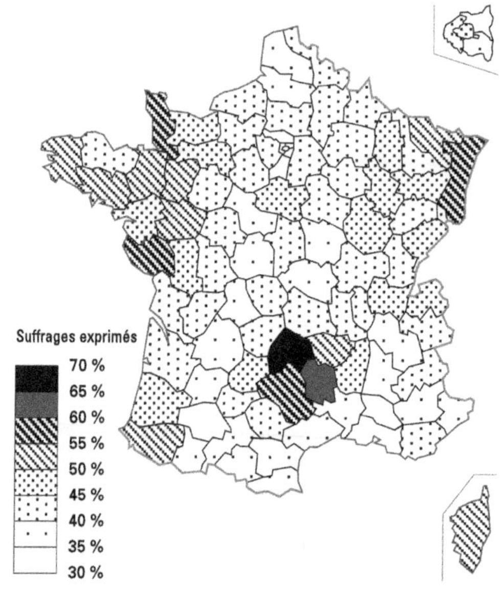

Les votes Pompidou en 1969 font apparaître une atténuation des caractéristiques du vote gaulliste ; des voix de droite se sont portées sur Alain Poher, mais des voix de gauche, que de Gaulle attirait, font défaut.

Les élections présidentielles de 1981 : les votes pour F. Mitterrand au 2e tour

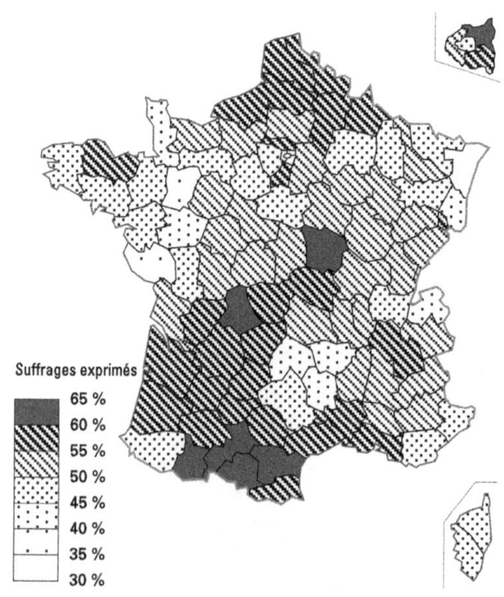

F. Mitterrand s'est appuyé sur le Sud-Ouest, les Pyrénées, mais la gauche a étendu son influence (Bourgogne, Franche-Comté, Pays de Loire).

Les élections présidentielles de 1981 : les votes pour V. Giscard d'Estaing au 2e tour

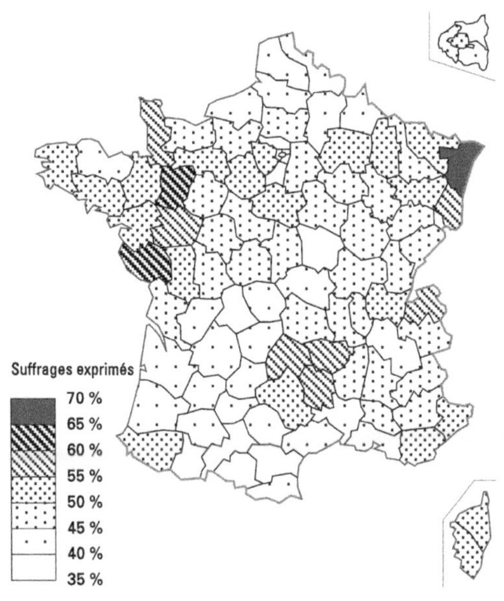

Les bastions classiques ont voté pour V. Giscard d'Estaing, mais ils sont plus isolés désormais.

L'ancienne majorité au tour décisif des élections législatives de juin 1981

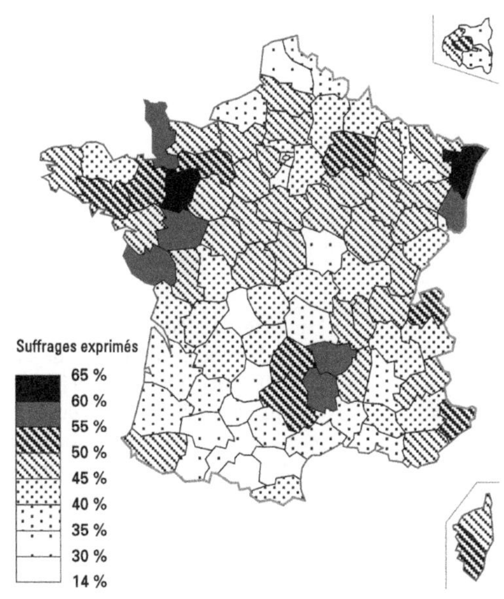

L'abstention a dégarni les rangs de la droite, qui perd du terrain dans l'Ouest et dans l'Est (sauf en Alsace).

La gauche au tour décisif des élections législatives de 1981

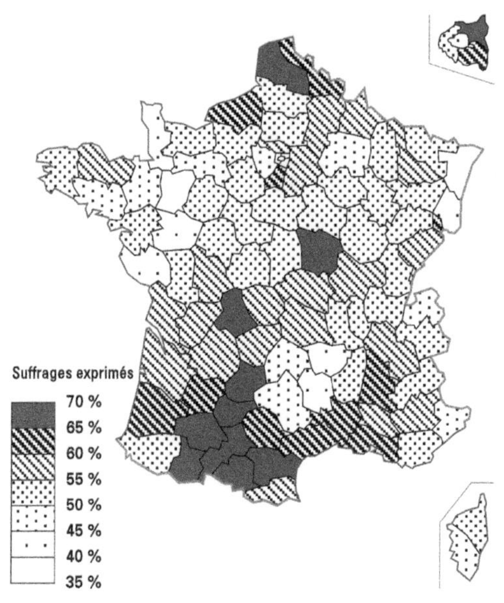

Cette carte reflète les acquis du succès présidentiel. Le 10 mai a eu un « effet pilote ».

Le vote communiste aux élections législatives de 1956

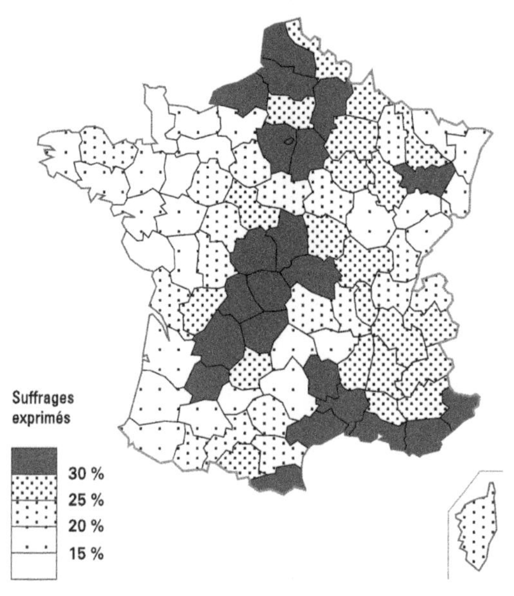

En 1956, le Parti communiste est stable. Il recueille un peu plus de 25 % des suffrages exprimés et n'a pas subi, comme en 1951, les effets des apparentements. Les zones de force sont la France du Nord (de la Flandre à la région parisienne), les bordures nord et ouest du Massif central et le Midi méditerranéen (avec une extension vers les Alpes).

Le vote pour G. Marchais aux élections présidentielles de 1981

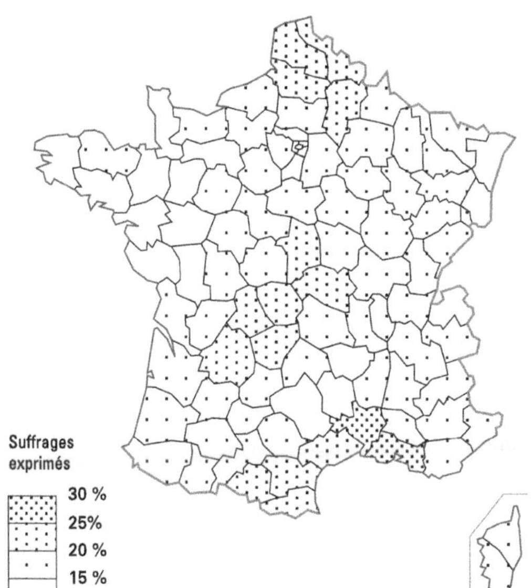

En 1981, le résultat de G. Marchais constitue un sévère échec pour le PCF (15,4 % des suffrages exprimés) et le plus grave recul depuis la Libération. Sur la carte, les trois bastions se repèrent encore, mais le tissu intermédiaire est plus faible. Dans les zones traditionnellement peu réceptives (Ouest, Alsace, bordure sud-est du Massif central), le pourcentage obtenu est insignifiant.

Les voix poujadistes aux élections législatives de 1956

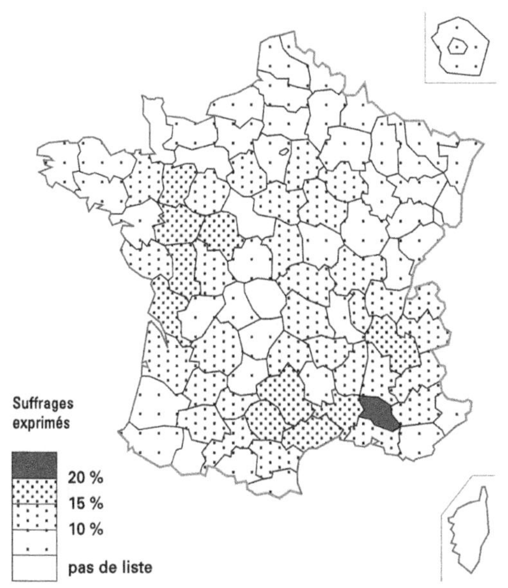

Même s'il s'agit de deux formes d'extrême droite, les comportements électoraux sont sans rapport. Par contre, il est tout à fait vraisemblable qu'un rapport existe entre la distribution géographique des immigrés et celle des électeurs du Front national (F. Goguel).

L'extrême droite au 1er tour des élections législatives de 1988

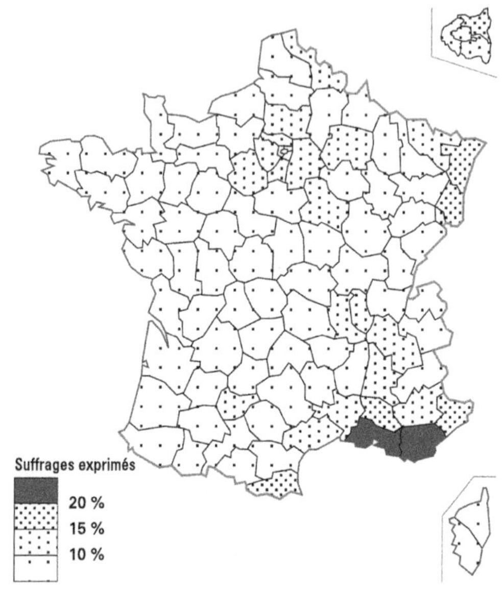

Les élections présidentielles de 1988 au 2e tour : les votes pour F. Mitterrand

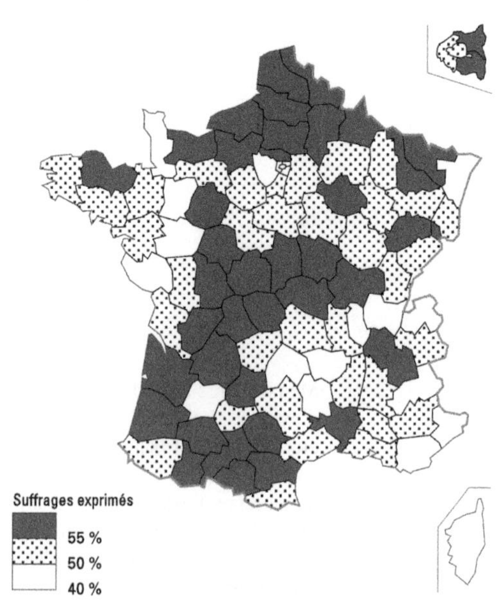

La comparaison avec le 2e tour de 1981 révèle l'augmentation des gains, particulièrement nette dans des départements et des villes de tradition modérée. F. Mitterrand recueille ainsi plus de 50 % des voix à l'Ouest et à l'Est. Un déplacement du centre droit vers le centre gauche s'est opéré. Des îlots d'allergie demeurent : une écharpe de la Vendée à la Manche, le bloc Rhône-Ain-Haute-Savoie ainsi que le Var, les Alpes-Maritimes et la Corse.

La ratification du traité de Maastricht par référendum (20 septembre 1992)

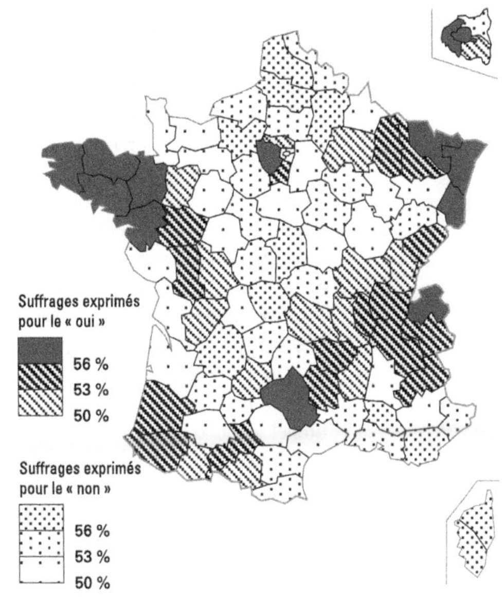

Si la cartographie ne peut traduire certains choix – par exemple, le « oui » exprimé le plus souvent par les plus jeunes et les plus instruits ou les mieux formés –, elle révèle bien une coupure de la France. Plus les communes sont petites, plus elles ont choisi le « non » ; les villes ont donné plus de poids au « oui ». On observe aussi un contraste entre des régions plus dynamiques (Rhône-Alpes, Alsace, Île-de-France, Bretagne) et d'autres, plus fortement touchées par la crise (Midi méditerranéen et Corse, Centre, Nord-Pas-de-Calais) : les premières votent « oui », les autres « non ».

Les élections législatives de 1993

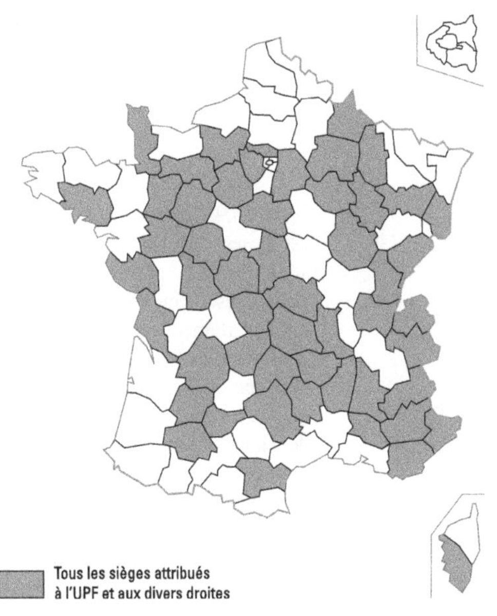

En France métropolitaine, le RPR et l'UDF (« Union pour la France ») et les divers droites obtiennent 470 sièges sur 555. Ce record absolu est souligné par la conquête de la totalité des sièges dans 53 départements (en 1968, 35 départements sur 95 pour l'UDR et les Républicains indépendants ; en 1981, 40 sur 96 pour la gauche). Si la droite marque le pas en Bretagne – Morbihan excepté – et en Alsace, elle l'emporte complètement dans des départements à forte tradition de gauche : Creuse, Allier, Puy-de-Dôme, Loire, Aude, Tarn-et-Garonne, etc.

Les élections présidentielles de 1995, au 2e tour

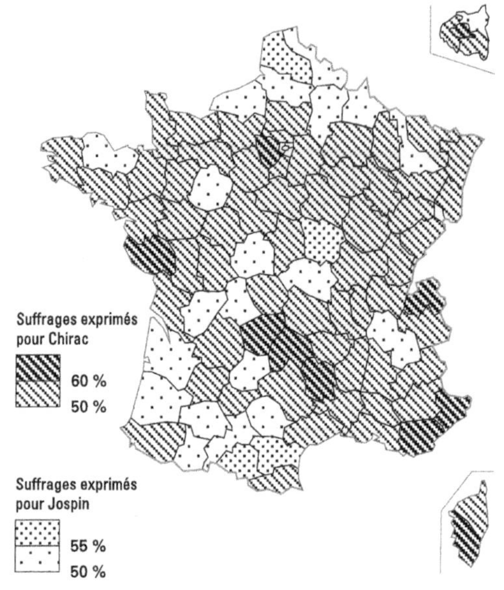

Le second tour confirme la réalité d'un clivage droite/gauche. Les môles favorables à Jacques Chirac demeurent l'Ouest intérieur, le pourtour du Bassin parisien et l'Île-de-France, l'Alsace, toute la partie nord de la région Rhône-Alpes, le Massif central – où l'image «corrézienne» du candidat est forte dans le monde rural – et la Côte d'Azur. Mais les résultats sont également positifs en Bretagne – sauf les Côtes-d'Armor –, en Bourgogne, dans les Alpes du sud et le Bas-Rhône.
Le scrutin tourne à l'avantage de Lionel Jospin dans les zones traditionnelles du socialisme, du communisme et du radicalisme: un grand arc de la Seine-Maritime aux Ardennes, le Sud-Ouest aquitain et pyrénéen, la Haute-Vienne, la Seine-Saint-Denis…

Les élections présidentielles de 2002, vote Le Pen au 1er tour

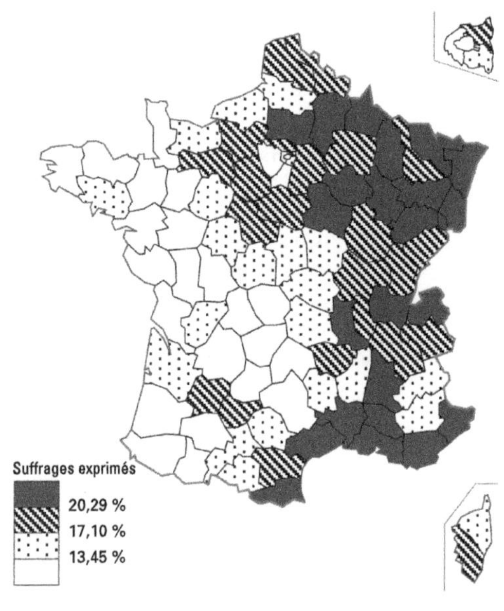

Avec 16,9 % des voix, J.-M. Le Pen est présent au second tour, ce que les sondages ne permettaient pas d'envisager. Il est même en tête dans un tiers des départements. L' effet de choc est considérable. On retrouve les zones de force du Front national: pourtour méditerranéen, Nord et Est, une partie de Rhône-Alpes. Par contre, l'impact de l'extrême droite est faible dans une large diagonale de la Bretagne au Massif central. La large place dans le débat de campagne du thème de l'insécurité a favorisé le candidat.

Les élections législatives de 2002, 1er tour : le vote UMP

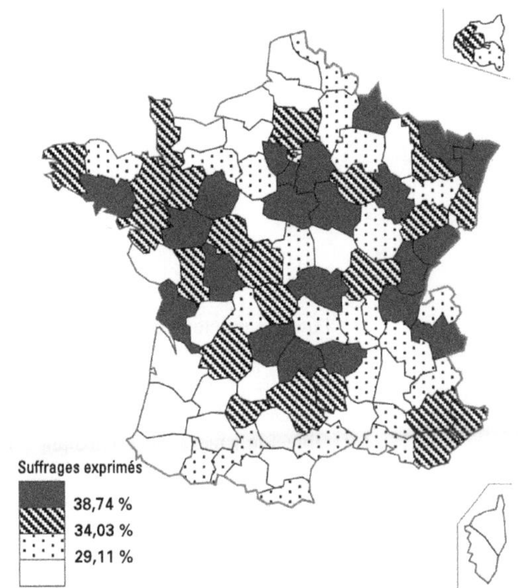

Un parti unique de la majorité présidentielle constitue un atout de poids. Cette carte ne recouvre pas exactement celle des votes du 21 avril pour le candidat Chirac. Elle peut donner une impression de puzzle. En fait, l'UMP « récupère » des voix dans les zones favorites du FN (PACA, Alsace) et obtient de bons résultats en France-Comté et dans le Centre-Ouest.

Le référendum sur le traité constitutionnel européen (29 mai 2005)

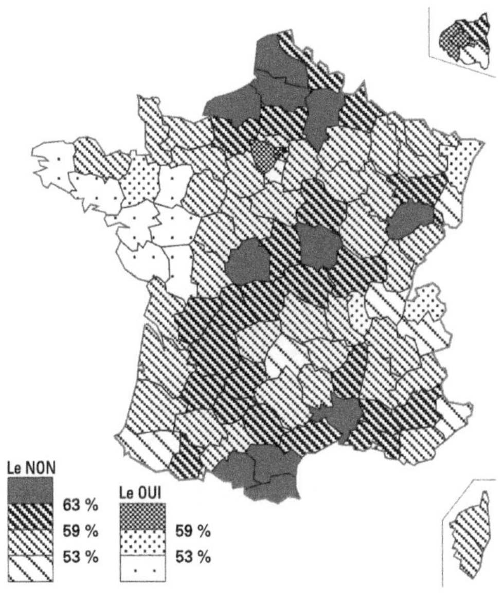

Le projet est rejeté par près de 55 % des votants. Le non l'emporte dans 84 départements et 18 régions. Il atteint des records – plus de 60 % – en Picardie, dans le Nord-Pas-de-Calais, en Languedoc-Roussillon. Le oui est majoritaire en Alsace, en Île-de-France, en Bretagne et dans les Pays de la Loire, toutes régions qui avaient déjà voté oui à Maastricht en 1992.

Les élections présidentielles de 2007, au 2e tour

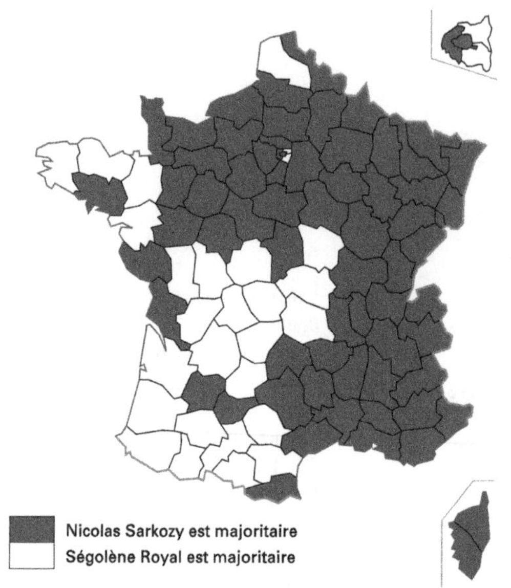

La carte reflète le contraste entre une France du Nord et de l'Est qui appuie la droite et une France du Centre et de l'Ouest et du Sud-Ouest plus favorable à la gauche. En comparant avec le 2e tour de 1995, on constate que des départements ont basculé. Mais ceci ne joue que sur quelques points de pourcentage, et dans une élection très personnalisée.

Les élections législatives de 2007, 1er tour (PS, MRG)

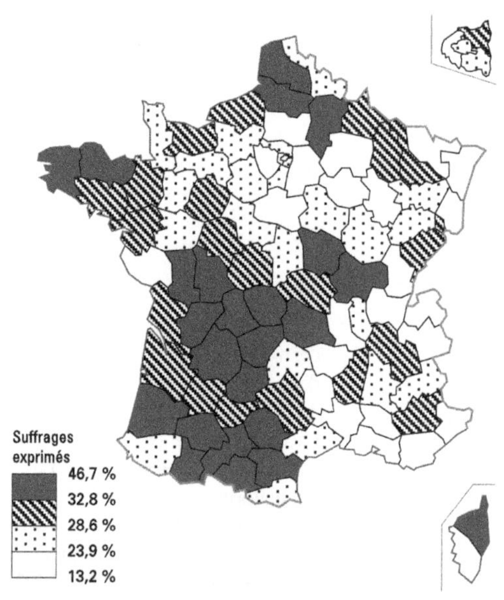

Déçus par la défaite de S. Royal, certains électeurs ne se sont pas déplacés. Avec 26,5 % des voix, le PS fait mieux qu'en 2002. Outre des départements fidèles au rendez-vous (Saône-et-Loire, Nièvre, Nord, Pas-de-Calais, Finistère, Côtes-d'Armor, Loire-Atlantique…), on remarque les agglomérats importants de départements dans le Bassin aquitain et le Massif central.

Les élections présidentielles de 2012, au 2e tour

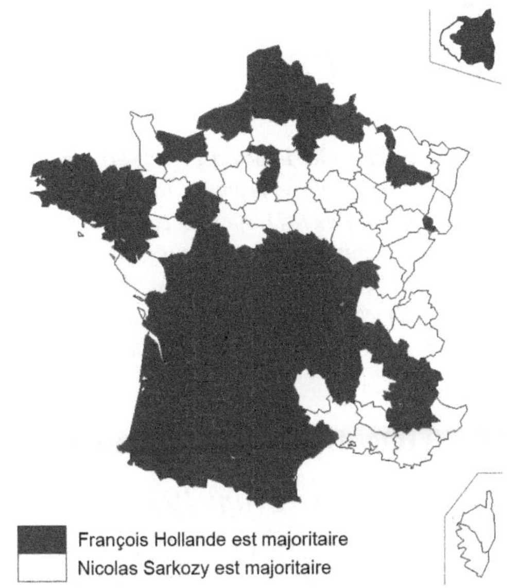

Si la gauche reste forte dans le Massif central, le Sud-Ouest, la Bretagne, et regagne des voix dans le Nord, cependant un faible écart sépare les deux candidats dans beaucoup de départements.

Les élections présidentielles de 2017, au 2e tour

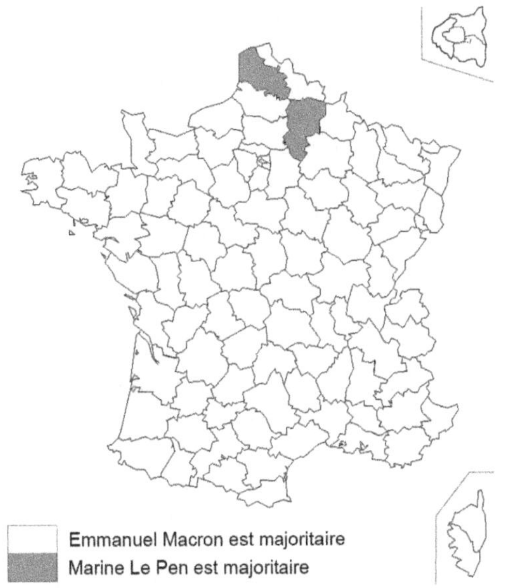

Il faut toutefois nuancer ce résultat en précisant qu'Emmanuel Macron (24,1 %) et Marine Le Pen (21,3 %) n'ont totalisé, au 1er tour, que 45 % des suffrages exprimés.

4

Les assemblées

Hormis deux interruptions – l'une relative, l'autre complète – (1851-1860 et 1940-1944), l'institution parlementaire a fonctionné en France, de façon régulière, depuis la Restauration. Et, sauf les exceptions de la IIe République et de l'Assemblée de 1871, elle s'est placée sous le signe du bicamérisme. À partir de 1875, le système démocratique et le régime républicain se recouvrent durablement. La Chambre des députés et le Sénat incarnant le pouvoir législatif, quels ont été leur rôle, leurs pouvoirs, leurs modes de fonctionnement ? Leurs prérogatives et leur efficacité ont varié aussi selon la nature de leurs relations avec le pouvoir exécutif.

RÔLES, POUVOIRS ET ÉVOLUTION DES ASSEMBLÉES

Jalons de l'histoire parlementaire française avant 1958

❑ ***Sous la monarchie censitaire,*** il s'agit moins de légiférer que d'apporter une sorte de contre-poids au pouvoir royal et à l'action des ministres, lesquels ne sont pas responsables devant les Chambres. Celles-ci assument deux tâches majeures. D'abord, le vote de la loi, qui fait suite à des travaux en « bureaux » et en commissions (toujours temporaires). Le vote est secret, jusqu'en 1845, et pratiqué avec des boules. L'autre axe de discussion est celui du budget. L'estimation des dépenses précède le vote des recettes utiles, donc des impôts. La méthode devient plus rigoureuse quand le budget est subdivisé en chapitres, puis en sections. L'examen du budget constitue un moyen de pression sur le pouvoir exécutif. Enfin, l'adresse, rédigée et votée en réponse au discours du trône offre un moyen d'exprimer quelques vues divergentes. Ces assemblées ont été moins inertes qu'on ne l'a cru ; s'inspirant souvent de pratiques britanniques, elles ont créé une tradition de parlementarisme, qui entraîne par exemple, après la Révolution de 1830, le retrait d'un ministère qui n'aurait plus la confiance des Chambres.

❑ ***La souveraineté incarnée par l'Assemblée élective.*** L'Assemblée de 1848 et celle de 1849 se réapproprient la souveraineté nationale, comme le fera aussi – après l'intermède du césarisme – leur héritière de 1871. Signe d'une conviction : malgré le harcèlement des gambettistes, qui soulignent les succès des républicains à différentes élections partielles dès 1871, la majorité monarchiste s'estime dotée de pouvoirs constituants et n'envisage aucunement la démission.

À les regarder de près, les **textes de 1875** ne confinent pas le **président de la République** dans un rôle honorifique. Mais ce sont les Chambres qui choisissent le premier personnage de l'État et qui peuvent congédier les ministres qu'il a choisis. Surtout, c'est la Chambre des députés, élue au **suffrage universel**, qui est la dépositaire de la volonté nationale. Le déséquilibre entre les pouvoirs naît du conflit de Mac-Mahon et de la majorité élue en 1876 (crise du 16 mai) ; il entraîne la démission du chef de l'État. Le déséquilibre est renforcé par la conception très prudente de son successeur Jules Grévy qui admet d'emblée ne pas vouloir s'opposer à la volonté nationale. C'est ainsi que le droit de dissolution, seule arme de l'**exécutif** pour dissuader le Parlement de gouverner à sa place, tombe en désuétude. Les nombreux renversements de gouvernements sous la IIIe République confirment la disparition des moyens de pression de l'exécutif sur les Chambres et la toute puissance de celles-ci. La Chambre des députés couvre en outre pratiquement tout le champ du législatif, elle n'admet guère que la spécificité de deux domaines : celui des affaires internationales dont s'occupent le président de la République et le ministre des Affaires étrangères et, à un degré moindre, les affaires coloniales.

❑ ***Un « modèle » parlementaire.*** Il est fondé sur un principe : la prise de décision est le produit de la discussion, quel que soit l'échelon considéré, du Parlement au simple conseil municipal. N. Roussellier a créé l'expression limpide de « Parlement de l'éloquence », car il faut convaincre. Ce qui entraîne plusieurs conséquences : une relative indépendance du député qui se déterminera plus en fonction des arguments écoutés que des consignes de sa formation politique, la présence d'un nombre révélateur d'orateurs d'envergure (avocats, universitaires) et de juristes aptes à rédiger des textes de loi, enfin le respect d'un rythme lent pour que le débat se déroule pleinement. La loi obtenue « n'est d'ailleurs pas perçue comme un instrument d'intervention mais comme la mise en règles juridiques d'un état de chose, la traduction juridique d'une évolution » (N. Roussellier).

❑ ***Le dérèglement du système (1918-1940).*** Contrairement à une idée reçue, les Chambres ont plutôt bien travaillé pendant la Grande Guerre. Mais sur ce conflit aux conséquences redoutables, se greffe une crise financière et monétaire, et plus tard une crise économique majeure. L'instabilité ministérielle s'aggrave : la durée moyenne des gouvernements est de six mois entre 1920 et 1940. Les formations ne peuvent fixer des majorités durables soit parce qu'elles manquent d'homogénéité – tel le bloc dit « national », qui n'est d'ailleurs au départ qu'une simple entente électorale à Paris et dans la Seine –, soit parce que des raisons idéologiques interdisent longtemps le passage de l'accord électoral au partage des responsabilités gouvernementales, d'où le soutien flou de la **SFIO** à Herriot en 1924 et en 1932. Le symptôme le plus flagrant a été relevé très tôt par F. Goguel ; c'est le glissement d'une majorité à une autre, contraire, ou inversée (grâce à la souplesse des centres), au cours d'une même législature. On observe ces renversements, deux ans après des élections à chaque occasion, en 1926, 1934 et 1938. De fait, le modèle parlementaire évoqué plus haut ne fonctionne plus ; il est jugé trop lent, parce que la résolution des difficultés suppose des décisions rapides et que les Français souhaitent que la loi soit maintenant un instrument d'intervention. Au sein des ligues, l'antiparlementarisme retrouve davantage d'adeptes.

❑ ***La réforme manquée.*** Au plan de l'instabilité des majorités, la IVe République est confrontée à des problèmes identiques. Elle a bien cherché pourtant à réformer certains mécanismes de fonctionnement, en les rationalisant. C'est le cas notamment de la question de confiance ou de la motion de censure pour lesquelles il faut désormais la majorité absolue. Elle a rétabli le droit de dissolution. Mais ces mécanismes ont été contrariés par les mœurs de la IVe République et un système de partis insuffisamment stable. Le droit de **dissolution**, assorti de conditions trop sévères, n'a été utilisé qu'une seule fois, en décembre 1955. Quant à la question de confiance et à la motion de censure, elles n'ont pas empêché l'Assemblée d'acculer nombre de gouvernements à la démission en leur refusant, à la majorité relative, les moyens de gouverner.

❑ ***Le devenir du Sénat (1875-1958).*** Le compromis de 1875 fait réapparaître une seconde Chambre. Et curieusement, Gambetta n'est pas choqué par le mode d'élection et voit même le délégué de chaque conseil municipal capable de questionner les candidats au Sénat sur leurs opinions: «De cette sorte, vous installez dans chaque commune de France un véritable cours de politique générale.» D'ailleurs le Sénat acquiert rapidement une majorité républicaine (1879) et prend sa part de la fonction législative. Entre 1883 et 1938, il est responsable de la chute de neuf gouvernements (dont les deux ministères de L. Blum). Son penchant pour le statu quo explique sa lutte opiniâtre contre l'impôt sur le revenu – finalement adopté en 1914 – et son refus du vote féminin. Il est vrai que, par son type de recrutement, il représente surtout les zones rurales moins dynamiques ou, selon le mot de G. Vedel, «la France du seigle et de la châtaigne».

Le Conseil de la République créé par la **Constitution de 1946** est une assemblée marginalisée et pâlotte qui, pourtant, au moyen de la réforme de 1954, retrouve une initiative législative.

La synthèse de la Ve République

Les constituants de 1958 ont cherché à limiter le rôle de l'Assemblée nationale et à renforcer celui de l'exécutif. Ils n'ont pas remis en question la fonction législative de l'Assemblée nationale, ils ont seulement voulu l'empêcher d'intervenir hors de son champ. Signe de cette volonté: dans le **texte de 1958**, le Parlement n'est introduit qu'au titre IV, soit après le président (II) et le gouvernement (III). Le titre V (Des rapports entre le Parlement et le gouvernement) précise les conditions de la dépendance. De l'ancienne fonction de formation du pouvoir gouvernemental, il reste peu de choses, puisque c'est le président qui choisit le Premier ministre.

Le rôle de l'Assemblée nationale reste pourtant fondamental dans deux domaines: l'exécutif est toujours tributaire de la majorité parlementaire pour l'adoption de son programme législatif; l'Assemblée conserve également le droit de renverser le gouvernement à tout moment (à la majorité absolue de ses membres réels). Elle reste un interlocuteur important pour le vote du budget, le gouvernement hésitant à se passer de son approbation, (le gouvernement Rocard l'a pourtant fait en 1990 en se servant de l'article 49, al. 3, mais il n'avait pas de vraie majorité).

Le rôle de l'Assemblée nationale se trouve néanmoins amoindri par rapport aux régimes précédents, en matière de contrôle d'élaboration des lois et de contrôle gouvernemental. La fonction législative est définie dans l'article 34, sous la forme de deux énumérations d'importance décroissante: dans le premier cas, la loi fixe les règles – par exemple les libertés publiques, « la liberté, le pluralisme et l'indépendance des médias », la procédure pénale, la fiscalité – ; dans le second, elle détermine seulement les principes fondamentaux. Tout ce qui n'est pas précisément mentionné là relève donc de la compétence réglementaire du gouvernement. Dans la pratique, cette fonction connaît de sérieuses limitations: ordre du jour fixé par l'exécutif, procédure d'urgence, vote bloqué, ordonnances, bien que la réforme de 2008 apporte quelques aménagements. De plus, l'activité parlementaire s'est un peu diluée dans les nombreuses commissions spécialisées, commissions *ad hoc*, différentes des commissions permanentes.

Le Parlement exerce aussi une fonction de délibération et de contrôle du gouvernement. Aux interpellations de naguère, ont succédé les questions écrites et orales et les questions d'actualité, parfois trop formelles. Surtout, les parlementaires se heurtent à la complexité et à la technicité croissantes des dossiers. En 1973, Pierre Dabezies notait déjà: « La plupart des parlementaires ont perdu toute possibilité d'émerger dans l'amas des questions qu'ils ont, en principe, à traiter.» Il leur est, par exemple, plus difficile d'élaborer des propositions de lois, même si les services techniques de documentation et d'information juridique des deux Assemblées se sont nettement étoffés.

La rationalisation du parlementarisme opérée par la Constitution de 1958 a donné au gouvernement des moyens de dissuasion et de régulation plus importants qu'auparavant. Ne serait-ce que le droit de dissolution dont la menace qui pèse sur les députés est évidemment de nature à refréner leur tentation de renverser le gouvernement. La pression que peut exercer le gouvernement en matière de vote des lois est aussi fondamentale. Avec l'article 49, al. 3, qui dispense le Premier ministre de faire procéder au vote d'un texte sur lequel il a engagé son existence, il oblige les députés à choisir entre son adoption implicite et le renversement du gouvernement. L'expérience a montré que ce type de chantage était efficace et les gouvernements y recourent maintenant fréquemment. Cet alinéa a été aussi retouché en 2008.

Origine des lois votées par le Parlement
(sur les trente premières années de la Ve République)

Présidences	Projets de loi gouvernementaux	Propositions de loi parlementaires	Total	% des lois d'origine parlementaire
De Gaulle	675	103	778	11,7
Pompidou	411	81	492	16,5
Giscard d'Estaing	661	95	756	12,6
Mitterrand	644	56	700	9,0

Le contrôle du gouvernement : une illusion ?

Législatures	Approbation du programme du gouvernement	Vote sur une motion de censure déposée par un groupe de députés		Adoption d'un texte en vertu de l'art. 49, al. 3
		Rejet	Adoption	
1959-1962	3	3	1	7
1962-1967	1	2	–	–
1967-1968	–	3	–	3
1968-1973	3	2	–	–
1973-1978	3	4	–	2
1978-1981	1	7	–	6
1981-1986	6	8	–	11
1986-1988	3	1	–	8

Statistiques tirées de Maurice Duverger, *Constitutions et documents politiques*, PUF, Paris, 1989.

❑ ***Enfin, le Parlement doit compter avec d'autres sources de légitimité et d'autorité.*** En approuvant l'élection du président de la République au suffrage universel (1962), les Français ont sans doute porté un coup à la représentation traditionnelle de la souveraineté. D'autre part, le Parlement doit composer avec le Conseil constitutionnel, une des innovations de la Ve République, chargé de vérifier la constitutionnalité des lois. Les constituants ont ainsi renversé une tradition séculaire et posé les bases d'un contrôle de l'activité législative. Limitée à l'origine au président de la République, au Premier ministre et aux présidents des Assemblées, la saisine du Conseil constitutionnel a été élargie aux membres du Parlement le 29 octobre 1974. Désormais soixante députés ou soixante sénateurs peuvent le saisir. Accueillie par certains comme une « réformette », cette mesure a eu une grande portée. Elle s'est traduite par une multiplication des recours en constitutionnalité. En 1981, 1986 et 1988, les saisines ont été presque systématiques. Le Conseil constitutionnel influence aussi le législateur par son interprétation des Droits de l'homme et des principes républicains fondamentaux contenus dans le Préambule. Il est trop tôt pour évaluer les effets de la dernière innovation (révision de juillet 2008) : la possibilité pour tout justiciable de saisir le Conseil s'il estime que la loi qui lui est opposée est inconstitutionnelle. À l'échelle européenne, il existe également une structuration législative supranationale (lois communautaires économiques et sociales, Convention européenne des Droits de l'homme) susceptible, à la longue, de remettre en cause la fonction législative des Parlements nationaux.

❑ ***Le législatif en crise ?*** On doit distinguer des phases de tension continue – la plus longue coïncida, dans les années soixante, avec le « duel » de Gaulle-G. Monnerville – de manifestations diverses et de critiques laissant entendre que le système est gravement perturbé (absentéisme parlementaire, manque d'adaptabilité du Sénat, méfaits du « 49-3 », désinvolture de certains ministres face aux élus nationaux, temps considérable consacré à la discussion du budget, lourdeur des sessions…).

Mais a-t-on assez souligné qu'avec le fait majoritaire, le rôle du Parlement avait changé ? Que, dans ce contexte de législature stable, « c'est avant tout l'opposition qui devient titulaire du pouvoir de contrôle » (G. Carcassonne) ? Certes, les majorités – essentiellement à l'Assemblée nationale – ne sont pas là uniquement pour servir de faire-valoir aux membres du gouvernement (d'ailleurs, entre 1976 et 1981, R. Barre a dû souvent batailler avec le **RPR**, aile ombrageuse de sa majorité), mais, même en renâclant de temps à autre, elles respectent la discipline du ou des partis qu'elles représentent. Il s'agit avant tout d'une crise d'adaptation, qui recouvre un besoin de modernisation des pratiques parlementaires.

Néanmoins, la discordance entre majorité parlementaire et appartenance politique du chef de l'État en 1986 a conduit à restaurer une logique plus parlementaire du régime. L'absence de majorité sûre (1988-1993), puis les deux cohabitations (Balladur en 1993-1995 et Jospin en 1997-2002) ont confirmé ce phénomène.
Mais, parallèlement, l'image de la représentation nationale – et du personnel politique en général – s'améliorait.

❑ ***Des impulsions nouvelles.*** En élisant comme président Philippe Séguin, l'Assemblée nationale de 1993 – qualifiée de « Chambre introuvable » – a choisi un homme soucieux de revaloriser le pouvoir législatif et l'image des parlementaires dans le pays. Pour ce faire, il a entrepris ou encouragé une série de réformes dans les méthodes de travail des députés. Ainsi, l'autorité et l'efficacité du travail en commission ont-elles été renforcées (1994), l'objectif étant de gagner un temps précieux, en réservant aux séances publiques le débat spécifiquement politique. Le fait majeur demeure toutefois l'entrée en vigueur de la session unique à la rentrée 1995. D'autre part, Ph. Séguin a pris des initiatives d'ordre diplomatique, en invitant à l'Assemblée des personnalités étrangères, comme le roi d'Espagne en 1993, ou celui du Maroc en 1996. Au risque d'irriter quelque peu le gouvernement – la diplomatie ne relève-t-elle pas de l'exécutif ? – ou de susciter les critiques de l'opposition. Dans un style différent, Jean-Louis Debré, président de l'Assemblée de 2002 à 2007, a aussi œuvré pour la réhabilitation du travail parlementaire et pour une meilleure reconnaissance des droits de l'opposition.

Rappelons que les critiques en direction des parlementaires et des partis ont visé longtemps trois anomalies : un mode de financement opaque, une surreprésentation masculine insupportable dans la république de l'« égalité » et le cumul des fonctions (plutôt que des « mandats »). Or dans la décennie 1990, des lois ont encadré strictement le financement des partis – à l'origine des nombreuses « affaires » – désormais assuré par l'État, et amélioré partiellement les conditions d'éligibilité des femmes, notamment à l'échelon national (ce qui n'empêche pas des gestes et réflexions sexistes dans l'hémicycle). L'opinion a approuvé ces remèdes. Mais, pour les cumuls, les mesures décidées par le Parlement n'ont concerné que des élus des premiers niveaux ou européens…

En 2006, on a pu aussi mesurer l'effet bénéfique du fonctionnement de la Commission parlementaire présidée par André Vallini, député de l'Isère, pour faire la lumière sur le rôle des magistrats lors de l'affaire d'Outreau. Le public, qui a pu suivre les audiences à la télévision, a eu droit à une vraie démonstration de rigueur démocratique.

❑ ***Une « révolution » sarkozyenne ?*** Avec la réforme constitutionnelle de juillet 2008, le Parlement acquiert de nouveaux droits et reçoit un nouveau règlement. Par exemple, le gouvernement dispose de la priorité sur les deux premières semaines, quand les deux suivantes sont en principe réservées à l'initiative et au contrôle parlementaires. Mais cela ne bride pas le gouvernement, la majorité pouvant se trouver opportunément « en panne » de propositions de lois. Le « jeu » parlementaire rend aussi difficile les initiatives de l'opposition, que la majorité peut rendre vaines en ne siégeant pas. Par ailleurs, dans le but de gagner du temps, les nouvelles dispositions renforcent le travail en commission ; c'est un texte « cousu main » qui vient en discussion et celle-ci reste forcément limitée (c'est l'inverse de ce que prônait Ph. Séguin quinze ans plus tôt). Le rythme imposé par le gouvernement soulève des récriminations parmi les élus des deux bords (« Parlementaires au bord de la crise de nerfs » titre *Le Monde* (27 janvier 2010). Car l'on sait depuis longtemps que la législation française croule sous les textes ; et que certaines lois ne s'appliquent pas, faute de la rédaction dans un délai raisonnable des décrets d'application.

❑ ***Une majorité en ébullition (2012-2017).*** Durant cette législature, les dissensions de la gauche se répercutent très vite sur le travail à l'Assemblée. C'est une des conséquences des accords souvent contradictoires passés par François Hollande avec tel ou tel courant du PS avant son élection à la présidence de la République. Les députés de la majorité vivent mal les conflits entre les leaders ; le départ de trois ministres durant l'été 2014 révèle ces faiblesses. Certes, on fait front pour répondre aux attentats de 2015 et 2016 (Nice), mais la majorité, sous l'influence des « frondeurs », manque d'unité à l'égard des effets de l'état d'urgence ou lors des débats sur la déchéance de nationalité. Manuel Valls, Premier ministre jugé cassant par certains, utilise 6 fois le 49-3 (dont une fois pour la loi Macron et une fois pour la loi défendue par Myriam El Khomri). Autant de soucis sérieux pour une présidence qui se voulait « normale ».

❑ ***Un Sénat requinqué.*** Une indéniable évolution s'est produite. René Monory, élu président du Sénat à l'automne 1992, a cherché à donner plus de dynamisme aux travaux du Palais du Luxembourg En 1998, les sénateurs RPR et certains centristes lui préfèrent Christian Poncelet, soutenu par l'Élysée. Après avoir résisté à une offensive de L. Jospin en 1998, les sénateurs ont accepté en 2004 la réduction de leur mandat à six ans. C'est Gérard Larcher, élu président en 2008, qui innove le plus en choisissant la stricte proportionnalité pour composer le bureau du Sénat, puis en profitant de l'absence de majorité absolue de droite pour instaurer un débat digne de ce nom. En janvier 2010, sur le sujet controversé des mères porteuses, gauche et droite présentent même deux propositions de loi identiques « tendant à autoriser et encadrer la gestation pour autrui (GPA) ».

Le Sénat est aussi la première assemblée à se prononcer sur les projets gouvernementaux de réforme des collectivités territoriales, après avoir obtenu des concessions (février 2010). Ses succès aux élections intermédiaires de 2008 et 2010 permettent à la gauche d'obtenir une majorité. Mais, forte d'une large victoire aux municipales de 2014, la droite reprend l'avantage et Gérard Larcher retrouve sa fonction de président (septembre 2014).

ÉVOLUTION DE L'ASSEMBLÉE ISSUE DU SUFFRAGE DIRECT

LA IIIe RÉPUBLIQUE

La chambre « bleu-horizon »

Novembre 1919

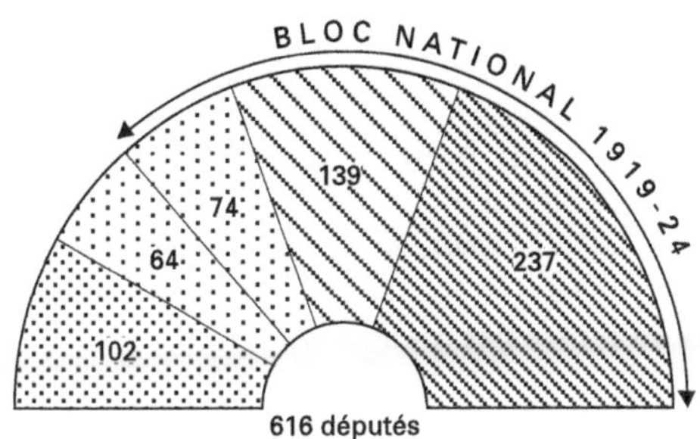

Du Cartel des gauches à l'Union nationale

Avril 1924

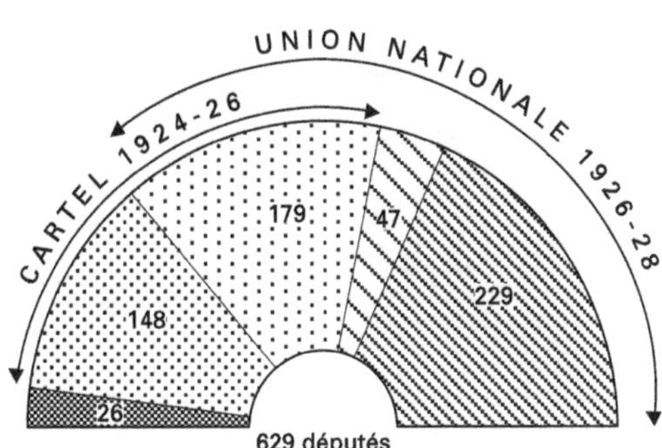

communistes — radicaux — droite — socialistes — centre-modéré

La majorité de Poincaré
Avril 1928

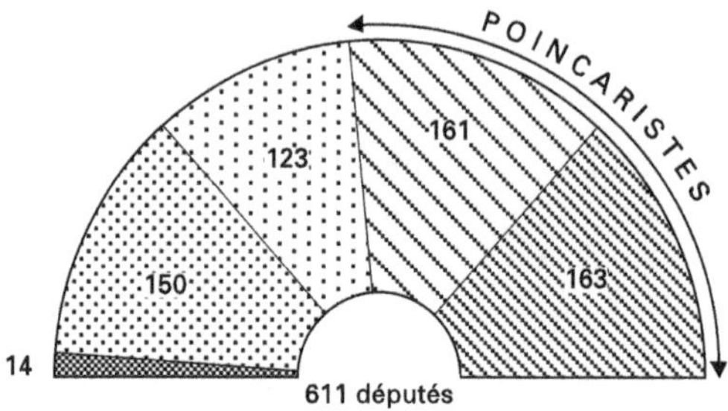

Les radicaux au centre des coalitions
Mai 1932

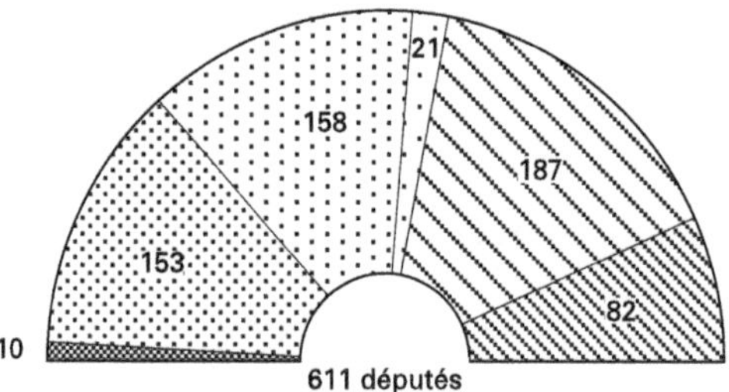

Du Front populaire à l'Union nationale
Avril 1936

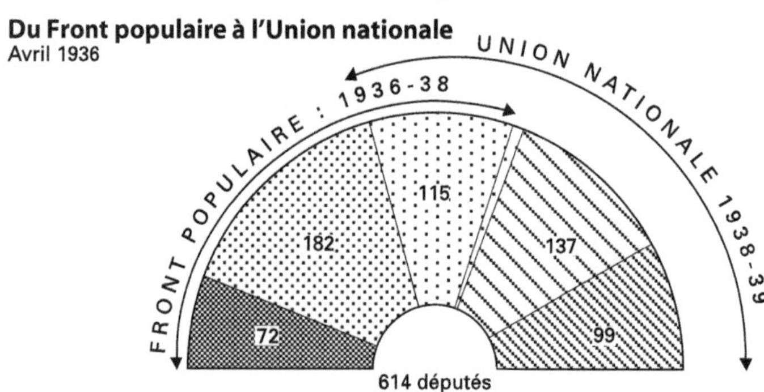

communistes
radicaux
centre modéré
socialistes
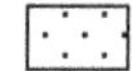
divers gauche

droite

LA IVe RÉPUBLIQUE

Ire assemblée constituante : la naissance du tripartisme

Octobre 1945

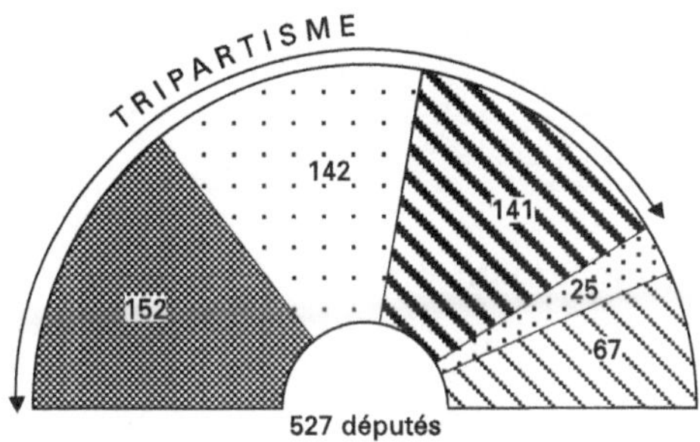

2e assemblée constituante

Juin 1946

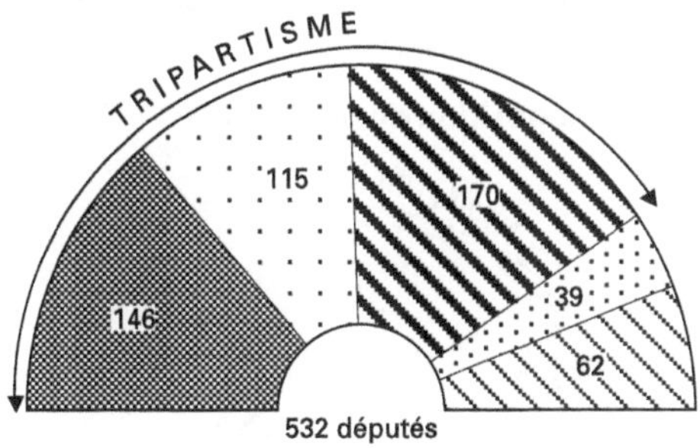

 PCF

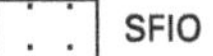 SFIO

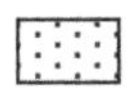 radicaux et divers gauche

 MRP

 modérés et droite

Élections législatives : du tripartisme à la Troisième Force
Novembre 1946

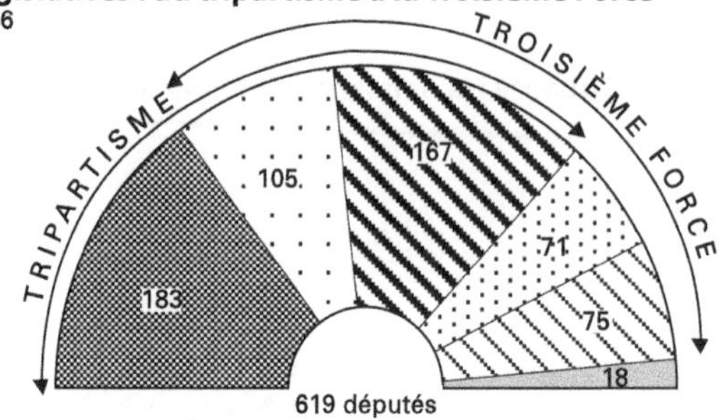

Les gouvernements de centre-droit
Juin 1951

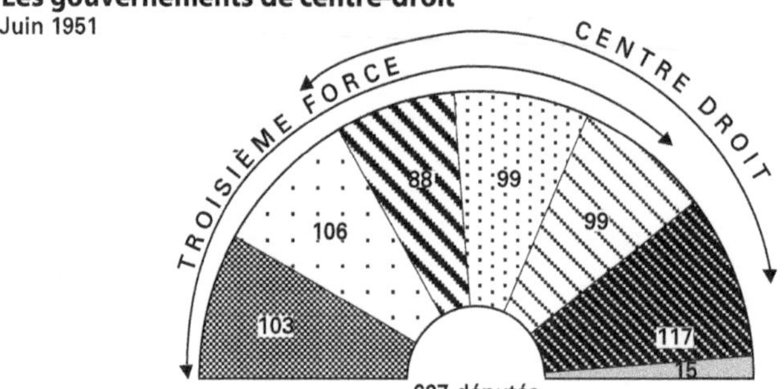

Front républicain et opposition du poujadisme
Janvier 1956

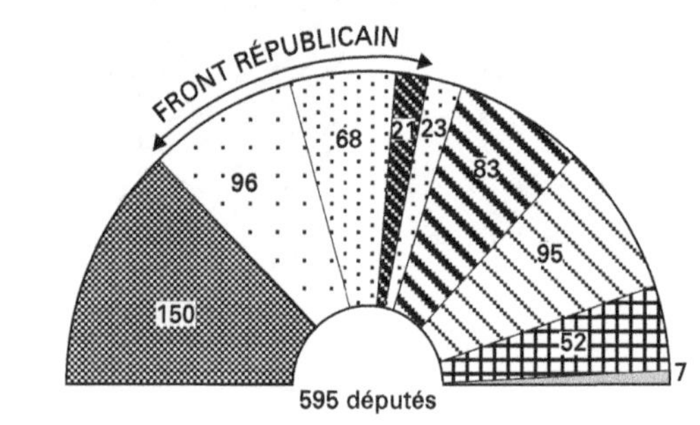

communistes
SFIO
radicaux et divers gauche
Gaullistes
MRP
modérés et droite
Poujadistes
divers

LA Ve RÉPUBLIQUE

L'ascension de l'UNR
Novembre 1958

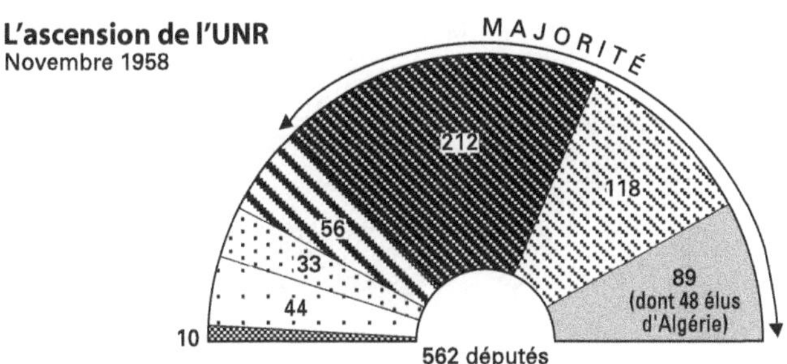

Le raz de marée gaulliste
Novembre 1962

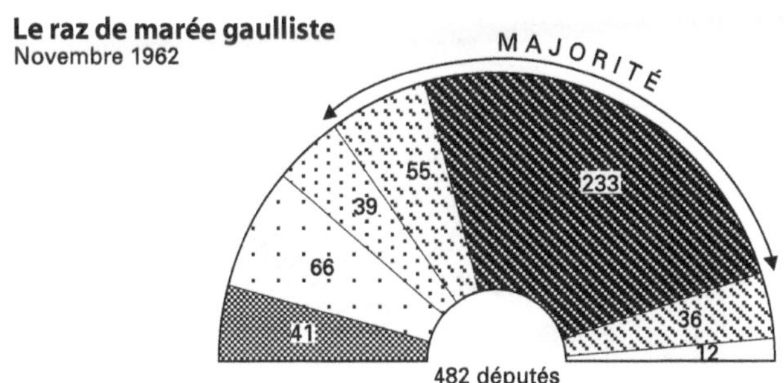

La montée de l'opposition
Mars 1967

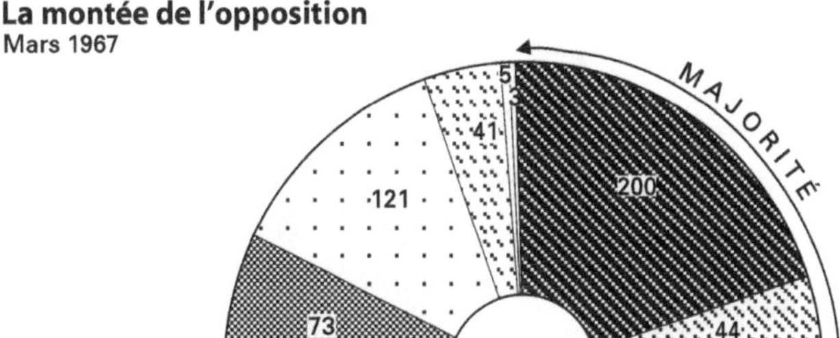

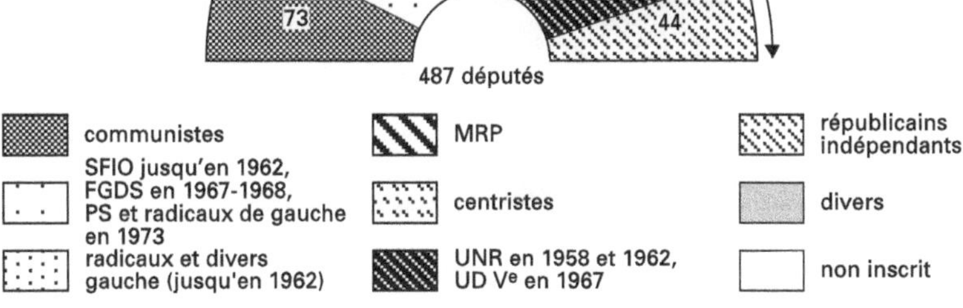

Les éléctions de la peur
Juin 1968

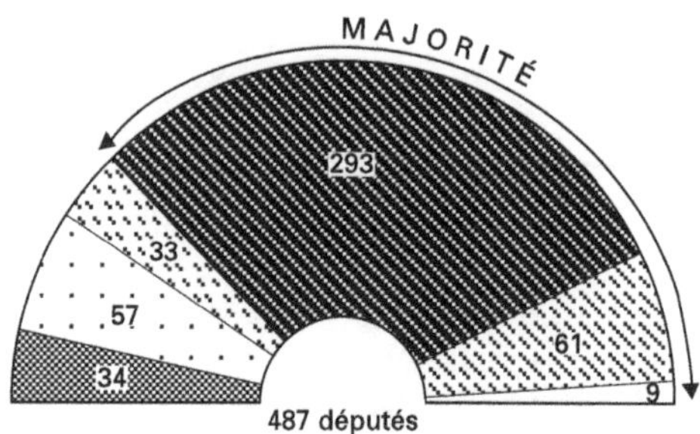

L'après gaullisme : de la stabilisation du parti dominant à la rupture de la majorité de centre-droit
Mars 1973

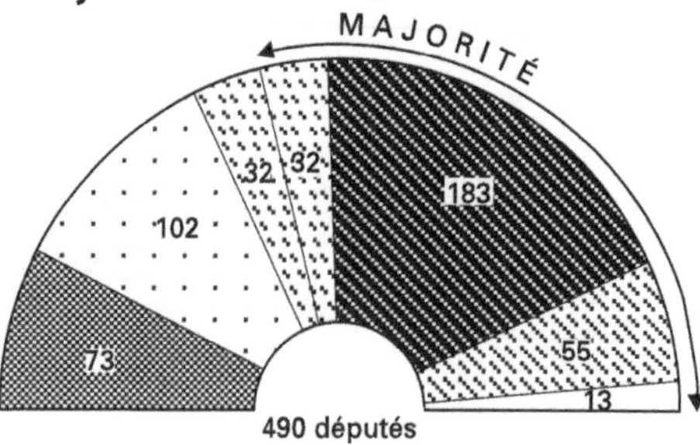

Les progrès de l'opposition
Mars 1978

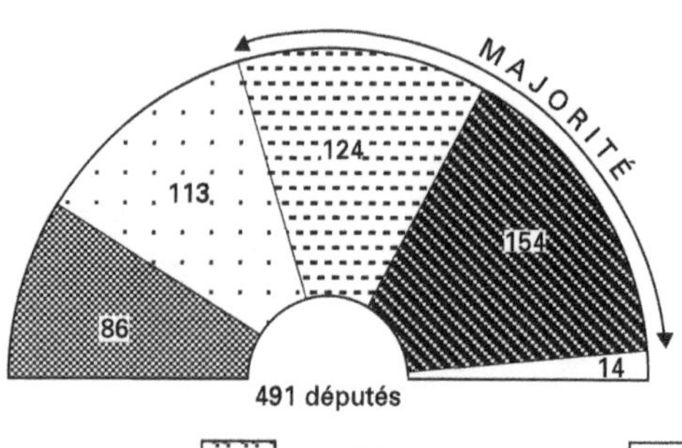

communistes
FGDS en 1967-1968, PS et radicaux de gauche en 1973
UDF
centristes
UDR en 1968 et 1973 puis RPR en 1976
républicains indépendants
non inscrit

La gauche au pouvoir
Juin 1981

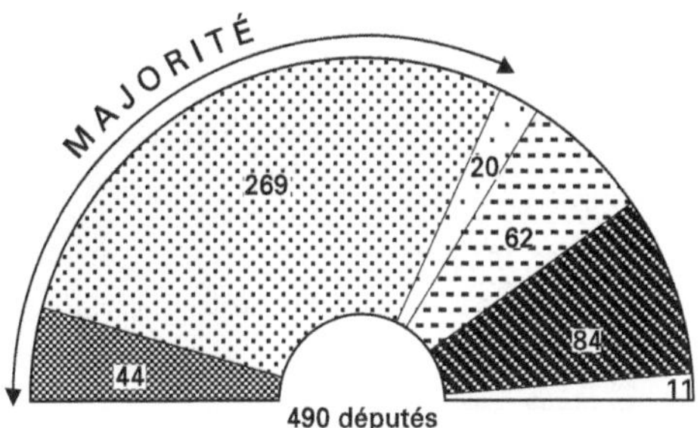

La parenthèse d'une majorité de droite
Mars 1986

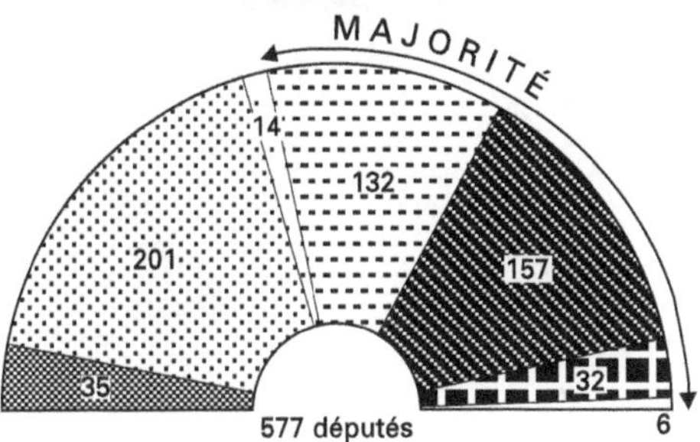

Le retour fragile de la gauche
Juin 1988

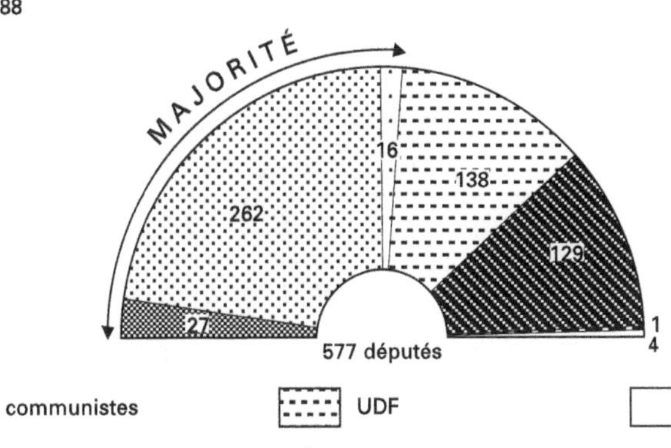

Une « chambre introuvable » pour la droite

Mars 1993

MAJORITÉ

215

258

57

23

24

577 députés

La victoire surprise de la gauche

Juin 1997

MAJORITÉ

33

113

250

140

36

577 députés

5

communistes

PS

radical, citoyen et vert

UDF

RPR

non inscrit

Une majorité présidentielle

Juin 2007

MAJORITÉ

22

320

204

24

577 députés

7

communistes, verts

PS, radical de gauche, MRC

nouveau centre

RPR

non inscrit

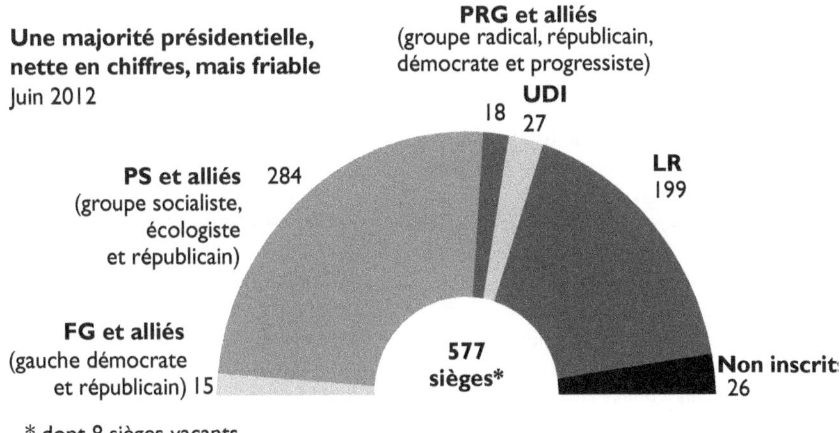

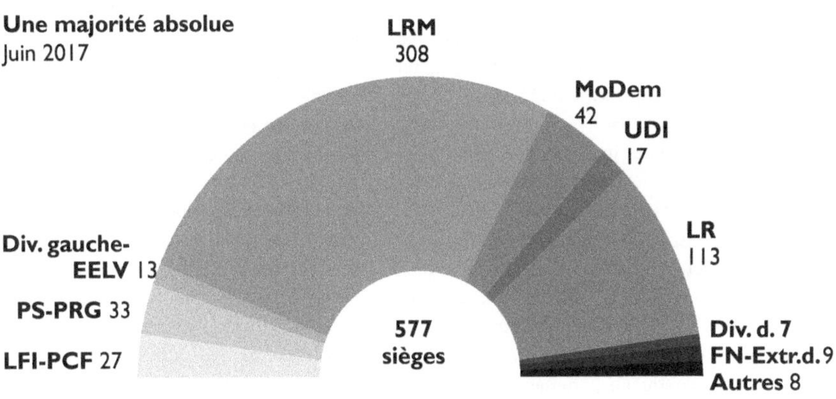

Les mots-clés

Amendement : suggestion de modification à un projet ou à une proposition de loi rédigée soit par un député, soit par le gouvernement, soit par une commission et soumise au vote de l'Assemblée.

Articles : subdivisions numérotées d'un texte de loi correspondant à ses différentes dispositions.

Commission législative : organe constitutionnel composé d'un nombre restreint de députés, chargé de faire un rapport sur les projets et propositions de loi, pour préparer leur discussion en séance publique. Les députés sont répartis entre six commissions permanentes ayant chacune une compétence spécialisée (Finances, Affaires sociales, Affaires économiques, Affaires étrangères,

Lois, Défense). Des commissions spéciales peuvent être créées pour l'examen de certains textes.

Commission mixte paritaire : commission composée de sept députés et de sept sénateurs, chargée de parvenir à une rédaction commune en cas de désaccord persistant entre l'Assemblée nationale et le Sénat sur les dispositions d'un texte.

Décret : texte de nature réglementaire pris soit par le président de la République, soit par le Premier ministre, notamment en vue de préciser les modalités d'application d'une loi.

Décrets-lois : sous la IIIe et la IVe République on a recouru, dans des circonstances – financières surtout – difficiles, à la procédure des « lois de pleins pouvoirs », qui autorisait exceptionnellement le président du Conseil – pendant trois ou quatre mois – à gouverner par décrets-lois (alors que la délégation du pouvoir législatif était en principe interdite). Poincaré en 1926 y eut recours.

Immunité : régime juridique assurant l'indépendance des parlementaires en cours de mandat. On distingue deux aspects :

– *l'irresponsabilité :* le député, ou le sénateur, ne peut être poursuivi, recherché, arrêté, détenu ou jugé pour ses opinions ou ses votes émis dans l'exercice de ses fonctions :

– *l'inviolabilité :* en session, les poursuites judiciaires contre un parlementaire à raison des actes accomplis en dehors de l'exercice de ses fonctions sont soumises à l'examen de l'Assemblée (levée de l'immunité).

Loi : acte voté par l'organe législatif et promulgué par le chef de l'État. Cette définition vaut pour la IIIe et la IVe République ; en effet, la compétence législative du Parlement ne rencontrant pas alors de limite, la loi pouvait porter sur n'importe quel domaine.

L'article 34 de la Constitution de 1958 est très explicite, puisqu'il dispose que « la loi est votée par le Parlement » et qu'il définit le contenu législatif ; mais dans la pratique, celui-ci a débordé la longue énumération initiale (la loi peut aussi concerner des références contenues dans le Préambule de la Constitution). Depuis 1958 encore, la loi est soumise au contrôle du Conseil constitutionnel. La loi référendaire a comme auteur le peuple s'exprimant par le suffrage universel.

Loi organique : mesure d'application de la Constitution, elle précise l'organisation ou le fonctionnement des pouvoirs publics ; elle suit une procédure spécifique.

Loi de finances : loi fixant la nature, le montant et l'affectation des ressources et des charges de l'État ; la plus connue est le « budget », dont l'examen commence dès la rentrée parlementaire d'automne.

Message : communication adressée par le président de la République aux deux Assemblées. Le message est lu par le président de chaque Assemblée (article 18).

Motion de censure : initiative prise par des députés, qui souhaitent mettre en cause la responsabilité du gouvernement. Si elle est votée par la majorité absolue des députés le gouvernement doit démissionner.

Ordonnances : elles rappellent seulement les décrets-lois. L'article 38 étend la compétence réglementaire de l'exécutif, lequel se trouve autorisé dans des domaines particuliers, à modifier par ordonnance telle ou telle loi en vigueur.

Ordre du jour : liste des textes ou des débats soumis aux députés en séance publique. L'ordre du jour est établi, chaque semaine, en conférence des présidents, et retient en premier lieu les textes pour lesquels le gouvernement demande la priorité.

Projet de loi : texte adopté en Conseil des ministres et soumis à l'examen et vote du Parlement par le gouvernement.

Promulgation : signature du président de la République qui rend applicable une loi votée par le Parlement.

Proposition de loi : texte signé par un, deux ou plusieurs parlementaires, destiné à devenir loi s'il est inscrit à l'ordre du jour et adopté.

Rapporteur : chaque commission dispose d'un rapporteur – poste très en vue – qui présente ensuite en séance les analyses et amendements de la commission.

Résolution : texte adopté par le Parlement, et qui n'est pas une loi.

Sessions : périodes pendant lesquelles le Parlement se réunit en séance publique. Sous la Ve République, l'Assemblée nationale et le Sénat tenaient chaque année deux sessions ordinaires de trois mois chacune (octobre-décembre, avril-juin). La réforme de 1995 a institué une seule session d'octobre à juin.

Le Parlement peut être réuni en session extraordinaire par le président de la République, à la demande du Premier ministre ou de la majorité des membres composant l'Assemblée nationale, sur un ordre du jour déterminé.

QUI SONT LES DÉPUTÉS ?

Le poids des notables

L'hégémonie des grands notables sur le monde politique de la monarchie de Juillet a été démontrée par les travaux d'A.-J. Tudesq. Mais la part prise par les milieux d'affaires est moindre qu'on ne pourrait croire : une soixantaine de députés, sur 459, dans la Chambre de 1846. Les gros effectifs d'élus sont constitués de propriétaires fonciers et de fonctionnaires, qu'ils soient en activité ou non. Les principales catégories de fonctionnaires représentées sont les magistrats, les administrateurs locaux (maires), les membres du Conseil d'État et de la Cour des Comptes, les militaires, les universitaires, les diplomates. En dépit de nombreux débats, il s'est toujours trouvé une majorité pour refuser l'interdiction du cumul entre le mandat de député et l'exercice parallèle d'une haute fonction administrative.

Le suffrage universel masculin entraîne quelques modifications. À l'Assemblée constituante de 1848, la répartition s'établit à peu près comme suit : un tiers de propriétaires, un tiers de membres des professions libérales, un cinquième de fonctionnaires et un cinquième de représentants des secteurs de la production, du négoce et de la banque. Sous le Second Empire, la pratique de la candidature officielle aidant, on observe une stabilité de l'appartenance socio-professionnelle. Sur l'ensemble de la période, près de 35 % des membres du Corps législatif sont d'anciens fonctionnaires ou d'anciens militaires. Les milieux du patronat industriel, du grand commerce et de la finance représentent environ le quart du total, les propriétaires le cinquième et les professions libérales le reste. Sans richesse personnelle, peu de chance d'être élu ; toutefois, une évolution transparaît : « En ce temps d'expansion, la richesse mobilière l'emporte sur la richesse foncière, mais le Parlement demeure la consécration d'un pouvoir obtenu ou conquis hors de la sphère strictement politique » (Jean-Luc Pinol).

La IIIe et la IVe République : les reclassements

Si l'Assemblée élue en 1871 comporte 35 % de nobles, les décennies suivantes sont marquées par l'influence prédominante de la haute bourgeoisie et la progression régulière de la moyenne bourgeoisie et des membres des professions libérales issus, grâce à leurs études, d'un cadre social modeste. L'accès au pouvoir des représentants des « couches nouvelles », souhaité par Gambetta, ne s'est pas opéré instantanément, loin s'en faut. Il est d'ailleurs bon de distinguer l'appartenance sociale, qui peut donner une apparence trompeuse d'homogénéité, et l'origine sociale, laquelle induit le type de formation, la plus ou moins grande efficacité du réseau de relations, et conditionne le caractère plus ou moins brillant de la carrière parlementaire. Des études quantitatives précises, dont une portant sur les années 1898-1940, permettent de cerner le rôle important joué au Parlement par les représentants de trois professions : les médecins, les professeurs et les avocats.

Attirés par le libéralisme républicain, auréolés par leur réputation d'hommes de science mais aussi par leur popularité locale, des médecins deviennent députés (soixante en moyenne par législature de 1876 à 1902) ou sénateurs. Souvent libres-penseurs, ils sont nombreux à appartenir à une loge maçonnique ; opportunistes d'abord, plutôt radicaux ensuite, ils renforcent la gauche et fournissent quelques ministres ou même des présidents du Conseil (P. Bert, de Lanessan, Combes, Clemenceau).

L'osmose entre l'Université et le monde politique existait déjà sous la monarchie de Juillet. Elle se confirme. En 1927, le critique littéraire Albert Thibaudet fait paraître sa *République des professeurs*. Avec le recul, l'expression ne manque pas d'une certaine exagération, car leur effectif n'a guère dépassé 10 % de la Chambre. Mais on est sensible au fait qu'en 1924, les deux chefs du cartel des gauches sont deux anciens de l'École normale supérieure, Édouard Herriot, en lettres, et Paul Painlevé, en sciences. L'effet de groupe joue. Tous ces enseignants ne sont pas normaliens ; ils sont une cinquantaine en 1924, environ 70 en 1936, et siègent principalement sur les bancs radicaux et socialistes. J.-F. Sirinelli estime d'ailleurs qu'il existe dans l'entre-deux-guerres « un archétype littéraire du boursier devenu professeur, puis homme politique », dont une figure représentative serait Yvon Delbos. Le mythe de la promotion républicaine fonctionne toujours.

On pourrait en revanche parler de « République des avocats », tant est impressionnante la présence de ce groupe professionnel dans les assemblées et les gouvernements. Les avocats et hommes de loi représentent, en effet, environ un quart des députés entre 1898 et 1940. Plus que la rue d'Ulm et l'École libre des Sciences politiques, c'est l'« École de droit » qui assure la formation des futurs parlementaires. Il existe surtout une institution spécifique, la conférence du stage du barreau de Paris. À l'issue de joutes oratoires à la savante codification, sont distingués et classés ceux qui deviennent pour un an les secrétaires de la conférence. Ce titre assez prestigieux garantit une percée rapide dans les cabinets ministériels et le monde parlementaire. Les conférences des barreaux de province ne peuvent soutenir la comparaison. Ces « polytechniciens en toge », comme on les a parfois surnommés, ont compté dans leurs rangs une pléiade d'hommes politiques majeurs : Alexandre Ribot, Léon Bourgeois, R. Poincaré, Louis Barthou, A. Millerand, R. Viviani, Joseph Paul-Boncour, Paul Reynaud, Jean Zay.

Origine professionnelle des députés français de 1945 à 1973 (en %)

Années	Ouvriers	Employés	Fonctionnaires	Agriculteurs	Instituteurs	Professeurs	Journalistes	Médecins	Avocats	Professions libérales	Hauts fonctionnaires	Ingénieurs	Cadres moyens	Commerçants	Industriels	Officiers, ecclésiastiques	Divers
1945-1958	11,9	6,3	2,7	12,0	5,9	8,9	5,7	5,8	12,7		3,7	4,8	3,8	5,7	6,1	1,6	1,4
1958	1,5	2,6	2,6	11,0	2,1	7,7	4,9	12,0	15,9		7,9	6,0	7,0	4,7	10,7	1,5	0,5
1962	5,1	3,6	4,5	9,0	3,6	6,2	4,0	12,0	11,1		8,8	4,3	9,0	5,3	9,2	2,7	0,8
1967	4,3	4,9	5,1	8,8	5,9	8,6	3,8	6,3	9,6	3,2	6,1	3,2	10,2	5,7	4,5	0,7	3,8
1968	2,4	1,6	6,5	7,4	1,6	6,5	3,7	14,3	10,0	4,9	7,1	3,2	5,3	6,3	10,0	1,0	7,1
1973	4,8	3,3	2,9	5,2	3,5	10,1	2,9	12,0	8,0	7,6	11,4	3,5	5,0	2,8	11,4	0,4	4,4
1958-1973	3,6	3,2	4,3	8,2	3,3	7,8	3,8	11,3	10,9	3,1	9,0	5,0	8,0	6,1	10,5	1,5	3,6
Population active en 1973	37,2	16,3		10,4					6,4				12,6*	9,5		7,6	

Répartition professionnelle pondérée des députés en 1973 sans PC (en %)

1973	–	0,7	3,2	5,5	2,2	10,2	3,2	1,4	9,5	10,0	13,5	3,7	4,2	2,8	13,5	1,0	4,5

* Ce pourcentage regroupe les catégories : cadres moyens, instituteurs, fonctionnaires

Histoire de la France contemporaine, t. VIII, éditions sociales/Livre Club Diderot, 1981.

Les classes moyennes accentuent donc leur progression et la sélection des élus de la nation doit beaucoup à la «méritocratie», renforcée de solidarités diverses. Ajoutons que l'origine sociale ne fournit pas toutes les explications. Un député-avocat, un député-professeur cesse en général très vite d'exercer sa profession originelle dont il ne défend pas les intérêts; il devient un professionnel de la politique, s'ingéniant à consolider son assise, notamment par des mandats locaux – c'est souvent par eux qu'il a commencé son ascension – et à rendre possible sa réélection. La IIIe République a ouvert le Parlement aux intellectuels; ils en sont toujours les maîtres.

Sous la IVe République, on peut observer un recrutement plus systématique des députés dans certaines classes sociales, selon les familles politiques. Chez les indépendants, la plupart des élus appartiennent aux cadres supérieurs, aux professions libérales et aux milieux industriels et commerçants. Le même schéma se retrouve chez les gaullistes, qui comptent toutefois un peu plus de représentants des classes moyennes. Celles-ci, en revanche, fournissent davantage de députés, au MRP d'une part, à la SFIO d'autre part. On note cependant, pour ces deux formations, une tendance à recruter dans les couches sociales supérieures (professions libérales, hauts fonctionnaires, industriels). Quant au PCF, ses députés sont issus soit des classes moyennes – avec une surreprésentation des instituteurs –, soit de la classe ouvrière, singularité et sujet de fierté de cette famille politique.

Les évolutions sous la Ve République

La catégorie sociale la plus représentée est sans conteste celle des fonctionnaires de l'État, parmi lesquels se singularise le groupe des enseignants (72 en 1973, 98 en 1978, 167 en 1981 et encore 74 en 2007). Les professeurs de la «vague rose» représentent alors plus de la moitié des députés du Parti socialiste. Viennent en ordre décroissant, les membres des professions libérales, les chefs d'entreprise, les commerçants et artisans, les exploitants agricoles, les ouvriers. Le scrutin de mars 1993 a modifié le dosage, en restreignant la part des enseignants – 13 %, au lieu de 27,5 % dans l'Assemblée précédente – et en augmentant celle des professions de santé – 55 élus, soit 10 % – et des chefs d'entreprise – 31, contre 16 en 1988. Dans l'Assemblée de 2007, les gros effectifs appartiennent aux professions libérales (118), aux ingénieurs et cadres (113), aux fonctionnaires – autres qu'enseignants – (102); s'ajoutent 40 chefs d'entreprise, 14 agriculteurs et 9 journalistes.

Des explications sont souvent avancées. Un fonctionnaire dispose de plus de facilités pour préparer ses campagnes et retrouve son emploi en cas de non-réélection. Il est volontiers tourné, par formation et par goût, vers la résolution des problèmes d'intérêt général. Mais on peut s'inquiéter aussi de constater que «la composition humaine de l'Assemblée est profondément différente de celle du pays et que les députés appartenant à la fonction publique et à l'enseignement sont en nombre disproportionné par rapport à leurs collègues issus d'autres milieux» (R. Hadas-Lebel).

G. Le Béguec remarque néanmoins, avec raison, que cette tendance peut s'inverser. Il évoque même un « regain de la République des avocats », démontré par l'« ascension d'un Robert Badinter, la fortune d'un Roland Dumas et d'un Philippe Marchand et les succès d'un certain nombre de "cadets" de la droite (Bernard Bosson, Alain Madelin, Nicolas Sarkozy...) ». Cette tendance est à mettre en liaison avec l'urgence des questions de justice et de sécurité, avec le déclin des idéologies et la nouvelle vitalité du droit, devant la nécessité d'harmoniser les normes juridiques non seulement dans la CEE (puis dans l'UE) mais aussi dans un espace européen étonnamment élargi depuis 1989-1991. Depuis quelques années, on constate aussi que des parlementaires ou d'anciens ministres font valoir les titres qui leur permettent d'être agréés comme avocats, surtout au barreau de Paris, notamment Jean-François Copé, Dominique de Villepin, Christian Pierret, Rachida Dati.

Une réflexion sur l'appartenance professionnelle des députés ne dispense pas d'un constat qui ne fait pas honneur à la démocratie : quel que soit son milieu professionnel, la femme est victime d'une sélection au plan des organisations partisanes et sa représentation reste infime. Il y avait 39 femmes – sur 522 députés – dans l'Assemblée de 1946, 9 (sur 490) en 1973 ; elles étaient 33 (sur 577) dans l'Assemblée de 1988, 35 en mars 1993. Cette réalité, scandaleuse, a réanimé, en 1996, un débat sur la parité ou sur l'établissement de quotas pour les élections. De fait, l'effectif des femmes à l'Assemblée augmente quelque peu en 1997 (62 sur 577). Mais c'est un processus complet, quoique progressif, que le gouvernement Jospin compte réaliser en matière de parité. Pour affirmer le principe d'un égal accès des femmes et des hommes aux fonctions électives et aux mandats électoraux, la Constitution a été modifiée en juin 1999. La loi sur la parité de 1999-2000 comporte des clauses obligatoires et le progrès relatif constaté en 2007 (107 femmes au Palais-Bourbon, soit 18,5 %) lui doit beaucoup. Une étape décisive est franchie en 2017 lorsque 224 femmes (pour 577 sièges) entrent au Palais-Bourbon.

Pour aller plus loin :

BOCK (Fabienne), *Un parlementarisme de guerre (1914-1919)*, Belin, 2002.

COSTA (Olivier) et KERROUCHE (Éric), *Qui sont les députés français ? Enquête sur des élites inconnues*, coll. « Nouveaux débats », Presses de Sciences Po, 2007.

GUERAICHE (William), *Les femmes et la République (1943-1979)*, Éditions de l'Atelier, 1999.

ROUSSELLIER (Nicolas), *Le Parlement de l'éloquence. La souveraineté de la délibération au lendemain de la Grande Guerre*, Presses de Sciences Po, 1997.

SINEAU (Mariette), *Profession : femme politique. Sexe et pouvoir sous la Cinquième République*, Presses de Sciences Po, 2001.

Le Sénat, pour quoi faire ?, revue *Pouvoirs*, n° 159, 2016.

Documents

1 – « Diffusons, par T.S.F., les séances du Parlement » (1928)

L'hebdomadaire de gauche Le Progrès civique *(1919-1932), qui prônait et encourageait tout progrès dans le fonctionnement de la démocratie, a ouvert ses colonnes au romancier Michel Corday, auteur de chroniques politiques et de critiques de livres.*

Les postes d'État de télégraphie sans fil diffusent déjà les cours du Collège de France, les principales cérémonies officielles, certaines séances même de la Société des Nations. Pourquoi ne diffuseraient-ils pas les séances de la Chambre et du Sénat ?

Légalement, les séances parlementaires sont publiques. Le peuple souverain a le droit d'assister aux travaux de ses représentants. La preuve en est que des tribunes lui sont réservées dans chacune des deux enceintes. Il est vrai que le nombre des places en est fort limité. Mais, justement, une occasion se présente d'accroître indéfiniment le nombre de ces places, la capacité de ces tribunes, de donner comme auditoire aux débats parlementaires le pays entier. Pourquoi ne pas la saisir ?

Et, soit dit en passant, quel admirable public auraient là nos sénateurs et nos députés… Un public muet, qui ne pourrait pas manifester, qui ne pourrait pas lancer dans la salle des tracts et des bombes, un public que les huissiers ne seraient pas obligés de surveiller sans cesse, de faire taire et de faire asseoir.

Une autre preuve encore que nous avons tous le droit de connaître ces débats, c'est qu'ils doivent être reproduits dans le *Journal officiel*, et qu'il nous suffit d'acheter ce journal pour les retrouver *in extenso*. De ce point de vue encore, la diffusion marquerait un progrès dans le sens démocratique, car le *Journal officiel* est devenu démesurément cher. Il n'est plus à la portée du premier citoyen venu. Tandis qu'un técéfiste quelconque, sans rien débourser, pourrait suivre ces débats.

Non seulement il en aurait une image plus fidèle que par son journal, dont le compte-rendu est fatalement défiguré par le manque de place et par le parti pris politique, mais il en aurait même une image plus fidèle que par l'*Officiel*. Car nos parlementaires ont licence de retoucher, sur les épreuves de ce journal, le texte de leurs discours et de leurs interruptions. Si bien que l'*Officiel* lui-même ne reflète pas exactement la physionomie de la séance. Seule la diffusion nous la rendrait fidèlement.

Hélas ! Nous touchons peut-être ici le principal obstacle à cette petite réforme. C'est cette fidélité même. Récemment, j'eus l'occasion d'évoquer en trois mots ma suggestion devant un parlementaire qui joue à la Chambre un rôle important. Il bondit :

– Jamais ! Jamais !

Il n'a point donné ses raisons. Il n'était pas préparé à cette interpellation-là. Mais il avait laissé jaillir tout droit son sentiment. Sans doute se révoltait-il à la seule pensée qu'une immense foule aux écoutes pourrait entendre gronder puis éclater les orages, les clameurs, les altercations, les appels désespérés de la sonnette présidentielle, les claquements de pupitres, tout un tumulte dont les fauteurs, une fois sortis de l'enceinte et rentrés en eux-mêmes, sont tentés de rougir.

Mais cet innombrable auditoire, loin d'effrayer nos parlementaires, devrait les séduire. Il les garantirait contre eux-mêmes. Il freinerait leurs égarements. Se sachant écoutés par des centaines de milliers d'oreilles, ils seraient contraints à plus de tenue, à plus de dignité. Le contrôle permanent est la meilleure des consciences.

[...]

Michel Corday, *Le Progrès civique*, 24 mars 1928.

2 – La nation face à la crise (1993)

Philippe Séguin, qui vient d'être élu président de l'Assemblée nationale, s'adresse à ses collègues parlementaires.

[...]

Mes chers collègues, la tâche est immense, pour nous tous.

Vous nous direz dans quelques jours, monsieur le Premier ministre, quelles sont vos intentions et les résolutions du gouvernement.

Je ne crois pas trahir le sentiment de cette assemblée en émettant le vœu que la crise à laquelle est confrontée la France soit évaluée dans toute son ampleur.

Cette crise n'est pas seulement une crise de moral, imputable à l'air du temps.

Cette crise n'est pas seulement une crise économique imputable à tel ou tel choix technique erroné.

Cette crise n'est pas seulement une crise politique imputable, par exemple, à l'usure du pouvoir.

Cette crise n'est pas seulement une crise ponctuelle, conjoncturelle, mais elle est bien plutôt une crise structurelle, une crise d'adaptation, une crise d'identité, je dirai même une crise existentielle.

Cette crise concentre en elle les dérives, les dysfonctionnements, les renoncements qui minent notre système politique, économique et social et qui pourraient ébranler dans leurs fondements mêmes à la fois la Nation, la République et l'État, derniers môles d'une identité sans laquelle la France ne peut continuer à être elle-même.

Car c'est bien de cela qu'il s'agit désormais: de l'unité de la nation et de sa pérennité. Il s'agit de savoir si les citoyens de ce pays appartiennent ou non à une même communauté, s'ils ont ou non un même destin, s'ils sont ou non solidaires les uns des autres.

Qui ne sent aujourd'hui qu'au point où nous en sommes tout ce qui tient ensemble depuis des siècles pourrait se défaire, se déchirer, se disloquer?

Qui ne sent aujourd'hui combien le développement inégal des régions, la désertification rurale, la concentration urbaine, la crise des banlieues risquent d'entraîner le pays dans une logique inacceptable?

Qui ne sent aujourd'hui combien le chômage, l'exclusion, la marginalisation, la ségrégation dressent les uns contre les autres des groupes ethniques ou des catégories sociales?

Qui ne sent aujourd'hui combien la République elle-même voit ses fondements, ses principes, sa morale contestés ?

À nous, donc, de faire en sorte que la nation reprenne confiance dans la République.

Sachons retrouver un élan, une direction, sachons rendre aux Français le sens d'un engagement collectif et d'un destin dans l'Histoire.

Ce destin, qui pourrait douter qu'il sera largement européen ?

À condition qu'à partir d'une Communauté qui demeure un acquis et un levier, nous sachions contribuer à préparer progressivement l'unité de l'ensemble de notre continent.

À condition aussi d'y être les avocats inlassables d'une ambition mondiale qui consiste à mettre un terme aux désordres actuels, préjudiciables à tous, et à assurer la compatibilité et la synergie des développements de l'ensemble des pays, quel que soit leur stade d'avancement.

[...]

Extrait de l'allocution : séance d'ouverture de la Xe législature, 2 avril 1993.

3 – Le Palais-Bourbon et ses usages : deux témoignages

Bernard Murat, chef d'entreprise, a été élu député RPR de Corrèze en 1993. Ses propos rendent bien compte de l'écartèlement de l'élu national.

Je le reconnais volontiers, j'ai été très flatté, au début, de rencontrer toutes ces grandes figures de la politique nationale, ces caciques qui vous appellent par votre prénom sans vous connaître, avant de vous demander de soutenir leur candidature pour la présidence de telle commission. C'est simple, le Palais-Bourbon, c'est le palais de toutes les frustrations et de toutes les vanités.

Cela ne m'empêche pas de vivre mon mandat comme un très grand privilège. Je suis un député tout à fait heureux, c'est une remarquable formation post-universitaire et une excellente source de relations publiques ; mais, moi, je suis un député de terroir. Ce qui m'intéresse, c'est de m'incruster dans ma circonscription. Ma base, c'est Brive. Quand on est député de Corrèze, qu'on a quatre heures de train et qu'on fait la navette, il est très difficile de se faire une place dans toute cette camarilla parisienne.

C'est ce qui m'horripile. Les chefs d'entreprise ont d'autres habitudes d'efficacité. Je ne néglige pas, pour autant, mon travail de parlementaire ; j'ai déposé sept propositions de loi, dont une sur la TVA sociale qui m'a valu, en réponse, une lettre du Premier ministre ; j'ai également posé sept questions écrites et vingt-trois amendements sur des textes, mais il a fallu que j'attende un an avant de poser une question à la séance du mercredi à propos de l'intégrisme [...].

Le Monde, 7 octobre 1994.

Martine Billard, bibliothécaire de profession, a été élue députée (Verts) de Paris en 2002. Il lui faut doublement s'imposer.

À Paris, pour les municipales de 2001, beaucoup de femmes venaient me voir en me disant qu'elles ne se sentaient pas capables de se présenter. Nous avons organisé des réunions pour parler de la fonction d'élue, des contraintes que ça impose, des moyens de se serrer les coudes. Une actrice sympathisante nous a fait une formation à la prise de parole.

Quand vous êtes femme et membre des Verts, c'est encore plus difficile. Il existe des tactiques de déstabilisation de la part des adversaires politiques. Tout y passe: l'habillement, la coiffure, le ton de voix. Pour les femmes qui ont la malchance d'avoir une voix aiguë, c'est très difficile de prendre la parole. C'est aussi vrai pour les femmes ministres. Il n'y a pas de progrès là-dessus.

Le 8 mars, l'Assemblée sera présidée par une femme, la seule vice-présidente. Le président, Jean-Louis Debré, a demandé aux groupes politiques que les questions soient posées par des femmes. C'est bien de faire un geste, mais je trouve çà douteux. Il faut se battre pour que les députées prennent davantage la parole, mais regardez qui rapporte les lois ou qui préside les commissions, ce sont rarement des femmes.

Le Monde, 8 mars 2005.

Portraits de quelques députés

Blum (Léon) (1872-1950)

Reçu à l'École normale supérieure, il s'oriente vers des études juridiques. Entré au Conseil d'État, il fait ses premiers choix politiques au moment de l'Affaire Dreyfus. Proche de Jaurès, il fonde avec lui l'*Humanité*. En 1919, il met au point le programme du **Parti socialiste**. Élu député de la Seine, il devient le porte-parole des minoritaires au congrès de Tours, puis le leader de la **SFIO**. Sa conception du marxisme laisse une large place à la tolérance humaniste. À la fin des années 1920, il juge légitime une distinction entre la «conquête du pouvoir», ouvrant la voie au socialisme, et le simple «exercice du pouvoir», qu'un succès électoral peut amener les socialistes à assumer dans le respect de la légalité républicaine et sans préjuger de l'avenir. Orateur remarqué, il se fait détester de la droite.

Chef du gouvernement du Front populaire en 1936, il obtient des Chambres des mesures décisives: le relèvement des salaires, l'apparition des conventions collectives, des congés payés, des loisirs populaires, l'aide aux coopératives, la création de l'Office du blé. L'efficacité paraît moins probante en ce qui concerne le rétablissement de la monnaie et la loi des quarante heures, dont les modalités manquent de souplesse; mais l'hostilité des adversaires du Front populaire se révèle constante et se nourrit des difficultés de l'heure, la guerre civile espagnole principalement.

Le 10 juillet 1940, il refuse les pleins pouvoirs au maréchal Pétain. Interné sur ordre du gouvernement de Vichy, il est traduit, en 1942, devant la Cour de Riom, faisant preuve d'une grande dignité et d'une forte conviction dans son argumentation. Transféré en Allemagne, il reste prisonnier jusqu'en 1945. Son activité ultérieure est réduite. Chef d'un bref gouvernement dans l'hiver 1946-1947, il reste un temps l'inspirateur de la SFIO. Son ouvrage *À l'échelle humaine* contient une analyse lucide des forces et des limites du socialisme français dans la première moitié du XXe siècle.

Briand (Aristide) (1862-1932)

Avocat à Nantes, militant **socialiste** et proche des syndicalistes, il défend l'idée de la grève générale. Secrétaire général du Parti socialiste français, créé en 1901, il ne reste pas dans le parti unifié. Élu député de la Loire en 1902, il représentera ce département pendant 30 ans. Il joue un rôle majeur comme rapporteur de la loi de séparation. Son premier poste ministériel est celui de l'Instruction publique et des Cultes (1906). Homme clé dans le cabinet Clemenceau, il devient lui-même président du Conseil de 1909 à 1911 et met la main à plusieurs lois sociales, dont celle sur les retraites ouvrières (1909). Dans le discours de Périgueux (octobre 1909), il souhaite une union plus solide des républicains et vise à travers « les petites mares stagnantes, croupissantes » les petitesses et les compromissions d'un type de démocratie lié au **scrutin d'arrondissement**.

Parlementaire type de la IIIe République par sa stabilité dans un poste technique (15 fois ministre des Affaires étrangères) et sa longévité (10 fois président du Conseil), réputé pour son art oratoire très personnel et son sens de la communication dans les couloirs de la Chambre, Briand est devenu dans les années 1920 le héraut de la SDN et l'artisan d'une réconciliation – certes insuffisante – avec l'Allemagne. Il s'entend avec G. Stresemann, ministre des Affaires étrangères allemand, sur les bases qu'officialise l'accord de Locarno (1925) et parraine l'entrée de l'Allemagne à la SDN (1926). Il signe avec l'Américain Kellogg un pacte visant à rendre la guerre improbable (1928) et esquisse un projet de fédération européenne. Toutes ces initiatives en faveur de la paix amènent une partie de la droite à dénoncer violemment les abandons des garanties du traité de Versailles et à détester le « briandisme ». Cette hostilité lui vaut un échec lors de l'élection présidentielle de 1931.

CLEMENCEAU (Georges) (1841-1929)

Médecin, maire d'arrondissement à Paris en 1871, il tente en vain d'empêcher le déclenchement de la Commune. Élu en 1876, il anime un groupe de radicaux, peu amène à l'égard des opportunistes. Il se bâtit une réputation de « tombeur de ministères » (Gambetta en 1882, Ferry en 1885). Il appuie momentanément Boulanger, puis subit le contrecoup du scandale de Panama et perd son siège de député.
En publiant dans son journal, *L'Aurore*, la lettre « J'accuse » de Zola, il reprend pied sur la scène politique du côté des dreyfusards. Le Var l'envoie au Sénat en 1902. En 1906, il constitue un ministère qui durera près de trois ans. La période sera marquée par de fortes tensions sociales (révolte des viticulteurs du Languedoc, incidents meurtriers de Draveil et Villeneuve-Saint-Georges, grèves dures). Son autoritarisme provoque des remous à la Chambre et les socialistes l'attaquent sans répit. Pendant la guerre, il fait preuve d'un patriotisme vigilant et forme un nouveau gouvernement en novembre 1917, au plus fort du danger. Le « Tigre », comme on l'appelle désormais, redonne l'énergie qui conduit à la victoire. Sa présence au front augmente son aura. L'attentat de Cottin, en février 1919, permet même de jauger la popularité de Clemenceau : dans les églises, on va jusqu'à prier pour le rétablissement de ce champion de l'athéisme ! Ayant reçu les pleins pouvoirs pour les négociations de paix, il a dû renoncer à détacher la Rhénanie de l'Allemagne et à obtenir l'annexion de la Sarre. En 1920, le pays est surpris de sa défaite face à Deschanel.

FERRY (Jules) (1832-1893)

Avocat à Paris depuis 1855, c'est plutôt par la voie du journalisme qu'il s'oppose à l'Empire et par la publication des *Comptes fantastiques d'Haussmann* (1868), sévère critique de l'urbanisation de Paris. Député **républicain** au Corps législatif (1869), puis maire de Paris pendant le siège en 1870, il assume les restrictions alimentaires et y gagne le surnom de « Ferry-Famine ». Député en 1871, il combat l'Ordre moral. À partir de 1879, il est trois fois ministre de l'Instruction publique – dont deux fois en occupant la fonction de président du Conseil (1880-1881 et 1883-1885).
Son action s'étend à l'enseignement primaire, qui devient, grâce à lui, gratuit, laïque et obligatoire et, parallèlement, à la lutte contre les congrégations enseignantes (qui aboutit à

l'expulsion des jésuites). Il contribue à étendre les libertés publiques (libertés de réunion, de presse, liberté syndicale). Il porte également un grand intérêt à l'expansion coloniale (Tunisie, Indochine, Afrique équatoriale, Madagascar). Un intérêt qu'il justifie ainsi : d'une part, les colonies sont des zones d'accueil des capitaux et offrent des débouchés commerciaux, d'autre part « les races supérieures ont le devoir de civiliser les races inférieures » et, enfin, « la politique de recueillement et d'abandon, c'est le grand chemin de la décadence ». Mais l'échec temporaire de Lang-Soñ l'oblige à quitter le pouvoir. Poursuivi par l'insulte de « Ferry le Tonkinois » et rejeté par l'opinion, il retrouvera un siège au Sénat en 1891. Il se montre alors partisan d'un plan de réforme très libéral en Algérie, visant à une sorte de protectorat.

Gambetta (Léon) (1838-1882)

Avocat, il se fait connaître comme opposant à l'Empire et entre au **Corps législatif** en 1869 (programme républicain de Belleville). En 1870, ministre de l'Intérieur du gouvernement de la Défense nationale, il quitte Paris en ballon et s'installe à Tours d'où il organise les armées de province, dans des conditions très difficiles. Hostile à l'armistice en janvier 1871, il est élu à l'Assemblée de Bordeaux, mais démissionne pour protester contre la cession de l'Alsace-Lorraine. Réélu, en juillet 1871, il soutient Thiers contre la majorité monarchiste et prépare l'avènement d'une République modérée, dont il se fait le « commis voyageur », en prononçant dans les départements plusieurs discours marquants. Il a réprouvé la Commune de Paris et annonce la venue d'une « couche sociale nouvelle », c'est-à-dire les membres des classes moyennes. Il veut confirmer les libertés municipales et voit dans la commune « la démocratie en personne ». Il anime la résistance à Mac-Mahon au moment du 16 mai 1877 et devient le chef des députés opportunistes de l'« Union républicaine », modérés et pragmatiques. Quand les **républicains** l'emportent en 1879, Gambetta, dont le président Grévy supporte mal la popularité et les allures de tribun, est écarté pendant près de trois ans de la **présidence du Conseil** ; il exerce tout de même une influence comme président de la Chambre. Son « grand ministère » ne dure que 67 jours ; l'expression est ironique car les principaux ténors républicains avaient refusé d'y occuper un poste. Mort à 44 ans, Gambetta entre dans le patrimoine légendaire de la République.

Jaurès (Jean) (1859-1914)

L'École normale supérieure et l'agrégation de philosophie le destinent d'abord à l'enseignement. L'une de ses thèses de doctorat porte sur *Les origines du socialisme allemand dans Luther, Kant, Fichte et Hegel*. Son premier cours à la faculté des Lettres de Toulouse (1883) traite de « La valeur de la nature humaine ». Il publiera une monumentale *Histoire socialiste de la Révolution française* (1901-1908).

Élu député du Tarn (1885), il siège parmi les républicains de gauche. Puis il représente, comme **socialiste**, la population ouvrière de Carmaux (1893-1898 et 1902-1914). Socialiste « indépendant » au départ, nuançant d'humanisme le discours marxiste, il participe aux congrès des organisations socialistes et facilite la formation du Parti socialiste unifié en 1905. Par ses articles dans la *Dépêche de Toulouse* et la *Petite République*, il s'est rangé aux côtés des dreyfusards. En 1904, il fonde l'*Humanité*. Favorable à la participation des socialistes au gouvernement (Millerand, Viviani, Briand), il soutient le bloc des gauches dans les difficiles années 1899-1906, puis prend ses distances et reproche à Clemenceau et à Briand leur attitude antiouvrière : « Vous n'avez pu écraser la grève qu'en violant la loi » jette-t-il à Briand en pleine Chambre.

Depuis 1905, la question du pacifisme agite les rangs socialistes dans lesquels G. Hervé prône l'antipatriotisme intégral. Jaurès, en écrivant *L'Armée nouvelle* (1910), se montre sévère pour le nationalisme et les provocations de la Revanche, mais n'exclut pas le recours aux armes si le sol national est envahi. Dans les congrès internationaux, d'Amsterdam (1907) à Bâle (1912), il approuve le principe de la grève générale comme moyen d'arrêter une guerre européenne, mais l'on sait l'attitude réservée de la social-démocratie allemande sur cette tactique. Jaurès est assassiné par Villain le 31 juillet 1914. En 1924, le transfert de ses cendres au Panthéon est l'occasion d'une grandiose manifestation des partisans du cartel des gauches, des communistes et de divers révolutionnaires.

MENDÈS FRANCE (Pierre) (1907-1982)

Docteur en droit et avocat, élu dans l'Eure en 1932 – il est alors le plus jeune député de France –, Pierre Mendès France compte parmi les «Jeunes Turcs» du **Parti radical**. En 1938, il entre dans le deuxième gouvernement Blum comme sous-secrétaire d'État au Trésor. En 1940, parti sur le «Massilia» pour continuer la lutte en Afrique du Nord, il est arrêté au Maroc, condamné par Vichy pour «désertion» et emprisonné. Il s'évade et rejoint l'Angleterre où il combat comme officier dans le groupe de bombardement «Lorraine». En 1943, de Gaulle le nomme commissaire aux finances dans le CFLN d'Alger. Ministre de l'Économie nationale (1944) dans le Gouvernement provisoire, il démissionne parce que son plan de rigueur financière n'est pas retenu par de Gaulle, qui préfère la solution de Pleven.

Pierre Mendès France représente à nouveau l'Eure à la Chambre (1946-1958). Mais son ambition serait de dépasser les clivages des partis. Bénéficiant de l'appui de *L'Express* à partir de 1953, il suscite un mouvement d'intérêt à l'égard du «mendésisme» tant à gauche que dans les milieux catholiques et à la CFTC. Il est le premier homme politique français que les journaux désignent par son sigle: PMF.

Il joue un rôle important comme président du Conseil (juin 1954-février 1955). Au lendemain de Diên Biên Phu, il règle en un mois l'affaire d'Indochine (signature des accords de Genève); il amorce la décolonisation de la Tunisie et assainit la situation économique de la France. Il encourage les recherches susceptibles de doter le pays de l'arme atomique. D'autant plus que la CED (Communauté européenne de défense) a été repoussée, en août 1954, par l'Assemblée nationale, à la grande colère du MRP, qui provoquera la chute du ministère Mendès France.

Vainqueur moral des élections de 1956, P. Mendès France accepte d'entrer dans le ministère de Guy Mollet, qu'il quitte en raison de la politique menée en Algérie. Le premier handicap de P. Mendès France est de n'avoir «jamais trouvé le groupe politique capable de porter ses idées» (S. Berstein). Il a exposé son exigeante conception de la démocratie dans *La République moderne*, parue en 1962. De plus, la méfiance prolongée dont il a fait preuve à l'égard des institutions de la Ve République (en 1958, il prend position contre le régime gaulliste) a contribué à le marginaliser. Il devient membre du Parti socialiste unifié, en 1959, et soutient la candidature de F. Mitterrand à la présidence de la République en 1965. Il est réélu député en 1967. Au-delà de son échec politique, les idéaux mendésistes de rigueur et de modernité ont continué de stimuler la réflexion politique.

POINCARÉ (Raymond) (1860-1934)

Avocat, député de la Meuse depuis 1887, il fait partie des républicains progressistes (situés au centre). À partir de 1893, il occupe plusieurs fonctions ministérielles. Il ne soutient pas le bloc des gauches à cause de sa politique anti-congrégationniste. En 1912, sa réputation de patriote lui vaut d'être appelé à former le nouveau gouvernement, car la tension avec l'Allemagne persiste. Son cabinet préfigure une union nationale (Delcassé, Briand, Millerand, Bourgeois). En 1913, son élection à la présidence de la République correspond à un certain recul des gauches, à un réveil du nationalisme et à l'affirmation de ce qu'on commence à appeler les «classes moyennes».

Tout en assurant ses tâches avec une haute

conscience, Poincaré se plaint des limites de sa fonction et évoque, dans une de ses notes journalières, la Constitution « qui fait du président de la République un simple souffleur, un conseiller qu'on est libre de ne pas écouter et qui n'a jamais le droit de se montrer ». Malgré son animosité pour Clemenceau, il le croit indispensable, à l'automne 1917, pour « faire la guerre ». Poincaré, comme Foch, juge insuffisante une occupation de quinze ans en Rhénanie, mais il ne peut peser sur la conférence de la Paix.
Revenu à la présidence du Conseil en 1922, après le retrait de Briand, Poincaré, persuadé de la mauvaise volonté allemande dans le versement des réparations, procède à l'occupation de la Ruhr (janvier 1923). Mais, malgré un succès sur le terrain, il finit par accepter l'arbitrage international. À la suite des difficultés financières du cartel des gauches, Poincaré constitue, en 1926, un ministère d'Union nationale (Herriot, Painlevé, Briand, Marin, Tardieu, Barthou) et remporte les élections de 1928. Sa politique de stabilisation monétaire rassure (le « franc Poincaré »). Malade, il quitte le pouvoir en 1929.

VEIL (Simone) (1927-2017)

Près de 14 années de mandats européens ont forgé l'expérience parlementaire de Simone Veil, qui n'a jamais siégé en France, ni comme députée, ni comme sénatrice.
La vie de Simone Veil, déportée à l'âge de 16 ans, est marquée à jamais par la tragédie du camp d'Auschwitz-Birkenau, puis par les marches de la mort. Ses parents et son frère sont morts en déportation.
Rapatriée, elle suit des cours de droit et s'inscrit à l'IEP de Paris, pour entrer dans la magistrature. Affectée à la direction de l'administration pénitentiaire (1957-1964), elle s'investit dans la prise en compte et l'amélioration des conditions de détention, notamment celles des femmes. Elle s'intéresse aussi au sort de nationalistes algériens condamnés à mort, qu'elle contribue à faire incarcérer en France pour les mettre à l'abri.
L'entrée à l'Élysée de Valéry Giscard d'Estaing est déterminante, puisque Jacques Chirac, Premier ministre, la choisit comme ministre de la Santé (mai 1974), avec une tâche prioritaire : une loi dépénalisant l'avortement. Le dossier est compliqué, car, un an avant, l'Assemblée nationale avait différé un projet du ministre Jean Taittinger sur le même sujet. Le 26 novembre 1974, le débat s'ouvre par un discours mémorable de la ministre (« Nous ne pouvons plus fermer les yeux sur les trois cent mille avortements qui, chaque année, mutilent les femmes de ce pays, qui bafouent nos lois et qui humilient ou traumatisent celles qui y ont recours »). Les échanges sont tendus, ponctués d'attaques, parfois perfides ou ignobles, d'opposants. Mais, le 29 novembre, la loi instaurant et règlementant l'IVG est adoptée par 284 voix contre 189, avec l'apport des socialistes et des communistes, mais une courte majorité des voix de droite. Le texte sera adopté par le Sénat.
De 1993 à 1995, dans le gouvernement Balladur, Simone Veil revient au ministère des Affaires sociales, de la Santé et – sur sa demande – de la Ville.
Un autre domaine essentiel de l'activité politique de Simone Veil est l'Europe. Depuis 1946, elle voit dans sa construction le seul moyen d'empêcher le retour des conflits meurtriers. Acceptant de conduire la liste UDF aux élections européennes de 1979 – les premières au suffrage universel –, elle remporte la victoire, devant les listes socialiste, communiste et gaulliste. Puis elle accède à la présidence du Parlement jusqu'en janvier 1982, un poste difficile, car il faut compter avec l'attitude peu bienveillante de l'hôte de Matignon, Raymond Barre… Redevenue « simple » députée européenne, elle anime nombre de commissions, voyage beaucoup et se préoccupe de l'avenir de l'ex-Yougoslavie. Son autorité morale est indiscutable.
En 1998, désignée par le président du Sénat René Monory, elle entre au Conseil constitutionnel. De 2000 à 2007, elle préside la

Fondation pour la Mémoire de la Shoah (FMS), créée à l'issue des travaux de la Commission Mattéoli (1998-2000) qui traitait des spoliations dont furent victimes les juifs durant l'Occupation. Elle est reçue à l'Académie française en 2008.

Personnage exceptionnel dans l'histoire contemporaine de la France, par ses actions et ses prises de position, Simone Veil a reçu deux hommages nationaux successifs après sa mort : l'un aux Invalides, au moment de ses obsèques (5 juillet 2017) ; l'autre, lors de son entrée au Panthéon (1er juillet 2018), cérémonie au cours de laquelle Emmanuel Macron a déclaré : « Nous avons voulu que Simone Veil entre au Panthéon sans attendre le passage des générations pour que ses combats, sa dignité, son espérance restent une boussole dans les temps troublés que nous traversons. Elle voulut l'Europe par réalisme, non par idéalisme. »

5

L'EXÉCUTIF, L'ÉTAT

Le régime parlementaire sous la monarchie constitutionnelle (1814-1848) est une période d'équilibre entre le législatif et l'exécutif. Il a influencé le droit public et posé les grands principes budgétaires, eux-mêmes entraînant le consentement à l'impôt et le contrôle des élus de la nation. Suivent un régime de séparation des pouvoirs, plus favorable au pouvoir législatif (Seconde République) et, en réaction, un régime à l'exécutif dominant (Second Empire), enfin la république parlementaire (1870-1940 et 1946-1958) que gouvernent les assemblées. À partir de 1958, la primauté de l'exécutif constitue le trait distinctif de la Ve République, et après 1962, il est permis de parler d'une démocratie décisionnelle, dans laquelle « les experts, les technocrates, les hauts fonctionnaires élaborent, dans les principes comme dans les détails, les décisions de l'État » (N. Roussellier).

L'EXÉCUTIF ET SON ÉVOLUTION

Le président de la République

❑ ***De 1848 à 1958.*** En décidant que la présidence de la République serait personnelle, les constituants de 1848 ont rompu avec une tradition et ne se sont inspirés ni des cinq directeurs de l'An III, ni des trois consuls de l'An VIII (dont le Premier, d'ailleurs, n'avait pas tardé à s'approprier un pouvoir « monarchique »). Dans un contexte d'affrontement avec l'Assemblée (dès l'année 1849), le prince-président, qui ne dispose pas du pouvoir de dissolution et dont le mandat n'est pas reconductible, n'hésite pas à sortir de la constitutionnalité par le coup d'État, quitte à justifier ce dernier, après le succès du plébiscite des 20-21 décembre 1851, par cette formule énigmatique et discutable : « La France a compris que je n'étais sorti de la légalité que pour rentrer dans le droit. »

La crise du 16 mai ayant démontré que la confiance de la majorité de la Chambre suffit à un président du Conseil – et que l'appui du président de la République n'est pas indispensable –, le chef de l'État se cantonnera dans un rôle de gardien de la Constitution. On admet cependant qu'il joue un rôle dans les relations internationales : Félix Faure et Émile Loubet ont contribué de façon non négligeable au resserrement de l'alliance franco-russe. La période est également marquée par l'activité de Delcassé, avec lequel le président Loubet s'entend parfaitement. On relève surtout, sur la longue durée (1880-1914), l'aptitude de la France à mener une politique étrangère et une politique militaire cohérentes. Élu en 1913, Poincaré s'inscrit facilement dans cette logique, mais la guerre, épreuve difficile pour le régime républicain, ne lui permet que partiellement de faire entendre sa voix dans les Conseils des ministres. Seul Millerand, durant sa présidence écourtée, n'a pas craint de sortir du bornage constitutionnel. Mécontent de la tournure que risquent de prendre, à la conférence de Cannes (janvier 1922), les négociations sur les réparations et la sécurité, il met en garde le président du Conseil Briand, accumule les exigences et l'amène à démissionner. D'autre part, Millerand profite du discours d'Évreux (octobre 1923), pour défendre la fidélité absolue au traité de Versailles, la rigueur financière de Poincaré (revenu aux affaires) et la politique de réconciliation religieuse. Cet « interventionnisme » sans précédent choque les gauches qui, victorieuses en 1924, pousseront Millerand à la démission.

Sous la IVe République, le président de la République exerce sans doute une influence plus grande, c'est le cas de Vincent Auriol, à la personnalité affirmée et dont le *Journal d'un Septennat* révèle le haut niveau d'information et d'analyse.

❑ ***La prééminence présidentielle depuis 1958.*** Devenu la « clef de voûte » des institutions de la Ve République, le président de la République oriente vraiment la politique du pays. Et, tout d'abord, en désignant le Premier ministre. Dès janvier 1959, la manière dont Michel Debré, alors Premier ministre, occupe sa charge est décisive, puisqu'il commence par « soumettre à l'approbation du général de Gaulle ses conceptions en ce qui concerne la politique générale » ainsi que la liste des ministres possibles, avant même d'être nommé, avec les membres de son gouvernement, par le chef de l'État. Cela ne le dispense pas d'obtenir la confiance de l'Assemblée, mais la preuve est faite que le président de la République est le chef authentique de l'exécutif, ce qui ne laisse pas d'entretenir une ambiguïté, dont à vrai dire les présidents successifs ont paru s'accommoder ; peut-on en réalité concilier un tel degré d'implication dans la politique gouvernementale et le respect du contenu de l'article 5, qui fait du président un arbitre « assurant le fonctionnement régulier des pouvoirs publics et la continuité de l'État » ? La notion d'arbitre est d'autant plus problématique qu'elle n'est plus très adaptée au rôle d'un leader national élu par le suffrage universel depuis 1962.

La prééminence de l'Élysée est manifestée également lors d'un changement de Premier ministre. Celui-ci, ayant pris acte de l'intention du président de nommer un nouveau gouvernement, présente la démission de son équipe ; même lorsqu'il vient – comme J. Chaban-Delmas en 1972 – de recevoir une approbation massive de sa majorité parlementaire (vote du 23 mai 1972 sur une déclaration de politique générale). Un seul Premier ministre, J. Chirac en août 1976, exprime en partant son désaccord : « Je ne dispose pas des moyens que j'estime, aujourd'hui, nécessaires pour assumer efficacement mes fonctions, et dans ces conditions j'ai décidé d'y mettre fin. »

❑ ***Le président est-il responsable ?*** En droit, le président est irresponsable, comme sous la IIIe et la IVe République. De ce fait, il ne peut être destitué ni contraint à démissionner avant le terme de son mandat. L'opposition victorieuse aux élections de mars

1986 n'a pas forcé le président à se retirer. Autre conséquence de cette irresponsabilité : la plupart des décisions courantes ou réglementaires doivent être contresignées par le Premier ministre. Cet aspect prend toute sa valeur en cas de désaccord entre le chef de l'État et son Premier ministre (comme en 1986-1988).

En réalité, le chef de l'État, élu au suffrage universel sur un programme précis, en répond devant l'opinion. Même si la seule sanction qu'il encourt n'intervient qu'au moment du renouvellement de son mandat. Cependant, les élections législatives peuvent également permettre au président de mesurer le degré de confiance du pays, en cours de mandat présidentiel mais il n'est nullement tenu de se démettre s'il est désavoué, ce qui s'est vérifié en 1986, en 1993 et en 1997. L'état de cohabitation n'est pas forcément synonyme de repli ; Jean-Luc Parodi affirmait en 1998 : « Tout se passe comme si la cohabitation devenait l'élixir du président, lui permettant de retrouver la faveur de l'opinion grâce à la position arbitrale et distante à l'égard du pouvoir gouvernemental qu'elle lui impose. »

❑ ***Les attributions du chef de l'État.*** En principe irresponsable, le président n'a pas les moyens de gouverner seul. Mais il peut en toute indépendance assurer son rôle d'arbitre national. Il dispose de l'article 16, en cas de péril national. C'est dans les champs des relations internationales et de la Défense que le président a un rôle majeur. Y a-t-il pour autant un « domaine réservé » ? L'expression, utilisée par Jacques Chaban-Delmas, en novembre 1959, aux assises de l'UNR à Bordeaux, provoqua plus d'un commentaire. Le contexte a son importance. Les députés gaullistes, élus en 1958, sur un programme comprenant le maintien de l'Algérie dans la République, exprimèrent leur amertume après le discours du 16 septembre sur l'autodétermination. Pour désarmer les critiques, le président de l'Assemblée précisa alors : « Le secteur présidentiel comprend l'Algérie, sans oublier le Sahara, la Communauté franco-africaine, les Affaires étrangères, la Défense nationale. Le secteur ouvert se rapporte au reste. Dans le premier secteur, le gouvernement exécute, dans le second, il conçoit. »

L'innovation n'est pas si considérable. En matière d'action diplomatique, la tradition existait, mais l'article 52 de la Constitution de la Ve République mentionne bien que désormais le président « négocie et ratifie les traités ». C'est pourquoi les titulaires du Quai d'Orsay sont en contact privilégié avec le président, qui les choisit souvent soit parmi les ambassadeurs de postes en vue, soit parmi ses collaborateurs directs (M. Jobert en 1973 est secrétaire général de la présidence, de même J. François-Poncet en 1978). À partir du septennat de G. Pompidou, les présidents prennent l'habitude de parler au nom de la France dans tous les « sommets » importants, européens ou mondiaux (groupe des Sept, plus tard G8 et G20). Quant à l'Afrique, domaine sensible – après l'euphorie provoquée, sauf en Guinée, par de Gaulle, et l'indépendance générale de 1960 –, elle n'a cessé d'être considérée comme un espace-clé par les présidents et leurs différents conseillers spéciaux, au moins jusqu'à J. Chirac, N. Sarkozy affirmant dès 2007 vouloir initier un nouveau type de relation avec les États africains

La Défense, surtout quand elle est placée sous le signe de la dissuasion nucléaire, constitue logiquement un domaine investi par le chef de l'État, garant de l'indépendance nationale, et chef des armées. C'est à lui qu'est attribué le pouvoir d'engager les forces nucléaires. Au total, les anciens collaborateurs des présidents préfèrent substituer domaine «privilégié» à domaine «réservé» ou précisent que le président se préoccupe de l'«essentiel», notion qui varie selon les circonstances.

Si, comme dans tous les régimes parlementaires, le président n'intervient pas directement dans l'activité du Parlement, la Constitution lui a donné des pouvoirs propres non négligeables. Outre celui de nommer le Premier ministre, il dispose du droit de dissolution, considérablement réactivé et arme essentielle dont il n'a pas négligé de se servir pour dénouer plusieurs crises survenues dans le fonctionnement des pouvoirs publics. F. Mitterrand a eu recours à la dissolution pour gagner une majorité parlementaire après son propre succès (1981 et 1988); J. Chirac, en cours de mandat, a manqué son opération (1997).

La Constitution a d'autre part permis au chef de l'État de consulter le pays, par voie de référendum sur certaines questions. Même si, en droit, ces questions sont limitées, cela n'a pas empêché le général de Gaulle de recourir quatre fois au référendum, dont une fois sur les accords d'Évian. Depuis son départ, l'instrument a été utilisé cinq fois.

Mais il faut observer que l'introduction du **quinquennat** a changé la nature du système: le président n'est plus l'ultime recours mais le chef de la majorité et du gouvernement. La «monarchie présidentielle» s'en trouve renforcée et la fonction sans doute désacralisée. C'est ce que certains députés ont perçu, déjà, durant le second mandat de J. Chirac.

Sans lien avec la Constitution, une des prérogatives du président concerne les célébrations, les hommages – notamment aux Invalides –, les initiatives mémorielles. Nul n'a oublié le discours de Jacques Chirac (16 juillet 1995) sur la responsabilité de l'État français dans la rafle du Vél'd'Hiv' (*cf.* p. 105). Nicolas Sarkozy a établi un lien privilégié avec les familles des résistants tués sur le plateau des Glières. Sur le sujet sensible de la guerre d'Algérie, Emmanuel Macron a reconnu (septembre 2018) que le mathématicien Maurice Audin avait été torturé par l'armée française pendant la bataille d'Alger. En novembre 2018, il a accompli, pendant une semaine, une «itinérance mémorielle» dans le Nord-Est de la France, en prélude aux célébrations du centenaire de l'armistice du 11 novembre 1918. Avant lui, François Hollande avait tenu à faire entrer au Panthéon quatre «grandes figures qui évoquent l'esprit de la Résistance» : Geneviève de Gaulle-Anthonioz, Germaine Tillion, Pierre Brossolette et Jean Zay (27 mai 2015). Le 1er juillet 2018, un an seulement après sa mort, Simone Veil, avec son mari, a reçu les mêmes honneurs de la part du président Macron.

❑ ***Le style du président Sarkozy.*** Dès son élection, N. Sarkozy a affirmé sa volonté de rupture et d'ouverture, réservant au gouvernement de François Fillon des représentantes de la «diversité» (Rachida Dati, Rama Yade, Fadela Amara) et des ministres venus de la gauche (Bernard Kouchner, Éric Besson). Il a assumé son rôle international (présidence semestrielle de l'Union européenne, retour de la France dans le commandement intégré de l'OTAN, essai de conciliation dans la crise de Géorgie...). Il s'implique fortement dans la politique intérieure, pousse à la confection de lois qu'il juge prioritaires et a obtenu, par la réforme constitutionnelle de juillet 2008, de pouvoir s'adresser directement aux Chambres réunies en Congrès. La frontière entre l'exécutif et le législatif n'est plus aussi lisible ; les médias le désignent comme un « hyperprésident ».

❑ ***Le rituel de l'élection présidentielle.*** L'élection présidentielle au suffrage universel est un trait essentiel du système politique français. Elle réunit un consensus. Elle est structurante, en amenant les partis d'opposition à s'organiser et à se rapprocher pour défendre leur chance face à la majorité. Mais avec le quinquennat, mis à l'étude déjà par G. Pompidou et ratifié par le référendum du 24 septembre 2000, elle rapproche les échéances, aiguise les ambitions, crée selon certains les conditions d'une « campagne électorale permanente ». D'une manière générale, depuis 1965, s'est produite une professionnalisation des techniques de campagne : télévision, sondages d'opinion, internet, techniques de publicité et de marketing (voir chapitre 8). Depuis le moment où les candidat(e)s se décident et annoncent leur participation, tout contribue à la personnalisation maximum de cette élection.

Du président du Conseil au Premier ministre

En dépit de la précision du terme, le « président du Conseil des ministres » a rarement assuré la dite présidence. Depuis 1815 en effet, selon les différents régimes, cette attribution revient au roi, à l'empereur ou au président de la République.

Normalement responsable d'un département ministériel, le président du Conseil est *primus inter pares*. Les textes de 1875 l'ignorent. Néanmoins, la fonction du président du Conseil sera maintenue dans la pratique constitutionnelle et prendra même une importance décisive par la suite. Sous la IIIe République, il peut être titulaire d'un ministère important (Affaires étrangères, Justice, Finances) mais aussi choisir le secteur dans lequel une compétence particulière lui est reconnue (ce fut l'Agriculture pour Méline, les Affaires étrangères pour Briand) ou celui que la conjoncture politique désigne (pour Clemenceau, l'Intérieur en 1906, mais la Guerre en 1917 ; pour Poincaré, les Affaires étrangères en 1922-1924 et les Finances en 1926-1928). C'est surtout entre les deux guerres que l'autorité des présidents du Conseil s'effrite face aux offensives des députés adverses ou même des partis réunis en congrès : le Parti radical oblige ainsi Painlevé à démissionner, en 1926, et Poincaré en 1928. La menace est si réelle qu'en 1929, lorsqu'il succède à Poincaré, Briand adresse un appel direct aux députés. Comme la conférence de La Haye consacrée aux réparations est imminente, « l'heure est assez grave pour justifier le sacrifice, aux besoins de notre politique extérieure, de toute autre considération. Demander trois mois de trêve dans les circonstances où nous sommes, ne nous paraît pas une exigence excessive.» Doumergue, appelé au lendemain du 6 février 1934, est le premier à assumer la tâche sans portefeuille et Blum l'imite en 1936. La création en 1935 d'un poste de secrétaire général du gouvernement permet de doter la présidence du Conseil, elle-même enfin installée à l'Hôtel Matignon, d'un précieux outil administratif. Mais sans la restauration d'un véritable équilibre des pouvoirs, le président du Conseil ne peut être que l'exécutant docile de la volonté des Chambres. La IVe République qui a tenté de renforcer son rôle a échoué, on l'a vu, à cause de déviations d'ordre institutionnel et de la faiblesse des structures politiques.

❑ ***Le second personnage de l'État depuis 1958.*** Le Premier ministre de la Ve République est nommé par le chef de l'État, sans investiture parlementaire préalable. Il n'existe donc que grâce à la confiance de ce dernier. Néanmoins, par souci de respecter la tradition parlementaire, les Premiers ministres de la Ve République ont souvent tenu à engager leur responsabilité sur un programme de gouvernement ou une déclaration de politique générale (art. 49-I). Ce furent les cas de M. Debré en 1959, de G. Pompidou en 1962. Après la révision constitutionnelle de 1962, la pratique semble se perdre (G. Pompidou en 1966 et 1967, M. Couve de Murville en 1969, P. Messmer en 1972, R. Barre en 1976), mais J. Chirac sollicite un vote de l'Assemblée en 1974 ainsi que tous les Premiers ministres depuis 1981.

Théoriquement, le président de la République ne peut révoquer le Premier ministre. Mais dans les faits il l'invitera à démissionner (M. Debré en 1962, G. Pompidou en 1968, J. Chaban-Delmas en 1972, P. Mauroy en 1984, M. Rocard en 1991, É. Cresson en 1992, J.-P. Raffarin en 2005. Sauf en cas de discordance entre majorité présidentielle et majorité parlementaire, le Premier ministre est donc tributaire de la volonté du chef de l'État.

La fonction de Premier ministre n'en est pas moins fondamentale dans l'édifice de la Ve République. Ses attributions en propre et celles du gouvernement qu'il dirige sont importantes. Il applique la politique décidée en Conseil des ministres présidé par le chef de l'État. Et il n'est pas dépourvu de moyens d'influence vis-à-vis du Parlement, on l'a vu. Il détient d'ailleurs personnellement et concurremment avec le Parlement l'initiative des lois. Il est enfin le chef suprême de l'administration et le titulaire des fonctions exécutives ce qui lui permet d'exercer le pouvoir réglementaire. Il dispose des services du secrétaire général du gouvernement, conseiller juridique permanent, mémoire des Conseils des ministres, responsable du suivi de tous les projets gouvernementaux. Originaires du Conseil d'État, les hauts fonctionnaires qui occupent cette fonction font preuve d'une grande stabilité (Jean Donnedieu de Vabres de 1964 à 1974, Marceau Long de 1974 à 1982, Jacques Fournier de 1982 à 1986).

Néanmoins, en dépit de ces pouvoirs renforcés, le chef du gouvernement a manifestement perdu de son autonomie. L'élection du chef de l'État au suffrage universel, la coïncidence entre majorité présidentielle et majorité parlementaire ont fait du Premier ministre un trait d'union entre le Président et l'Assemblée. À ceux, nombreux, qui émettaient des doutes sur l'autorité réelle des Premiers ministres, ceux-ci se sont chargés de répondre, comme G. Pompidou, à la suite des interventions de F. Mitterrand et de P. Coste-Floret: «Est-ce à dire que le Premier ministre soit réduit au rôle de modeste conseiller, d'exécutant subalterne, de soliveau? Vous me permettrez de dire que je n'en crois rien» (débat à l'Assemblée, 24 avril 1964). Dans les arguments développés figure également le rappel classique de la situation-repoussoir, celle des fragiles présidents du Conseil de la IVe République. Les médias traquent, jusqu'à l'obsession, les signes de tension entre l'Élysée et Matignon (N. Sarkozy/F. Fillon), les intéressés ne cessant de rappeler qu'ils travaillent en harmonie.

De toute évidence, la personnalité de chaque Premier ministre a beaucoup compté. Par contre, le contraste est complet lors des phases de **cohabitation**, quand il redevient le personnage essentiel de l'exécutif, en retrouvant l'initiative politique.

Les ministres

Sous la IIIe et la IVe République, les ministres, toujours d'anciens parlementaires, conservaient leur siège au Parlement tandis qu'ils exerçaient leurs nouvelles fonctions. De ce fait, à la première injonction de leur parti, ils n'hésitaient pas à abandonner leur portefeuille, assurés qu'ils étaient de retrouver leur siège. Ils brisaient ainsi la solidarité gouvernementale ce qui pouvait conduire à une démission pure et simple du gouvernement, mis dans l'impossibilité de gouverner.

Sensible au problème, le général de Gaulle insista, en 1958, pour qu'une série de règles en matière d'incompatibilités obligent les ministres à quitter leurs activités professionnelles, publiques ou parlementaires. Ces mesures ont certainement renforcé la cohésion gouvernementale sous la Ve République, d'autant qu'à tout moment le Premier ministre peut proposer au chef de l'État l'exclusion d'un de ses ministres. Les démissions isolées ou les consignes de solidarité gouvernementale dûment rappelées par le Premier ministre ne sont pourtant pas rares; dans la même quinzaine de 1987, J. Chirac ne doit-il pas admonester Michel Noir, pour avoir exprimé très librement son hostilité au Front national, puis François Léotard accusé de demeurer trop visiblement le chef du Parti républicain?

Les cabinets ministériels n'ont jamais comporté de hiérarchie précise mais, dans la réalité, certains ministres ont pu exercer une grande influence, parfois supérieure à celle du président du Conseil (Decazes en 1818, Guizot de 1840 à 1847, Clemenceau dans le cabinet Sarrien). De même que des usages protocolaires ont fini par distinguer des ministres plus importants: vice-président du Conseil (IIIe République) ou ministre d'État (IVe République). Sous la Ve République, quatre catégories se sont imposées: les ministres d'État qui figurent au premier rang, les ministres de plein exercice, les ministres délégués et les secrétaires d'État qui sont les seuls à ne pas assister régulièrement au Conseil des ministres. Ces différenciations traduisent également la complexité croissante des problèmes à la charge du gouvernement et la multiplication des ministres: depuis le début du XIXe siècle, leur nombre a été multiplié par sept.

Le souci d'homogénéité de l'équipe est pourtant peu compatible avec un nombre élevé de ministres. Si les effectifs des ministères tendent à augmenter depuis plusieurs décennies, c'est, explique Pierre Rosanvallon, sous l'influence de quatre facteurs: «la logique administrative de spécialisation, le développement de nouvelles figures du rapport État-société (Information, Qualité de la vie, Droits de l'homme), le mode de gestion des urgences (ministères liés à certaines étapes de la décolonisation), les exigences du clientélisme et de la représentation (Travail, Pensions puis Anciens Combattants, Rapatriés, Artisanat et PMI, Femmes, Immigrés, Travailleurs manuels, Handicapés et accidentés de la vie).»

Par ailleurs, sous la Ve République, un nombre considérable de non-parlementaires accèdent aux responsabilités ministérielles, en tant que techniciens d'un secteur délicat (André Giraud, Pierre Dreyfus ou Roger Fauroux à l'Industrie, Francis Mer, Thierry Breton ou Christine Lagarde à l'Économie et aux Finances) ou en raison de leurs compétences et aptitudes personnelles (Simone Veil, Françoise Giroud, Luc Ferry). Souvent, ils publient un livre sur leur expérience du pouvoir. Les politiques, eux, restent sceptiques et rappellent que leur profession est une spécialité, avec «sa langue, son code, sa culture» (P. Clément).

Chaque ministre travaille avec des collaborateurs qui forment son cabinet, dont le directeur est particulièrement remarqué. Avant 1939, le recrutement était assez lâche, opéré sous le signe des amitiés politiques et guidé par les nécessités de l'information – d'où la fréquente présence de journalistes. Depuis 1945, tous les ministres ont eu tendance à s'entourer de hauts fonctionnaires, de «technocrates» souvent issus de l'École nationale d'administration ou des «grands corps». Ces responsables non élus pèsent d'un grand poids face aux services du ministère concerné. Au total, les effectifs des cabinets, en comptant celui du Premier ministre, avoisinaient trois cents personnes en 1980 et atteignaient le double en 1990. Le passage dans un ou plusieurs cabinets devient ainsi une étape obligée, en tout cas fort utile, dans les stratégies de carrière des «*happy few*» de la haute administration.

Au début des années 1990, la mise en examen d'anciens membres de cabinet a montré qu'ils ne pourraient plus bénéficier d'une espèce d'immunité. Dans la préparation de sa campagne présidentielle de 1995, J. Chirac avait aussi visé les cabinets ministériels à travers les reproches adressés aux «technostructures». Aujourd'hui, la rigueur budgétaire amène le pouvoir législatif à critiquer l'effectif jugé pléthorique de tel ou tel cabinet.

ÉTAT ET ADMINISTRATION

Un symbole : le préfet

Mis en place par Bonaparte en 1800, le **préfet**, maître de son département sous la tutelle du ministre de l'Intérieur, était promis à un avenir durable. Figure emblématique de la centralisation française, il semblait déjà indispensable en 1815. Les régimes successifs ont donc assuré la pérennité de ce fonctionnaire et de ses collaborateurs nommés aux chefs-lieux d'arrondissement, les sous-préfets. Ils ont contribué également à leur donner une réputation de rigidité ou de relative souplesse ; ainsi l'on parlait des préfets de la Restauration, intransigeants sur le respect de la personne royale et sur l'observance des commémorations des exécutions de Louis XVI et de Marie-Antoinette, et des préfets du Second Empire, grands pourvoyeurs de candidatures officielles.

Le préfet est le représentant de l'État et l'organe exécutif du département. Ses premières tâches ont été le maintien de l'ordre, la levée des contributions et les opérations de conscription. S'y ajoutent bientôt la collecte de statistiques régulières sur la population et sur l'activité économique, l'amélioration des routes, l'instruction, la santé publique (et notamment la diffusion de la vaccination antivariolique ou « vaccine »). Bien que la construction de voies ferrées n'entre pas dans son domaine, le préfet n'est pas indifférent à l'extension des réseaux : tracé, appel de main-d'œuvre – et donc, mouvements éventuels de populations ouvrières vers les chantiers –, conséquences sur la vie économique locale.

Enfin, le préfet est responsable de la nomination d'un grand nombre de fonctionnaires appartenant à d'autres administrations que celle de l'Intérieur. Lors des campagnes électorales, il reste le garant de la régularité du scrutin, ce qui ne l'empêche pas d'appuyer, discrètement ou non, un candidat. La IIIe République met en place un corps préfectoral plus professionnalisé et de recrutement plus provincial. Ses membres proviennent de la moyenne et de la haute bourgeoisie comme de la fonction publique. Le statut social est bien affirmé et les chances d'ascension sociale réduites.

Des circonstances graves sont à l'origine des fonctions de « superpréfet ». Après la défaite de 1940, le gouvernement de Vichy crée un échelon régional et nomme des préfets régionaux, dont les compétences sont politiques et policières, mais qui contrôlent aussi le fonctionnement de l'économie et l'organisation du ravitaillement. La France libre de son côté, envisage très tôt (1943) la mise en place, dans chaque région, à la Libération, d'un commissaire de la République, « mandataire extraordinaire du Gouvernement provisoire, façonneur et ordonnateur de l'esprit public, mainteneur de l'ordre et de la légalité ». Ces commissaires sont nommés sur proposition du CNR, avant que ne soient institués, en janvier 1944, leurs commissariats régionaux. Dès mai 1944, commissaires et préfets rejoignent leurs circonscriptions. À la Libération, « ils savent que leur prise de fonction marque le succès et la fin de l'insurrection » (C.-L. Foulon). Ils doivent compter au début avec certains comités départementaux de Libération (CDL) mais se définissent comme « les gérants des intérêts permanents de la Nation ». Ils contrôlent le fonctionnement de la justice – dans le cadre de l'épuration – et assurent le redémarrage de l'économie. La guerre terminée, leur pouvoir est limité à la coordination des préfets.

Aux commissaires de la République, supprimés en 1946, succèdent les inspecteurs généraux de l'administration en mission extraordinaire (IGAME), préfets des départements dont le chef-lieu correspond au siège d'une région militaire ; en 1964, ils prennent le titre de préfets de région de Défense. La mise en place des circonscriptions d'action régionale (CAR), appelées plus simplement régions, confère aux préfets de région une réelle autorité, que n'entament pas les textes de 1972 sur la première forme de régionalisation. En revanche, leurs prérogatives sont réduites par la loi de décentralisation du 2 mars 1982. En effet, le préfet – rebaptisé « commissaire de la République » de 1982 à 1988 – se trouve alors le partenaire obligé d'un président du conseil général solidement installé (en 1989, trente d'entre eux sont députés et quarante sénateurs) et d'une administration compétente qui gère un budget parfois impressionnant. Depuis 1988, les ministres de l'Intérieur semblent se préoccuper au plus haut point du risque de « dérive de la décentralisation ».

La lente émergence d'une fonction publique

Dans la première moitié du XIXe siècle, déjà, les contemporains lucides remarquaient le décalage entre la formidable organisation du recrutement et de la progression de carrière des ingénieurs et des militaires et le laisser aller observable dans les rangs des autres fonctionnaires. Écoles spéciales pour les premiers, formation universitaire encore appréciable pour les titulaires de la magistrature et de l'enseignement, mais formation professionnelle au gré des postes occupés pour tous les autres.

L'anomalie n'a pas manqué d'être signalée, l'antériorité revenant à Destutt de Tracy, auteur en 1800 d'un projet d'École des Sciences morales et politiques. L'École d'administration, ouverte en 1848, ne survit pas. La défaite de 1870-1871, en provoquant une pénible mais indispensable méditation sur les causes des faiblesses de la France, n'est pas sans effet sur la fondation, en 1872, par Émile Boutmy, de l'École libre des Sciences politiques. Initiative importante, mais sans influence immédiate sur la haute fonction publique vers laquelle elle ne peut au mieux diriger que vingt-cinq promus par an. Il faudra attendre 1945 pour que soit créée l'École nationale d'administration.

Ce retard avait d'abord des causes culturelles. En 1844, des députés libéraux avaient déposé une proposition de loi tendant à réglementer l'accès au corps des fonctionnaires et les conditions d'avancement. On parlait alors *des* fonctions publiques, parce qu'on ne saisissait pas encore globalement la relation entre l'État et la réalité administrative. La Chambre rejeta le texte. Pour Pierre Rosanvallon, cet échec « tient à la difficulté de penser les rapports de l'administration et du gouvernement. On craint qu'un statut des fonctionnaires n'affaiblisse la responsabilité ministérielle. » En vertu de la tradition de séparation des pouvoirs, l'État, en effet, ne doit pas empiéter sur l'autorité souveraine détenue par les mandataires du peuple.

En l'absence de statut clair, le pouvoir intervient donc selon la conjoncture. Favorisant le clientélisme, il est amené à faire des coupes plus ou moins sombres dans les rangs des fonctionnaires lorsque s'installent des régimes nouveaux ou qu'une orientation politique décisive est fixée (après 1877-1879). Le remède de l'épuration marque donc le XIXe siècle et assure ainsi la soumission de l'administration. Au XXe siècle, la volonté d'écarter n'a pas disparu. Mais, sauf pour l'époque de Vichy, le climat nouveau fait qu'elle emprunte des formes plus élégantes : mutations, placement en position de « réserve », retour dans le corps d'origine.

Depuis le début du XXe siècle et jusqu'en 1946, date de l'adoption du « statut des fonctionnaires », les débats ont porté sur la spécificité de ce type d'emploi, sur la difficile compatibilité entre les intérêts corporatistes et la primauté du service public. Les effectifs de fonctionnaires ont gonflé et les exigences de citoyenneté ont monté d'un ton. En mars 1909, la grève des employés des Postes avait fait scandale et la Chambre avait refusé le droit de grève aux fonctionnaires. Dans l'entre-deux-guerres, les parlementaires étaient, dans leur ensemble, hostiles à l'action des instituteurs en faveur de la grève dans leur profession et surtout en faveur du pacifisme.

En 1945, l'État se dote d'une institution capable de former l'élite administrative dont il a besoin. Mais l'ENA, pour être devenue une source de matière grise pour les cabinets ministériels, voit partir environ 20 % de ses élèves directement vers le secteur privé. Cette pépinière ainsi que les grandes écoles contribuent à un double mouvement, d'une part la politisation des administrations de haut niveau, d'autre part la fonctionnarisation du pouvoir politique (entre 1959 et 1981, 55 % des membres du gouvernement et 100 % des chefs d'État et des Premiers ministres avaient appartenu ou appartenaient à la fonction publique, précise J.-L. Quermonne). Parce que le débat démocratique aborde souvent la question des « élites » de la nation, l'ENA se trouve régulièrement critiquée, bien qu'elle ait été quelque peu modernisée.

Centralisation et décentralisation

Si précautionneux que soit le pouvoir central envers ses fonctionnaires au XIXe siècle, leur activité n'en est pas moins perçue par les élus et les observateurs comme source de contraintes et de tracasseries. Au point que, très tôt, des ouvrages et des articles ont théorisé les souhaits de décentralisation ; les auteurs prenant soin de distinguer la décentralisation administrative, la seule souhaitée, d'une décentralisation politique, suspecte de porter atteinte à l'unité nationale, avec une double référence, à la Gironde et à la Commune.

Sous la monarchie censitaire, la réclamation vient plutôt des légitimistes, nostalgiques des « anciennes libertés ». Sous le Second Empire, les partisans de la décentralisation veulent tout simplement limiter l'emprise autoritaire du régime et souhaitent un rééquilibrage de l'autorité des conseils généraux par rapport aux préfets et une moindre surveillance des affaires municipales. Odilon Barrot ne mâche pas ses mots (1861) : « C'est le peuple, qui peut improviser un gouvernement en vingt-quatre heures, que vous déclarez radicalement incapable de pourvoir à son ménage quotidien ! Par la plus étrange des contradictions, ce sont les gouvernements mêmes qu'il a formés et tirés de ses entrailles qui se permettent de lui interdire la gestion de ses plus minimes affaires. » Et, sur le même registre, Jules Simon : « Il y a lieu de rechercher si toutes les choses qui doivent être gouvernées doivent l'être à Paris, et par les agents du pouvoir central... Non seulement, sous notre administration compliquée, les individus ne sont rien ; mais les communes et les départements ne sont pas autre chose que des cercles de l'administration centrale avec un semblant d'autonomie.» Et il estime qu'il y a beaucoup à faire sans toucher aux «trois points cardinaux de la politique: le code, l'armée, le trésor» qui assurent l'unité.

Les signataires du programme de Nancy (1865) émettent aussi quelques formules lapidaires («restreindre l'État n'aboutit pas du tout à affaiblir le gouvernement; on peut rester libre sous un gouvernement fort») et font du préfet un «tyranneau local». Ce programme passera dans la législation ultérieure sur les conseils généraux (1871) et municipaux (1884).

Lorsque s'affirment des souhaits de construction régionale, entre les deux guerres, et parfois en liaison avec les réflexions de groupes technocratiques, la première démarche consiste toujours à fixer des bornes à une administration, qui sous couvert de coordination (des transports, de la distribution des carburants, des émissions radiophoniques...) semble élargir son aire d'intervention. Le même écho résonne dans le célèbre ouvrage de J.-F. Gravier, *Paris et le désert français* (1947): «l'Oubangui-Chari possède maintenant des libertés régionales que ne peut encore espérer aucune province française dans le cadre de la métropole.»

Plusieurs étapes seront nécessaires. Les régions dites «circonscriptions d'action régionale» (CAR) prennent forme en 1956, mais le préfet de région garde la haute main. Puis la création de la DATAR (Délégation à l'aménagement du territoire et à l'action régionale) en 1963 permet un développement régional. Les lois de 1972 et surtout de 1982 et 2015 donnent aux régions une personnalité et des pouvoirs (voir chapitre 6).

Pour aller plus loin :

BACQUÉ (Raphaëlle), *L'enfer de Matignon*, coll. «Points», Seuil, 2010.

DUBUISSON-QUELLIER (Sophie) (dir.), *Gouverner les conduites*, Presses de Sciences Po, 2016.

MARGAIRAZ (Michel) et TARTAKOWSKY (Danielle), *L'État détricoté (De la Résistance à la République en marche)*, Éditions du Détour, 2018.

MARIOT (Nicolas), *Bains de foule. Les voyages présidentiels en province, 1888-2002*, Belin, 2007.

ROSANVALLON (Pierre), *L'État en France de 1789 à nos jours*, coll. «l'Univers historique», Seuil, 1989.

ROUSSELLIER (Nicolas), *La Force de gouverner. Le pouvoir exécutif en France*, XIXe-XXIe siècle, coll. «NRF essais», Gallimard, 2015.

YVERT (Benoît), *Premiers ministres et présidents du Conseil depuis 1815*, coll. «Tempus», Perrin, 2007.

Documents

1 – Le général de Gaulle et le rôle du président de la République

[...] Pourtant, objectent parfois ceux qui ne se sont pas encore défaits de la conception de jadis, le Gouvernement, qui est celui du président, est en même temps responsable devant le Parlement. Comment concilier cela ? Répondons que le peuple souverain, en élisant le président, l'investit de sa confiance. C'est là, d'ailleurs, le fond des choses et l'essentiel du changement accompli. De ce fait, le Gouvernement, nommé par le chef de l'État et dont au surplus les membres ne peuvent être des parlementaires, n'est plus du tout, vis-à-vis des chambres, ce qu'il était à l'époque où il ne procédait que de combinaisons de groupes. Aussi, les rapports entre le ministère et le Parlement, tels qu'ils sont réglés par la Constitution, ne prévoient la censure que dans des conditions qui donnent à cette rupture un caractère d'extraordinaire gravité. En ce cas extrême, le président, qui a la charge d'assurer la continuité de l'État, a aussi les moyens de le faire, puisqu'il peut recourir à la nation pour la faire juge du litige par voie de nouvelles élections, ou par celle de référendum, ou par les deux. Ainsi, y a-t-il toujours une issue démocratique. Au contraire, si nous adoptions le système américain, il n'y en aurait aucune. Dans un pays comme le nôtre, le fait que le chef de l'État serait aussi Premier ministre et l'impossibilité où il se trouverait, dans l'hypothèse d'une obstruction législative et budgétaire, de s'en remettre aux électeurs, alors que le Parlement ne pourrait le renverser lui-même, aboutirait fatalement à une opposition chronique entre deux pouvoirs intangibles. Il en résulterait, ou bien la paralysie générale, ou bien des situations qui ne seraient tranchées que par des *pronunciamientos*, ou bien enfin la résignation d'un président mal assuré qui, sous prétexte d'éviter le pire, choisirait de s'y abandonner. [...]

Notre Constitution est bonne. Elle a fait ses preuves depuis plus de cinq années, aussi bien dans des moments menaçants pour la République qu'en des périodes de tranquillité. Sans doute, d'autres circonstances et d'autres hommes donneront-ils plus tard à son application un tour, un style, plus ou moins différents. Sans doute, l'évolution de la société française nous amènera-t-elle, en notre temps de progrès, de développement et de planification, à reconsidérer l'une de ses dispositions. Je veux parler de celle qui concerne le rôle et la composition du Conseil économique et social. Mais, en dehors de cette précision, qui ne bouleversera pas l'économie de la Constitution, gardons celle-ci telle qu'elle est. Assurément, on s'explique que ne s'en accommodent volontiers ni les nostalgiques, avoués ou non de la confusion de naguère, ni cette entreprise qui vise au régime totalitaire et qui voudrait créer chez nous un trouble politique d'où sa dictature sortirait. Mais le pays, lui, a choisi et je crois, pour ma part, qu'il l'a fait définitivement.

Conférence de presse du 31 janvier 1964 cité *in* Didier Maus, *Les grands textes de la pratique institutionnelle de la Ve République*, La Documentation française, Paris, 3e éd., 1987.

2 – Les effectifs des gouvernements (quelques repères)

	Chef du gouvernement	Nombre de ministres	Nombre de sous-secrétaires d'État
1815	Ministère du duc de Richelieu	6	
1836	Molé	8	
1890	Freyçinet	10	1
1920	Millerand	14	10
1932	Herriot	18	11
1934	Doumergue	19	
			Nombre de secrétaires d'État
1952	Faure	26	14
1959	Debré	20	6
1969	Chaban-Delmas	18	20
1974	Chirac	14	22
1976	Barre	17	19
1984	Fabius	22	20
1988	Rocard	31	17
1993	Balladur	30	
1997	Jospin	33	
2002	Raffarin	21	6
2005	Villepin	31	
2007	Fillon (2e)	15	16
			Nombre de ministres délégués
2012	Ayrault	18	16
			Nombre de secrétaires d'État
2014	Valls	16	14
2017	Philippe	18	12

3 – Donner vie à la province (1861)

Élias Regnault (1801-1868), avocat de formation et publiciste, a été chef de cabinet de Ledru-Rollin en 1848. C'est un républicain, auteur d'études sur la Monarchie de Juillet et la Seconde République. Dans ce passage, Regnault développe deux réalités admises à l'époque : Paris fait et défait les régimes politiques ; la province paraît condamnée à la stagnation culturelle.

[...] Les faits contemporains sont là pour nous instruire. En 1814, dès que Louis XVIII est introduit dans Paris, la province crie: Vive le roi. En 1830, Charles X est expulsé de Paris, la province crie: Vive la Charte. Huit jours après, on lui annonce que Paris a fait une royauté citoyenne, et elle crie: Vive Louis-Philippe. En 1848, Paris renverse ce dernier, et la province attend vingt-quatre heures pour savoir ce qu'elle doit crier le lendemain, et le lendemain, sur un signal du télégraphe parisien, elle crie: Vive la République. Cinq ans ne se sont pas écoulés, et sur un coup d'État accompli à Paris, la province crie: À bas la République, et bientôt après: Vive l'Empire. Voilà, depuis cinquante ans, l'histoire politique de la province; stérile et monotone comme celle d'un soldat suivant le mot d'ordre de son caporal.

Il est probable que dans tous ces mouvements contraires, Paris a eu au moins une fois tort. La province en a-t-elle conscience? Comment le pourrait-elle, quand elle n'a pas la conscience d'elle-même? [...]

Interrogeons maintenant la province dans l'ordre intellectuel. Pas un livre de quelque valeur ne s'y publie; pas une œuvre d'art n'éclot dans ce milieu épaissi. Ni littérature, ni science, ni musique, ni peinture n'y peuvent vivre; et si quelque homme de mérite se sent appelé à produire quelque chose, il se dérobe rapidement à une inféconde atmosphère, et vient demander à Paris le souffle vivifiant. Et en effet, chez lui il ne trouve pas de public; non seulement les éléments inspirateurs lui font défaut, mais aussi les éléments de récompense, les fêtes de l'enthousiasme extérieur, les justes orgueils du triomphe. L'art ne peut se développer dans l'isolement, et pour se donner carrière, il faut une communion entre l'artiste et le public, et quand le public manque, l'artiste prend son essor vers d'autres régions. Et où peut-il se transporter, si ce n'est à Paris?

C'est ainsi que tout se concentre dans ce rayon d'absorption, vie intellectuelle, vie morale, et jusqu'aux spéculations de la vie matérielle.

Élias Regnault, *La Province*, Pagnerre, Paris, 1861, pp. 40-43.

4 – « Repenser la politique territoriale » (2019)

Dans le cadre du Grand débat, Emmanuel Macron a invité une soixantaine d'intellectuels à s'exprimer. Le sociologue Jean Viard analyse les origines de la crise des « gilets jaunes ».

Dans les métropoles, la métropole fait communauté. On est parisien, on a un grand maire. [...] On appartient à la métropole, on appartient à la ville. Parce que la politique, dans ce pays, il y a vous et les grands maires ; le reste, ça n'existe plus.

Les gens se sentent incarnés.

Et puis il y a les autres : les fils de prolos qui sont allés s'acheter une maison dans le péri-urbain depuis cinquante ans. C'est eux qui sont en révolte, pas les populations locales traditionnelles. C'est les nouveaux habitants des territoires ruraux. Ils ont voulu sortir des HLM, quitter la mixité sociale, ils ont voulu devenir propriétaires, continuer la promotion sociale de leurs parents qui venaient de la campagne ou de l'étranger.

Ils ont la maison avec jardin, ils en sortent en voiture, en appuyant sur un bouton, ils vont au supermarché autour du rond-point. [...] C'est ça qui est en révolte. Ces gens avaient réussi leur vie, ils étaient des fils de prolos « réussis ». Ils étaient contents, ils étaient biactifs, ils avaient deux diesels, la maison Phénix. Ils avaient appris le travail à leurs enfants. C'est la France du travail, le travail du corps, pas du pouce.

Et, d'un coup, on leur dit : « Vous êtes nuls, faut circuler en vélo, faut être écolo. » Excusez-moi, M. le Président, vous savez que je vous aime bien, mais vous avez mis du sel dans la plaie : les 80 km/heure, le diesel... Là où il y a un pays qui est en train de se couper en deux, vous avez mis tous les éléments pour faire crier partout. [...]

Partout il y a ce conflit entre ces grandes métropoles et « autour ». Il faut avoir une politique pour ce territoire ; or il n'y en a pas. On leur dit : « Ressemblez à la métropole ! », mais, les pauvres choux, ils ne peuvent pas. Leur mode de vie est périmé, mais c'est là qu'ils ont investi. Donc, ils ont la haine.

Ces gens doivent avoir de grands notables. 240 000 personnes viennent tous les jours des Hauts-de-France à Paris. Qui les représente ? Qui défend leurs intérêts ? Ils n'existent politiquement pas... Il faut repenser la politique territoriale. [...]

Extrait de l'intervention de Jean Viard lors du Grand débat, le 18 mars 2019.

6
Les régions

Quel que soit le régime, aux XIXᵉ et XXᵉ siècles, l'État se caractérise en France par le centralisme, et l'État républicain particulièrement, qualifié souvent de jacobin. En retour, toutes sortes d'initiatives se sont fait jour, visant à contrecarrer cette omnipotence ; on les retrouve sous des noms variés : régionalisation, décentralisation, fédéralisme. Elles ne mettent pas forcément en cause la forme républicaine de l'État. « En fait, la France républicaine repose pour beaucoup sur une alliance complexe entre jacobinisme et régionalisme, affirmation de l'indivisible unité de la France et mise en valeur de sa diversité » (A.-M. Thiesse). Nouvel exemple d'« échange » entre gauche et droite : la défense des provinces et des communautés a été un thème de la droite (fin XIXᵉ et premières décennies du XXᵉ) alors qu'avec les années soixante la contestation du pouvoir central s'installe à gauche.

Il faut rendre compte des grandes tendances de ces évolutions, avant d'observer les mesures effectives de la Vᵉ République en faveur des régions.

RÉGIONALISME, RÉGIONS : LES THÉORIES

Les ambiguïtés « fin de siècle »

❑ ***Des félibres entreprenants.*** Inspirés par Frédéric Mistral, certains défenseurs et promoteurs de la langue provençale et de la langue d'oc ne s'occupent pas que de littérature. Contre le centralisme oppresseur, est lancé en février 1892 le « manifeste des félibres » (F. Amouretti et Ch. Maurras). Les auteurs s'en prennent à « ces jolis messieurs qu'on appelle les sous-préfets », veulent des communes qui soient de « véritables personnes » et prônent une libération : « Nous voulons délivrer de leurs cages départementales les âmes des provinces dont les beaux noms sont encore portés partout et par tous : gascons, auvergnats, limousins, béarnais, dauphinois, roussillons, provençaux et languedociens. » Ils prévoient des assemblées souveraines à Bordeaux, à Toulouse, à Aix, qui organiseraient l'administration, les tribunaux, les écoles et les universités.

❑ ***Maurras et les néo-royalistes.*** Ils défendent l'idée que la République est incapable de réaliser la décentralisation, parce que son personnel est trop tributaire de l'élection et que seul le système centralisé maintient la chaîne électeur-fonctionnaire-élu. Dans un curieux livre collectif (*Un débat nouveau sur la République et la Décentralisation*), publié en 1903 avec Joseph Paul-Boncour – qui lui est un républicain intégral –, Maurras explique à sa façon l'avantage de la monarchie : « Un roi peut tout ensemble maintenir l'unité et lâcher la bride aux variétés nationales. Il est assez puissant pour défendre cette unité et sauver les variétés de leurs propres abus.» Parmi les personnalités qui sont interrogées, figure G. Clemenceau qui déclare: «Non seulement je tiens ferme pour la décentralisation, mais encore mon idéal de gouvernement est le fédéralisme.» Il soupçonne les tenants de la décentralisation de vouloir consolider des bastions conservateurs favorables à l'Église.

Régionalismes et autonomismes de l'entre-deux-guerres

Par toutes les mesures de contrôle, de coercition, de restrictions qu'elle a engendrées, la Grande Guerre a provoqué une levée de boucliers contre les administrations et les bureaucraties. Ce qui ne pouvait que relancer le débat de la décentralisation. C'est l'époque de la création de la Ligue d'Action régionaliste, de la Ligue des gouvernés, bientôt de la Ligue des contribuables. Dans les provinces qui ont enregistré les mortalités de guerre les plus élevées, la rancœur vis-à-vis du pouvoir central est compréhensible. Cela vaut pour la Bretagne et la Corse, mais n'explique pas l'attitude de petits mouvements autonomistes dans ces deux régions.

❑ ***Alsace-Lorraine, Bretagne, Corse.*** Ignorant la spécificité des provinces retrouvées et en particulier le statut acquis dans l'Empire allemand, le gouvernement se montre très maladroit. Certes le régime concordataire est maintenu. Mais que penser de la politique de francisation? «Envoi des instituteurs alsaciens en stage de "rééducation" dans "la France de l'intérieur", nomination systématique dans la région de fonctionnaires non Alsaciens» (J. Verrière). De fait, cinq mouvements autonomistes se développent, en partie pour des motifs liés à l'école confessionnelle et aux contraintes de la langue française. Vers le milieu des années trente, de nouveaux courants, extrémistes, recrutent des jeunes gens partisans d'un rattachement à l'Allemagne hitlérienne.

En Bretagne, l'idée régionaliste s'était répandue, avant 1850, dans l'aristocratie légitimiste hostile aux Lumières. Les préoccupations culturelles ont permis la collecte du patrimoine littéraire oral. L'«Union Régionaliste Bretonne» (URB), créée en 1898, fut le premier parti politique régionaliste, et conservateur. En 1909, elle revendiqua l'autonomie financière et administrative d'une Bretagne reconnue dans les limites de l'ancien duché. Après 1918, le régionalisme s'exprime dans des courants divers: fédéralisme, autonomisme puis, au début des années trente, nationalisme. Toutes ces tendances ne mobilisent qu'un petit nombre d'adhérents – quelques centaines – sans base populaire. Le «Parti Autonomiste Breton» (PAB) est fondé en 1927. Plus tard, l'aile extrémiste du mouvement breton, groupée au sein du PNB (Parti National Breton), influencée par des contacts avec des mouvements fédéralistes européens, et admirateurs du totalitarisme nazi, veut précipiter la naissance d'un État breton indépendant, protégé par l'Allemagne, dont ils adoptent les théories raciales. Ce ralliement et la collaboration pratiquée sous l'Occupation ruinèrent pour longtemps, auprès de l'opinion publique bretonne, toute idée non seulement nationaliste, mais, par contagion, fédéraliste.

La Corse des années vingt est en difficulté: chute démographique, crise économique, émigration des jeunes, sous-équipement sanitaire. Un sentiment d'abandon nourrit l'autonomisme (corsisme), que toute la population ne partage pas. Après 1922, la période fasciste «introduit dans le face à face identitaire franco-corse un troisième terme: celui de l'irrédentisme. La Corse devient un enjeu du nationalisme italien. Le nouveau pouvoir italien fait plus pour introduire en corse le point de vue irrédentiste que le pouvoir français pour le combattre» (H. Chaubin). Il y a eu des ingérences italiennes lors des élections législatives dans l'île (1928).

❑ ***Les différentes formes de régionalisme.*** Disciple du théoricien Jean Charles-Brun (1870-1946), l'avocat Maurice Brun publie en 1939 *Départements et régions*, dans lequel il distingue quatre modalités majeures de régionalisme: géographique, historique, économique et administratif. Avant d'enrichir le panorama, il prévient que le lecteur «comprendra ainsi que s'il y a tant de régionalismes qui s'ignorent et qui, soudain, peuvent se retrouver, c'est que la solution la meilleure de tous les problèmes se trouve, presque toujours, dans le cadre régional.» Et d'énoncer les régionalismes agricole, artistique (ici, Paris est loué de vanter et mettre en valeur l'art régional), bancaire et financier, expérimental (on expérimente à l'échelon régional des mesures et/ou des pratiques, avant de les étendre si le résultat est probant), intellectuel et littéraire, sentimental (référence à 14-18: «on défend plus facilement sa famille que sa province, sa province que sa patrie»), social, touristique, universitaire. Et de conclure, «le régionalisme, c'est la vie: d'où sa variété et le fait qu'il est comme naturellement projeté dans tous les domaines de la vie.»

Des idéologies porteuses

C'est d'abord, à Vichy, le maréchal Pétain qui donne satisfaction aux traditionalistes dès le 11 juillet 1940: «Des gouverneurs seront placés à la tête des grandes provinces françaises. Ainsi l'administration sera à la fois concentrée et décentralisée.» Ces promesses n'ont pas été tenues.

Très différentes sont les conditions des années 1970. Par opposition – par hostilité même – au pouvoir central, le sort des régions délaissées est interprété selon une analyse tiers-mondiste et anti-colonialiste, qui fait appel aux concepts de sous-développement, d'aliénation, d'exploitation. L'intérêt pour les régions est revenu à gauche. Dans le même temps, l'édition diffuse d'innombrables histoires de vie (1965-1980) qui parlent des provinces, des métiers, des coutumes. Le témoin prend lui-même la parole s'il est instruit (Per Jakez Hélias, *Le Cheval d'orgueil*, 1975, pour la Bretagne; Henri Vincenot, *La Billebaude*, 1978, pour la Bourgogne), ou s'exprime devant le magnétophone (*Grenadou, paysan français*, 1966; *Louis Lengrand, mineur du Nord*, 1974). Tous ces témoignages ne se valent pas. Ils demandent à être élucidés, «car il ne faut pas être grand clerc pour voir foisonner dans ces récits des arrière-pensées de l'heure. Rendre la parole aux humbles, se fondre dans la mémoire populaire console bien des veufs de mai 68. Raconter la monotonie et la vie quotidienne de l'oppression permettra, disent certains, d'enfin "ancrer les luttes". Tous les régionalismes, toutes les marginalités ne dédaignent pas à leur tour les témoignages à couleur historique» (J.-P. Rioux).

LES RÉGIONS DANS LES FAITS

L'art de découper

❑ ***Les «régions Clémentel».*** Les nécessités de la guerre avaient amené J. Hennessy à proposer la création de Comités consultatifs d'action économique, destinés à pallier les inconvénients d'une organisation de guerre trop prisonnière des départements. Faute d'une circonscription d'accueil convenable, ces comités sont installés dans chaque région militaire (octobre 1915). Étienne Clémentel, ministre du Commerce en 1917, lui-même régionaliste convaincu, veut «prolonger» ces comités et créer un réseau de régions économiques, en s'appuyant sur les chambres de commerce. En avril 1919 sont créés 17 «groupements économiques régionaux»; puis leur nombre est passé à 20. Ils ont joué leur rôle jusqu'en 1938. Ils peuvent fonder et administrer tous établissements ou organismes susceptibles de faciliter ou développer le commerce et l'industrie dans la région économique (voir cartes p. 222).

❑ ***Les régions de l'État français.*** Un premier découpage en 26 régions est écarté. Les enjeux sont le développement économique de chaque entité, l'amélioration du ravitaillement et la limitation des appétits annexionnistes du Reich. D'où des régions comme «Lorraine-Champagne» et «Bourgogne-Franche-Comté». La Bretagne englobe la Vendée et les autre régions s'inspirent du découpage Clémentel (en tout, 18). Dans chaque région, un gouverneur et des représentants des forces économiques et sociales doivent assurer le fonctionnement. Mais l'expérience n'a pu se dérouler normalement.

❑ ***Le statut de 1972.*** Le schéma de régionalisation mis au point par Jean-Marcel Jeannneney à la demande du général de Gaulle a été emporté par le non au référendum d'avril 1969, vote plus motivé par le rejet du nouveau Sénat ou l'hostilité au président de la République. Ce projet donnait aux régions des compétences considérables par rapport aux départements et attribuait un statut particulier à la Corse. Par la loi du 5 juillet 1972, chaque circonscription d'action régionale (CAR) devient une région, établissement public dont les composantes sont le conseil régional et le comité économique et social. Le premier est composé des parlementaires de la région, des représentants des collectivités locales (élus par les conseils généraux) et des représentants des agglomérations, le second regroupe des représentants d'organisations professionnelles et syndicales des diverses branches économiques – qui constituent 50 % de l'effectif total – et des représentants des activités sociales, familiales, scientifiques, éducatives et culturelles ainsi que des professions libérales; siègent également des personnalités concourant au développement de la région et des représentants des «activités spéciales». Le conseil régional, qui tient deux sessions ordinaires, se consacre essentiellement au vote du budget, à l'examen des problèmes du développement régional et de l'exécution du Plan. Mais il n'est pas élu au suffrage universel et le «patron» demeure le préfet de région. En 1975 encore, comparant l'espace français à celui des grands États fédéraux (États-Unis, Union soviétique, Chine), V. Giscard d'Estaing estime que notre pays est trop peu étendu pour se doter d'une véritable structure régionale. Le grand aménageur Philippe Lamour (1903-1992), qui a présidé ce type de comité économique et social en Languedoc-Roussillon, note dans ses mémoires (*Le Cadran solaire*, Plon, 1979): «La décentralisation s'assimile à la décolonisation. Ce n'est jamais le moment de s'y décider; on n'y est jamais tout à fait prêt. Pourtant, il faut bien commencer un jour si on veut aboutir un autre jour. On l'a fait, sans grande conviction, ni bonne grâce, du bout des doigts, parce que c'était la mode du moment. Il ne faut pas en attendre des résultats miraculeux.»

La loi décisive de 1982

La décentralisation est un transfert de compétences de l'État à des institutions distinctes de lui. Portée par Gaston Defferre, la loi de décentralisation du 2 mars 1982 est très novatrice. La région devient une collectivité territoriale, réellement compétente dans les domaines où, précédemment, elle se trouvait seulement consultée (transports, emploi, environnement, lycées...) Le conseil régional, élu – pour la première fois en 1986 – au suffrage universel, «règle par ses délibérations les affaires de la région». Ses membres sont élus pour six ans. Le préfet de région a cédé le pas au président de région, chef de l'exécutif, qui devient vite un personnage politique de premier plan. Mais le conseil régional n'exerce aucune tutelle sur le département ou la commune. La décentralisation a d'ailleurs beaucoup accru l'autorité des conseils généraux et de leurs présidents.

❑ ***Les élections des conseils régionaux.*** Le mode de scrutin a changé plusieurs fois. En 1998, la proportionnelle intégrale était appliquée. Depuis 2004, le scrutin est à deux tours, avec une prime majoritaire. De 1986 à 2004, la droite détient la majorité des conseils régionaux, laissant à la gauche deux régions en 1986 et 1992, et huit en 1998. Certains conseils régionaux de droite, élus en 1998, ont besoin de l'appoint de voix du FN pour asseoir leur majorité. En 2004, le succès de la gauche (PS, Verts et leurs alliés) est spectaculaire: la droite ne conserve que deux régions métropolitaines, l'Alsace et la Corse. Élue présidente de Poitou-Charente – l'ancien fief du Premier ministre en exercice J.-P. Raffarin – S. Royal acquiert une nouvelle notoriété. En 2010, l'Alsace reste à droite. Les habituelles déclarations sur la signification «locale» ou «simplement régionale» du scrutin – auxquelles se livrent toutes les majorités parlementaires – cèdent devant la réalité. Et pourtant, ni J. Chirac en 2004, ni N. Sarkozy en 2010 n'opèrent de grands changements dans le gouvernement après ces élections-là.

❑ ***Les évolutions récentes.*** La loi constitutionnelle de 2003 inscrit enfin la région dans l'article 72 de la Constitution. La région se voit reconnaître (2004) le droit de «coordonner sur son territoire les actions de développement économique des collectivités et de leurs groupements.» Elle élabore son schéma régional d'aménagement et de développement du territoire (SRADT), qui fixe les orientations à moyen terme du développement durable du territoire régional. Elle établit avec l'État des contrats de projets, qui succèdent aux contrats de plan (2004).

Un sujet de conflit fréquent concerne les financements. Les régions reprochent à l'État, quelle que soit la majorité en place, de ne pas compenser entièrement les transferts de compétences. Les régions empruntent, s'endettent. Elles sont contrôlées par les chambres régionales des comptes. Les présidents se plaignent de ne pas disposer eux-mêmes des fonds structurels européens, et jugent leurs budgets misérables par rapport à ceux de régions européennes partenaires (exemple, pour la région PACA, avec la Catalogne, la Lombardie et le Bade-Wurtemberg au sein des « quatre moteurs pour l'Europe » à partir de 2005).

Les régions seront pourtant de plus en plus les interlocutrices pour l'Union européenne, pour des raisons pratiques, parce que la commission ne peut traiter avec une foule de niveaux administratifs (le « mille-feuilles » souvent brocardé) ; pour des raisons politiques aussi, parce que plusieurs grands États ont une formule fédérale qui privilégie déjà les grandes régions.

❑ ***Les régions « contre Paris » ?*** Il y a les mots et la réalité. Après le grand succès de la gauche aux régionales de 2004, et encore lors de la campagne électorale de 2010, on entend parler de contre-pouvoir local, de bouclier. Or les collectivités territoriales ne peuvent s'opposer aux décisions du gouvernement (justice, programmes scolaires, impôts nationaux, taux du smic, code du travail, allocations chômage… pour ne donner que quelques exemples). Et c'est le Parlement qui, dans le cadre de la loi de finances, vote le montant des dotations de l'État aux collectivités.

En trente ans, les régions ont vu leur situation politique considérablement évoluer. L'État a modifié son point de vue. L'État a aussi doté la Corse d'un statut spécifique (dit statut Joxe, de juin 1991) en instituant la collectivité territoriale de Corse (CTC). Les violences ont diminué sur l'île, où pourtant le préfet Claude Erignac a été assassiné en 1998.

Depuis 2009, un important plan de réforme des collectivités territoriales est mis en place par l'État. Un des volets du projet concerne l'élection – à l'horizon 2014 – de conseillers territoriaux, destinés à remplacer les conseillers régionaux et les conseillers généraux. Déjà, depuis le 1er janvier 2010, les services de l'État, en particulier dans les préfectures, connaissent une imposante restructuration. En 2015, après des débats parfois tendus, a été établie et adoptée la carte des nouvelles régions métropolitaines (voir p. 222).

L'Alsace se trouvait mal à l'aise dans la région Grand Est et l'a fait savoir. Des négociations entamées à l'automne 2018 ont abouti à un statut particulier : la « Collectivité européenne d'Alsace », regroupant le Bas-Rhin et le Haut-Rhin, et toujours insérée dans la région Grand Est. Son entrée en vigueur est fixée à 2021.

La conjoncture politique consécutive aux élections de 2017 et les tensions observées dans les « territoires » ont rendu plus audibles les présidents de régions non liés à Emmanuel Macron : Xavier Bertrand (Hauts-de-France), Valérie Pécresse

(Île-de-France), Alain Rousset (Nouvelle Aquitaine), Carole Delga (Occitanie). Surtout parce que leur gestion traduit souvent des préoccupations sociales.

POUR ALLER PLUS LOIN :

ADOUMIÉ (Vincent) (dir.), *Les Nouvelles Régions françaises*, coll. « HU Géographie », Hachette, 2018.

BŒUF (Jean-Luc), MAGNAN (Manuela), Les collectivités territoriales et la décentralisation, La Documentation française, 5e éd., 2009.

FRÉMONT (Armand), *Portrait de la France. Villes et régions*, Flammarion, 2002.

GUILLUY (Christophe), *La France périphérique*, Flammarion, 2014.

LE ROY LADURIE (Emmanuel), *Histoire de France des régions. La périphérie française des origines à nos jours*, Seuil, 2001.

THIESSE (Anne-Marie), *Ils apprenaient la France. L'exaltation des régions dans le discours patriotique*, éditions de la MSH, 1997.

« France, pouvoirs et territoires », revue *Hérodote*, n° 154, 2014.

DOCUMENTS

1 – Un appel de la Ligue d'Action Régionaliste (1919)

Jean Hennessy (1874-1944), député de la Charente depuis 1910, a connu une longue carrière parlementaire, durant laquelle il a migré de la droite vers le centre gauche. Mobilisé jusqu'en 1916, puis siégeant à la Chambre, il est demeuré durant l'entre-deux-guerres un fervent partisan de la décentralisation et du régionalisme. Mais, convaincu des vertus du corporatisme, il a approuvé plus tard la Révolution nationale.

Par cet appel, qui paraît très optimiste quant à l'unanimité annoncée, la Ligue qu'Hennessy préside vise à exercer une pression sur les candidats aux élections législatives du 16 novembre 1919.

Électeurs !

N'oubliez pas que la réforme première, la clé de toutes les autres réformes que vous attendez, c'est la décentralisation administrative.

Aujourd'hui, toutes vos affaires sont réglées de loin, avec lenteur et nonchalance, à Paris, par l'État.

Or, sauf pour les grandes questions nationales : armée, marine, politique étrangère, etc., c'est au contraire régionalement que doivent être traitées les affaires du pays.

Régionalement, c'est-à-dire par des assemblées à pouvoir étendu et siégeant au milieu de vous, des assemblées composées d'hommes familiers avec les besoins locaux et qui aient le temps et le goût de s'en occuper sérieusement.

Les idées de la Ligue d'Action Régionaliste triomphent.

Les hommes politiques les plus éminents de tous les partis : les savants, les industriels, les syndicats agricoles et ouvriers, tous ceux qui ont étudié les conditions de la prospérité nationale sont aujourd'hui unanimes à réclamer la réforme administrative, et cela tout de suite avant tout autre chose.

Réfléchissez ! vous penserez comme eux !

La concentration exagérée de la vie publique à Paris a congestionné la capitale et anémié la province.

La concentration exagérée de la vie publique à Paris est nuisible à Paris, nuisible à la province et mortelle pour la France.

Électeurs !

Exigez des candidats pour qui vous allez voter qu'ils se déclarent partisans de la décentralisation administrative par l'organisation régionale.

Jean Hennessy, appel publié dans *Le Progrès civique*, n° 13, 1er novembre 1919.

2 – Les manifestations de Rennes et l'incendie du Parlement de Bretagne (4 février 1994)

La crise de la pêche provoque le saccage du Marché de Rungis le 3 février. Dans ce contexte tendu, Edouard Balladur, Premier ministre, et Charles Pasqua, ministre de l'Intérieur, se rendent à Rennes le 4 ; des heurts très violents y opposent des marins-pêcheurs aux forces de l'ordre et l'ancien Parlement de Bretagne, qui abrite le Palais de Justice, est en grande partie détruit par un incendie.

Dans son éditorial, Michel Urvoy souligne toutes les implications politiques et psychologiques de ces graves événements.

[…] Le 4 février 1994, la capitale bretonne n'a pas seulement été le théâtre dramatique d'une manifestation violente. Elle a été une sorte de victime expiatoire. On a frappé Rennes, la Bretagne et le pouvoir à la tête. Une fracture culturelle et sociale qui mettra du temps à se cicatriser.

Dans cet extrême occident européen que l'on croyait solidaire dans les tempêtes de la compétition, quelque chose s'est rompu. Entre les cirés jaunes de la grande bleue et les cols blancs de la grande ville ; entre les Bretons de la côte et ceux de l'intérieur ; entre un Finistère guetté par la dérive et le reste d'une Bretagne amarrée au pays ; entre le casseur surgi de sa banlieue et le commerçant retranché derrière sa vitrine d'abondance. […]

Combien, devant le Parlement en feu, se sont sentis plus ardemment bretons que jamais ? Et combien ont éprouvé au même instant la honte violente de voir le symbole de leur unité et de leur résistance enflammé après la colère des leurs ? […]

À travers le visage institutionnel rennais, à travers la personne de son maire agressé, c'est aussi le pouvoir qui a pris un coup. Edouard Balladur a été secoué dans son rêve consensuel. Air France, les agriculteurs, les écoles, les banlieues de Rouen puis les pêcheurs… Les vertus de la concertation et de l'expression pluraliste sur la France de 2015 deviennent provocations ou aveux d'impuissance quand le problème est de tenir jusqu'à la fin du mois en mangeant si possible autre chose que le poisson qu'on ne vendra pas. Réconcilier une région, donner à ceux qui se voient s'enliser dans l'exclusion des raisons concrètes d'espérer: quel plus beau défi, pourtant, pour un pouvoir qui n'a que l'aménagement du territoire à la bouche! [...]

Sous le titre «L'avertissement de Rennes», article de Michel Urvoy,
Ouest-France, 12-13 février 1994.

Les découpages régionaux de la France (XXe -XXIe siècle)

Les groupements régionaux « Clément » (1919) *Les régions selon le projet de Vichy (1941)*

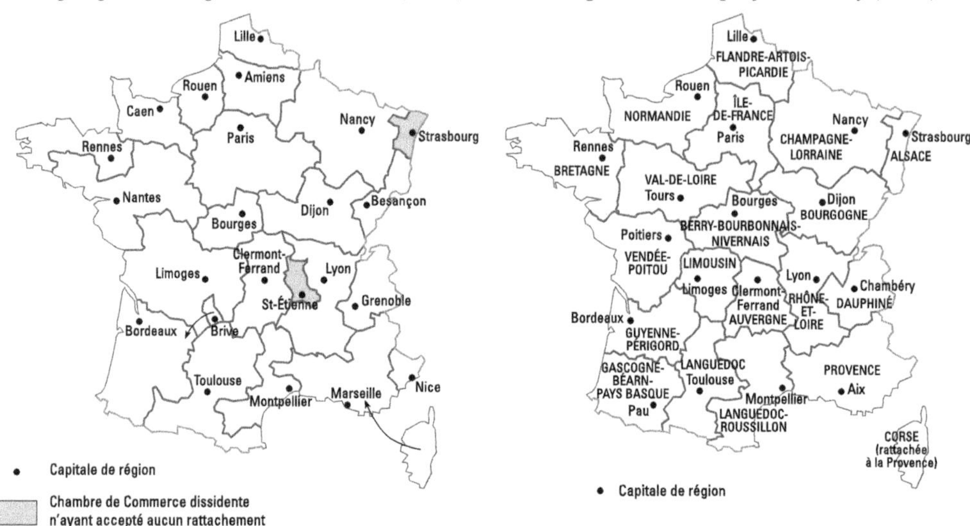

Les régions officialisées pour la loi de 1972

Les treize régions (2015)

À un découpage temporaire et souple (1919-1938) ou de faible portée (1941-1944), succède une répartition structurée des régions (1972). Les lois de 1982-1983 ont conservé ce cadre territorial, que la réforme de 2015 n'a pas bouleversé.

7

Les partis politiques

À la différence de grands pays démocratiques occidentaux adeptes du bipartisme, le système politique français se caractérise par le nombre relativement élevé de partis, chacun reflétant, sur une période donnée, des choix idéologiques, des sensibilités, des engagements. Autre trait français et clé de lecture de la vie politique, l'opposition gauche-droite. Parfois forte, parfois atténuée, elle permet une identification facile des candidats ou candidates à une élection. Même si, à peine élu, un président de la République se hâte d'affirmer qu'il est le président de tous les Français. Mais le binôme gauche-droite ne rend pas compte de tout; d'ailleurs les représentants des «extrêmes», ainsi que les authentiques «centristes» ne lui reconnaissent aucune valeur. Quant à l'étude raisonnée des principaux partis, elle peut s'appuyer sur une typologie communément admise par les politologues.

CARACTÈRES ET RÔLE DES PARTIS

La notion de «parti»

L'usage du mot «parti» est ancien. À Versailles, le «parti des Grands» reprochait à Louis XIV certains aspects anti-aristocratiques de sa politique. Pendant la Révolution, des «partis» ou des clubs ont fonctionné en osmose avec les Assemblées: les Feuillants, les Jacobins, les Girondins. Ils réunissent des personnalités qui partagent un idéal commun, des préoccupations et des projets identiques, mais sans véritable structuration. Par la suite, on rencontre souvent le mot «parti» dans la bouche de responsables politiques contestés. «Hors du règne des lois, il n'y a que le règne des partis, c'est-à-dire la violence, l'inquisition, la guerre civile», écrit Thiers aux préfets en 1832. Il vise par là les **légitimistes** et les **républicains** qui viennent de provoquer agitation et émeutes dans l'Ouest et à Paris. On parlera du «parti de l'Ordre» en 1849, du «Tiers parti» à la fin du Second Empire.

C'est justement dans la première moitié du XIXe siècle que se constituent des associations susceptibles d'annoncer les partis modernes. Raymond Huard propose de les répartir en quatre catégories: «les sociétés expressément politiques, souvent à filiales, les sociétés secrètes, les organisations populaires ouvrières de solidarité ou de défense, et les associations de sociabilité politisées». Œuvrant dans l'opposition, ces entités modestes acquièrent pourtant une expérience de l'organisation et un sens de la discipline. L'exemple le plus intéressant est peut-être fourni par la «solidarité républicaine», imaginée en 1848 pour appuyer la candidature de Ledru-Rollin à la présidence de la République, association politique fédérant des groupements cantonaux recrutés dans tous les départements et disposant d'une direction élue par assemblée générale. Mais, sur le long terme, l'influence la plus marquée provient plus sûrement des cercles – surtout actifs dans le Midi de la France – au sein desquels la politique est discutée et qui serviront de substrat aux comités électoraux des républicains peu avant 1870, et surtout au début de la IIIe République. Le parti moderne s'inscrit en effet, à l'origine, dans une perspective électorale. Le **suffrage** s'élargissant, on est passé de comités locaux temporaires à des structures de relais mieux conçues, permettant aux élus de garder un contact régulier avec leurs électeurs et de recueillir des fonds pour des campagnes plus onéreuses. Ce schéma, que d'autres pays connaissaient, aboutit en France à la création en 1901 du **Parti radical** et **radical-socialiste**, l'ancêtre en quelque sorte. Symboliquement, cette même année, la loi sur les associations a éliminé les contraintes d'un vieil article du Code pénal qui tenait pour suspecte toute association de plus de vingt personnes.

Essais de définition et de classification

Si l'on prend en compte la dimension idéologique, on peut mentionner la formule de Benjamin Constant (1816) : « Un parti est une réunion d'hommes qui professent la même doctrine politique ». La réalité plus complexe des grandes formations du XXe siècle a poussé les politologues à proposer des définitions plus affinées. L'une des plus commodes a été émise par J. La Palombara et M. Weiner. Selon eux, les partis sont des associations structurées qui présentent quatre caractéristiques :

– une organisation durable ;

– une liaison solide entre les structures locales et l'échelon national ;

– la volonté affichée de prendre le pouvoir et de l'exercer, soit au sein du parti soit par alliance avec d'autres (influencer le pouvoir reflète plutôt les intentions des groupes de pression) ;

– le souci d'obtenir le soutien populaire, par le biais des élections et de toute autre façon.

Chacune de ces caractéristiques n'est pas également observable d'un parti à un autre, ce qui introduit un élément de différenciation.

Définir un parti amène aussi à décrire et à préciser ses fonctions. Dans ce registre, les trois fonctions énoncées par Georges Lavau permettent de prendre en considération :

– le besoin de résistance aux forces centrifuges d'un système politique (fonction de légitimation-stabilisation) ;

– son aptitude à apaiser les tensions et à assurer la protection et la représentation des minorités (fonction « tribunitienne », par référence à l'institution du tribun de la plèbe dans la Rome antique) ;

– son exigence – s'il s'agit d'un régime démocratique – en matière de renouvellement des orientations politiques (fonction de relève politique).

La **Constitution** évoque-t-elle les partis ? En 1946, la Constituante n'entretenait aucun doute sur le rôle des groupements politiques et ne jugea pas utile de les faire figurer. Celle de 1958 l'a fait pour la première fois. En 1958, l'atmosphère n'est pourtant pas à la valorisation des partis, qu'on rend responsables de l'inefficacité de la IVe République. Mais les chefs des partis traditionnels font partie du gouvernement du général de Gaulle et il convient de les ménager. L'article 4 du titre I affirme donc :

« Les partis et groupements politiques concourent à l'expression du suffrage. Ils se forment et exercent leur activité librement. Ils doivent respecter les principes de la souveraineté nationale et de la démocratie ». Ce libellé vise le **Parti communiste**, mais il réduit ou semble réduire l'activité du citoyen aux perspectives électorales. Cet article n'a pas servi à dissoudre de formations. En revanche, on a recouru à une loi de 1936 pour interdire des groupes d'extrême droite pendant la guerre d'Algérie, des formations d'extrême gauche en 1968 et dans les années qui ont suivi (Ligue communiste). Les activistes d'extrême droite ont été également touchés (Ordre nouveau, Occident...) ainsi que divers mouvements autonomistes ayant provoqué des attentats.

Typologies

Plusieurs ont été proposées, discutées, remaniées, complétées. Elles peuvent tenir compte de différents indicateurs comme la doctrine, la base sociale, le type de ressources et surtout la structure ou le mode d'organisation. Il n'existe pas de typologie parfaitement satisfaisante, applicable à tous les pays parvenus à un même stade d'évolution démocratique ni susceptible, dans un même pays, de rendre fidèlement compte des mutations inévitables des partis, au long des décennies chargées de péripéties du XXe siècle.

Selon la distinction classique de Maurice Duverger, une première forme est constituée par le *parti de cadres*, s'appuyant sur des notables, influents et « argentés », indispensables à l'élaboration d'un réseau qui ne fonctionne guère, au départ du moins, qu'en fonction de perspectives électorales. Le « modèle » en est le Parti radical français. Différent, non par le nombre de ses membres mais par sa structure, le *parti de masses* ne s'adresse pas à des notables, mais recherche ses adhérents dans les classes populaires – et plus précisément dans la classe ouvrière – et se propose d'être un instrument d'éducation et d'émancipation de citoyens jusque-là maintenus en position d'infériorité sociale et politique. Le Parti socialiste unifié en 1905 correspond à cette image théorique, et un peu plus tard le Parti communiste français, bien que, pour ce dernier, on puisse aussi recourir à l'expression de parti totalitaire.

La recherche en science politique a débouché sur de nouvelles définitions. Observant la tendance à la tertiairisation des sociétés développées et l'amélioration globale du niveau de vie, ainsi que la relative baisse de fréquence des conflits sociaux, certains auteurs défendent la notion de *parti attrape-tout* (transcrit de l'anglais « *catch-all party* »), formation souple cherchant « moins à encadrer les individus qu'à séduire les électeurs » (J.-M. Denquin). Une typologie simpliste pourrait se contenter de faire référence au dualisme français droite/gauche, mais la complexité même de cette combinaison rend peu défendable une typologie fondée sur les différences doctrinales, d'une part en raison de la variété des positions (il y a *des* droites et *des* gauches), d'autre part à cause des chassés-croisés de certains thèmes d'un camp à l'autre au cours des deux derniers siècles. On peut s'y arrêter un instant.

LES PARTIS ET LE BINÔME DROITE/GAUCHE

Naissance de la distinction droite/gauche

La tradition rattache la distinction entre une droite et une gauche aux pratiques des assemblées révolutionnaires et à la disposition des groupes dans la salle des séances, il y a un peu plus de deux siècles. Parce que trop simplificateurs, ces deux termes ont souvent été – surtout à droite – jugés dépassés. « Droite et gauche ne signifient plus grand chose », ou encore : « Ce sont des termes commodes, mais qui ne répondent plus aux nécessités actuelles », s'entend répondre, en 1931, E. Beau de Loménie qui, préparant un livre, demandait : « Qu'appelez-vous droite et gauche ? » Il est d'ailleurs préférable de parler des droites, auxquelles se rattachent les familles **légitimiste**, **bonapartiste** et **orléaniste**, et des gauches formées des composantes **radicale**, **socialiste** et **communiste**.

Une typologie idéologique trouverait des arguments. Pour simplifier, on peut opposer le mouvement, à gauche, et la tradition, à droite, l'exigence de justice et la préférence pour l'ordre, le primat de la raison et l'attachement à des valeurs religieuses, la recherche de l'égalité et le respect des hiérarchies. Mais aussi, que d'éléments contradictoires et de thèmes susceptibles de migrer… En 1871, par exemple, le nationalisme est, pour l'essentiel, « de gauche » et le pacifisme « de droite ». Après le boulangisme et l'affaire Dreyfus, l'attribution est renversée, mais un nouveau chassé-croisé s'observe à la veille de 1939. La défense des particularismes régionaux et le retour à la terre ont été, avant 1914 et sous Vichy, des options de la droite maurrassienne ; dans les années 1970, elles furent plutôt défendues par le Parti socialiste, le PSU et, bien sûr, les écologistes. Et J. Marseille a montré qu'on ne pouvait distinguer, sans fortes nuances, une droite favorable à l'entreprise coloniale et des partis de gauche anticolonialistes par définition.

Glissement et reclassement

Au fil du temps, le critère de différenciation entre droite et gauche a varié. Durant la première moitié du XIXe siècle, un camp approuve les principes de 1789, les acquis révolutionnaires et napoléoniens, et l'autre les récuse. Puis le clivage s'installe entre partisans et adversaires de la république proclamée en 1870. Au XXe siècle, les conflits portent désormais sur l'acceptation ou le rejet du système capitaliste, de l'intervention appuyée de l'État dans la conduite de l'économie et dans l'établissement d'un système de protection sociale, sans oublier les implications de la politique étrangère.

Comme l'Église catholique s'est identifiée, sauf à de rares exceptions, aux adversaires de la IIIe République naissante, le conflit entre partis de droite et partis de gauche a eu tendance à se fixer sur cette frontière : d'un côté les laïques, de l'autre les « cléricaux » (ainsi dénommés par leurs adversaires) ; d'un côté le camp républicain, de l'autre la « réaction » (dans l'Ouest, les « Bleus » et les « Blancs »). Il n'y a pas eu place, en France, pour un grand parti catholique. Au contraire, les députés catholiques et leurs formations sont restés longtemps suspects dans les enceintes parlementaires, et, même après leur intégration indiscutable dans le régime, la « question scolaire » a continué, de loin en loin, d'envenimer l'affrontement entre gauche et droite.

En se définissant surtout par son hostilité à l'égard du catholicisme militant et en exerçant le plus souvent le pouvoir de 1871 à 1919, la gauche a bénéficié d'une sorte de valorisation, au point que des formations politiques ont jugé utile d'intégrer la formule dans leur désignation officielle ; ainsi, les républicains « de gauche » (A. Tardieu) se situent en fait au centre droit. Sous la IVe République, la coalition des radicaux et d'une partie des droites s'intitule Rassemblement des gauches républicaines (RGR), ce qui rassure l'électorat, après le discrédit jeté sur la droite à la suite des années de guerre. Malgré l'affirmation des principes, aucune situation n'est figée. En 1930, André Siegfried signalait déjà « la contradiction intime du Français, politiquement à gauche et socialement conservateur. » Il est vrai que, depuis la Grande Guerre, un phénomène de glissement vers la droite a affecté des partis du centre et de gauche. Actuellement, l'appellation droite a beaucoup perdu de sa connotation défavorable. D'autant plus que l'on distingue la droite parlementaire et libérale de l'extrême droite lepéniste (qui siégea d'ailleurs aussi au Palais-Bourbon de 1986 à 1988).

Les échéances électorales ravivent toujours la nécessité des alliances, plus impérieuses à gauche qu'à droite. D'où une vie politique scandée par l'union républicaine des années 1870, la défense républicaine et le bloc des gauches, le cartel des gauches, le Front populaire, jusqu'à l'union de la gauche de 1972 et à ses avatars. La droite, moins sensible aux références idéologiques, a élaboré le bloc national en 1919, dont le principal ciment était la volonté de prolonger l'union sacrée. Mais plusieurs regroupements atténuent la vigueur du contraste droite/gauche et montrent l'importance des centres, dont les circonstances ont fait plus d'une fois les pivots de coalitions de partis : lors de l'adoption des lois constitutionnelles de 1875, sous Méline, dans le contexte des gouvernements d'Union nationale (1926-1929 et 1934) et dans celui des ministères de la « Troisième force » (1947-1955).

Sous la Ve République, le retour au **scrutin uninominal à deux tours** – sauf en 1986 – et le choix du **président de la République** entre deux ultimes candidats semblent entretenir une solide bipolarisation, qui a réanimé le clivage traditionnel droite/gauche, atténué sous la IVe République et jusqu'en 1962. Mais cela n'exclut nullement les efforts d'élargissement des majorités présidentielles, comme en 1969 et 1974, et – mais sous des formes très différentes – en 1988 avec la brève tentative d'« ouverture » en direction du CDS ; ou encore en 2007 avec l'entrée dans le gouvernement Fillon de quelques personnalités socialistes.

Périodiquement, des sondages semblent indiquer que le clivage droite/gauche est fort atténué. L'étude de la présidentielle de 1995 est intéressante à ce point de vue. « Ce que semble montrer cette élection, ce n'est pas tant que la droite et la gauche n'existent plus mais qu'elles ont changé de visage. Autrefois l'électorat de gauche, jeune et populaire, s'opposait à la droite âgée, privilégiée ou indépendante. Aujourd'hui, les coalitions sont devenues, au moins en termes sociaux, de plus en plus hétéroclites » (C. Ysmal). Enfin, si le centrisme défend le principe du « ni droite ni gauche », la 3e place de F. Bayrou en 2007 est intéressante ; mais depuis, son parti le MoDem a accumulé les mauvais résultats. Et, paradoxalement, le Modem renaît de ses cendres en 2017, grâce à son alliance avec LREM, parti qui incarne la négation du clivage gauche/droite, puisque bon nombre de ses adhérents viennent de l'un et l'autre de ces camps.

L'ÉVOLUTION D'ENSEMBLE

Si l'on admet que les partis modernes sont nés dans la première décennie du XXe siècle, le plus influent d'entre eux, le Parti radical, conditionne l'équilibre politique national jusqu'à la guerre de 1939. Champion, au début du siècle, de la lutte anticléricale et défenseur des institutions républicaines, il amorce un mouvement vers la droite, ponctué de deux étapes significatives. À l'issue de la guerre de 1914-1918, le Parti radical a pris une telle part à l'union sacrée que la vision « unanimiste » de la droite plus conservatrice commence à l'influencer. Ultérieurement, s'il est souvent associé aux socialistes lors des élections, s'il participe au Front populaire, il est très concurrencé à gauche ; glissant au centre, il se range majoritairement derrière Daladier en 1938, lorsque celui-ci, au mépris de la tradition du parti, prend la tête d'une coalition de droite très hostile à l'esprit du Front populaire. Il conclut les accords de Munich et réagit vigoureusement à la grève générale manquée du 30 novembre.

Durant ce même entre-deux-guerres, le Parti socialiste SFIO parvient lentement à s'extraire de la polémique avec le Parti communiste. Jusqu'en 1936, et en dépit d'hésitations, il se fait une règle de l'éloignement du pouvoir, tentant ainsi d'échapper aux accusations de réformisme du PCF, mais l'hostilité des appareils demeure et le parti de Thorez soutient, sans participer, le gouvernement de Blum.

Le choc de la guerre

Le système des partis, comme le parlementarisme, sombre avec la défaite de 1940 et subit la vindicte du gouvernement de Vichy. Les partis n'existent plus, mis à part le Parti communiste qui est entré très tôt dans la clandestinité et se trouve capable de provoquer, au début de juin 1941, dans le bassin houiller du Nord et du Pas-de-Calais, la « grève des dix jours ». Malgré la création, en 1941, d'un Comité d'action socialiste et la présence de nombreux militants dans des réseaux et des mouvements, le Parti socialiste ne présente pas une force aussi homogène, faute d'une organisation clandestine structurée. De Gaulle, qui n'éprouvait aucune sympathie particulière pour les partis, a pourtant jugé leur présence utile au sein du CNR, du moins ceux qui avaient choisi de lutter contre l'occupant et qui représentaient l'ensemble du spectre politique français.

Une des problématiques de la Libération concerne précisément la dualité entre les mouvements issus de la Résistance et les partis en voie de reconstitution. On pouvait envisager la prise de responsabilité des résistants, hors des clivages traditionnels, pour faire appliquer la charte du CNR. On a même amorcé, au début de 1945, une fusion entre deux grands ensembles structurés de la Résistance, le Mouvement de libération nationale et le Front national (où les communistes étaient majoritaires). Ces tentatives échouent, comme celle d'une Union travailliste de la Libération, qui aurait pu grouper la SFIO, le MRP, l'Organisation civile et militaire (OCM) et Libération-Nord. Apparaissent toutefois l'Union démocratique et socialiste de la Résistance (UDSR), proche de la SFIO, et un éphémère Mouvement unifié de la renaissance française (MURF), proche du PCF. Quant au MRP, il a été créé par les résistants démocrates-chrétiens dès novembre 1944. L'unité de la Résistance a fait long feu et les partis se reconstituent, malgré l'extrême discrétion initiale, – qui s'explique aussi par l'inéligibilité qui frappe ceux qui avaient plébiscité Pétain le 10 juillet 1940. Même les clivages traditionnels n'ont pas été oubliés, comme le prouve, dès le printemps 1945, un premier et vif débat sur la laïcité. Plusieurs facteurs permettent de comprendre pourquoi un grand mouvement de la Résistance n'a pu remplacer les partis d'avant-guerre; Stanley Hoffmann les passe en revue: «Le moralisme de la pensée des résistants, nouveaux venus à la réflexion politique ou bien dissidents de la politique d'avant-guerre; les espoirs presque messianiques, indispensables au maintien du moral d'hommes qui risquaient leur vie dans des circonstances à peine croyables; l'hétérogénéité idéologique de chaque mouvement, qui devait son existence, non point à une communauté d'idées, mais aux hasards de la géographie ou d'amitiés, et à un désir commun, puissant mais négatif, de libérer le pays.»

La IVe République, sosie de la IIIe ?

La IVe République offre un nouveau cadre à un «régime des partis». L'observateur remarque surtout les effets à long terme de certaines implantations partisanes. S. Berstein, montrant que plusieurs leaders radicaux continuent de jouer un rôle majeur (Queuille, Edgar Faure, Félix Gaillard), parle de l'«inertie du politique», phénomène par lequel un parti bien organisé, disposant d'un réseau d'élus et de relations, de clientèles, d'une presse efficace continue d'exercer une influence, alors même que les conditions générales de l'environnement changent. Ainsi, les années 1950 sont celles de la croissance et de la nécessité d'une priorité donnée à l'action économique. Or, la classe politique perçoit mal ces impératifs. C'est pourquoi un Mendès France ne parvient pas à convaincre durablement les membres de son parti; ses projets novateurs ne connaissent donc en 1954-1955 qu'un début de réalisation et les perspectives qu'il ouvrait, faute d'être relayées par une vraie force politique sur le moment, inspireront la réflexion de clubs ou de sections syndicales avant d'être intégrées par le nouveau Parti socialiste d'Épinay. On ne peut prendre prétexte de l'instabilité ministérielle pour prétendre que la IVe République reproduit les faiblesses de la IIIe. Les partis sont alors mieux organisés que l'Assemblée nationale elle-même, mais les enjeux sont d'une rare complexité (tension internationale, CED, guerres coloniales, début de la construction européenne). Plusieurs personnalités qui animent les partis bientôt décriés de la IVe République vont jouer les premiers rôles dans le régime successeur. Du reste, la question difficile de l'affaire algérienne retarde quelque peu le règlement de comptes entre de Gaulle et les partis, lequel n'intervient qu'en 1962.

Vers la bipolarisation

Fort d'un oui «franc et massif» au référendum d'octobre 1962, le général de Gaulle n'hésite pas à peser sur l'opinion en prévision des élections législatives: «[...] C'est un fait qu'aujourd'hui, confondre les partis de jadis avec la France et la République serait simplement dérisoire. Or, il se trouve qu'en votant oui en dehors d'eux et malgré eux, la nation vient de dégager une large majorité de rénovation politique. Je dis qu'il est tout à fait nécessaire, pour que dure la démocratie, que cette majorité s'affermisse et s'agrandisse, et, d'abord, qu'elle s'établisse au Parlement» (allocution radiotélévisée du 7 novembre 1962). Les résultats des scrutins de novembre sont cruels pour les partis du «cartel des non» (socialistes, radicaux, MRP, indépendants) et l'UNR manque de peu la majorité absolue.

L'étape de 1962 marque peut-être, selon certains commentateurs, la véritable fondation de la Ve République. Elle annonce aussi une des quatre mutations majeures des partis français entre 1958 et 1990, l'accession du mouvement **gaulliste** au rang de force électorale durable. D'après une analyse de J. Charlot, les autres transformations sont l'ascension du Parti socialiste au sein de la gauche puis au-dessus de toutes les formations, le déclin continu du PCF, enfin la percée de l'**extrême droite** à partir de 1983-1984. Depuis 1978, une certaine simplification est intervenue dans l'équilibre des partis. À la bipolarisation majorité/opposition correspond une subdivision à l'intérieur de chaque ensemble (nommée plaisamment le «quadrille»): RPR et UDF d'une part, PS et PCF d'autre part. Mais après 1984, l'éloignement du PCF et sa marginalisation, et le poids électoral du Front national réintroduisent davantage de complexité.

Les partis contestés

L'antiparlementarisme diffus qui caractérise une partie de la société politique française comporte forcément des critiques contre les formations. Ces mises en cause se sont intensifiées depuis 1988. On avait tablé sur une plus grande place offerte, dans les instances gouvernementales, à la «société civile». Il n'en fut rien. Mais surtout, les partis prêtent le flanc aux reproches: «affaires» liées aux modes de financement de leurs activités, luttes intestines entre «présidentiables» dans les deux camps, excès de pouvoir des appareils et manque d'expression démocratique. Entre 1988 et 1995, un arsenal législatif est mis en place, qui institue le principe du financement public des partis politiques – qu'ils soient représentés dans les deux assemblées ou non – et qui proscrit les dons des entreprises aux partis.

Depuis 1989, des initiatives ont vu le jour, non seulement au Parti communiste, dont la direction garde encore pourtant de sa rigidité – visible au lendemain du putsch manqué contre Gorbatchev en août 1991 –, mais aussi au Parti socialiste (texte des douze députés «transcourants») et au RPR (démission de Michel Noir et Michèle Barzach). «Reconstructeurs» et «rénovateurs» de tous bords affirment leur volonté de relancer la démocratie, sans s'illusionner sur leur véritable force d'impulsion. Parallèlement, les forts taux d'abstention enregistrés depuis quelques années, sont de nature à préoccuper les responsables des partis.

Mais, dénoncés comme archaïques, les partis défendent leur logique et ne se portent pas si mal. Ils sont même capables de renaître de leurs cendres.

Ainsi, c'est grâce à la fidélité de l'appareil et des militants du RPR que J. Chirac a pu contrarier le «verdict» des sondages, puis s'imposer à l'Élysée en 1995. C'est grâce au Parti socialiste et à l'investiture de sa base, que L. Jospin a pu défendre, lors de sa campagne, des objectifs crédibles.

LES PRINCIPAUX PARTIS

Des partis de cadres

❏ ***Le Parti radical.*** Jusqu'en 1901, les radicaux s'identifient si bien à la République et à la démocratie qu'ils ne jugent guère utile de former un parti. Pourtant, en 1895, un « comité d'action pour les réformes républicaines » avait regroupé déjà des parlementaires, des cercles, des loges maçonniques et des journaux. Le parti naît en 1901 et s'installe rue de Valois. Il incarne le régime républicain et le rationalisme politique, érige l'anticléricalisme en doctrine, parvient à rendre compatibles le patriotisme et le pacifisme mais demeure discret sur le traitement des questions sociales. Il défend la petite propriété et les intérêts locaux plus que les intérêts nationaux. La lecture du *Barodet* – ce recueil des professions de foi de tous les candidats députés tenu depuis 1882 – révèle que chez les radicaux « les mots "défendre", "protéger", "garantir" sont ceux qui reviennent le plus fréquemment » (J. Touchard).

Les structures sont lâches et les militants peu nombreux ; pourtant le parti, remarquablement implanté en province, actionne une efficace machine à préparer les élections. Celles-ci, de 1902 à 1914, lui assurent un effectif stable d'environ 250 députés. Comme la majorité absolue est proche de 300, il gouverne avec l'appoint de républicains modérés mais se démarque nettement des **socialistes**. Le Parti radical tient aussi le Sénat. À la veille de 1914, l'encadrement du parti est assuré par environ un millier de comités, ce qui représenterait un potentiel d'adhérents voisin de 200 000.

Ce réseau original s'étiole durant le premier conflit mondial. Certes, les parlementaires jouent leur rôle et des ministres radicaux participent aux gouvernements successifs, dans l'esprit de l'union sacrée. Mais S. Berstein constate que, dans ce contexte, le Parti radical a accentué son nationalisme et perdu son identité. Craignant d'être compromis, il n'a d'ailleurs pas cherché à protéger Caillaux et Malvy, accusés d'intelligence avec l'ennemi.

Les deux ministères dirigés par Herriot (1924-1925 et 1932) donnent des résultats décevants. Le Parti radical ne se renouvelle pas. « Le progrès est toujours lent et ne peut se conquérir que par étapes », affirme en 1927 Maurice Sarraut, alors président du parti, et directeur de l'influente *Dépêche de Toulouse*. Mais cet attentisme n'est pas du goût d'un groupe de radicaux, les « Jeunes Turcs » (Jacques Kayser, Pierre Cot, Pierre Mendès France...) ; très minoritaires, ils préconisent une réforme de l'État – qui deviendrait plus fort et plus interventionniste en matière d'économie – et le maintien de la paix en Europe, grâce à une confédération dont la France et l'Allemagne prendraient la tête. Ils s'expriment ainsi au début des années 1930, alors que le Parti radical peut encore, par le vote de ses congrès, provoquer la chute de gouvernements, mais souffre de la rivalité de ses chefs (la « guerre des deux Édouard »).

Tandis que Daladier s'impose comme le leader du parti, accède à la **présidence du Conseil** en 1933 et en 1934, et participe au gouvernement Blum de Front populaire, Herriot devient l'objet d'une sorte de culte du « grand chef républicain », marqué par les ovations des congrès, la diffusion de photos et de films et facilité par sa nomination en 1936 à la présidence de la Chambre.

Redevenu chef du Gouvernement en 1938, Daladier, poussé par G. Bonnet, rapproche le parti de la droite. Cette stratégie tient compte de l'attitude de la base: paysans, commerçants, artisans et petits industriels n'ont jamais été séduits par l'atmosphère et les mesures du Front populaire; ils se sont même sentis menacés et ils continuent de repousser toute idée d'intervention susceptible de déchaîner la guerre, comme pour la Tchécoslovaquie. La transformation est telle que le Parti radical se reconnaît difficilement: «On est en fait en présence de deux fractions hostiles qui n'ont plus rien en commun: une tendance de gauche, proche des socialistes et du Parti communiste [...]; un néo-radicalisme qui s'est rangé dans le camp de la droite» (S. Berstein). C'est l'aboutissement d'une crise latente des années 1919-1936: la tradition de gauche du Parti radical n'a pas permis de résoudre les problèmes inédits légués par la guerre.

Censé incarner la IIIe République, le Parti radical est particulièrement discrédité par la chute dramatique du régime. Et les conditions d'un relèvement à la Libération sont médiocres: part relativement faible prise à la Résistance, mise à l'écart des deux anciens chefs, consigne malencontreuse du non lors du premier référendum en 1945. Pourtant, ce parti, qu'il faudrait qualifier de «néo-radical», retrouve une place et de la considération. É. Herriot (1947-1957) et G. Monnerville (1947-1968) sont élus respectivement à la présidence de l'**Assemblée nationale** et du **Sénat**, et plusieurs radicaux deviennent chefs du Gouvernement jusqu'en 1958. Il attire, sans forcément retenir, des parlementaires prometteurs: Michel Debré, Jacques Chaban-Delmas, Edgar Faure... Remis en selle par la conjoncture de la «Troisième force», il obtient des résultats honorables aux **élections** car, la proportionnelle aidant, il dispose encore d'une clientèle fidèle, surtout dans le Sud-Ouest. Mais il ne se montre pas disposé à suivre P. Mendès France dans ses projets politiques.

La Ve République installée, les radicaux finissent par se rapprocher des socialistes et entrent dans la FGDS (Fédération de la gauche radicale et socialiste), après la campagne présidentielle de 1965. En 1970, J.-J. Servan-Schreiber, secrétaire général du parti, apporte une importante contribution au *Manifeste radical*, qui présente un projet de société dont l'objectif est de «renforcer et accélérer le processus de croissance tout en maîtrisant la mécanique économique pour en libérer progressivement les hommes». Ce texte volontariste, qui prône «l'application systématique de l'intelligence à la création de richesses», n'est évidemment pas destiné aux seuls électeurs du parti, mais structure plutôt une argumentation qui servira lors du rapprochement entre les radicaux «valoisiens» – qui gardent le bastion historique – et le centre démocrate («Mouvement réformateur» en 1971). Ce choix centriste entraîne le départ des radicaux favorables à l'union de la gauche et Robert Fabre devient président du Mouvement des radicaux de gauche, signataire du programme commun (1972). Michel Crépeau, président de ce mouvement après R. Fabre, réunit 600000 voix sur sa candidature présidentielle en 1981, voix qui se reportent logiquement sur F. Mitterrand au second tour. Depuis, les radicaux de gauche fournissent un ministre de-ci de-là, mais ont peine à se dégager de l'emprise du Parti socialiste. Quant au Parti radical, intégré dans l'UDF, il ne peut prétendre jouer un rôle marquant.

❑ ***La variété des groupements de droite (1919-1939).*** Les élections de 1919 sont une occasion de ressouder les forces opposées à la gauche mais disposées maintenant – sauf dans la mouvance de l'Action française – à accepter pleinement le régime qu'auréole la victoire de 1918. Aucune de ces formations ne prend le nom de parti.

La Fédération républicaine représente la droite conservatrice, soutenue par un électorat catholique, implantée surtout dans l'Ouest angevin et vendéen, en Lorraine, au Pays basque et dans le sud du Massif central. Son groupe parlementaire, qui porte le nom d'Union républicaine démocratique (URD), compte une centaine de membres. Leur chef incontesté est Louis Marin (1871-1960), qui a cherché à donner à cette formation une plus grande homogénéité, bien que les députés ne soient pas astreints à une stricte discipline de vote. En dépit de chiffres peu vérifiables, les effectifs de la Fédération seraient passés de 3 000 membres en 1924 à 200 000, voire 300 000 en 1938. Louis Marin s'est borné à apporter sa caution à des gouvernements d'union nationale dont il faisait partie, mais sa formation est demeurée éloignée du pouvoir.

L'Alliance démocratique connaît une situation toute différente. Son existence se rattache à l'initiative de Waldeck-Rousseau en 1899-1902. Elle n'est donc pas suspecte du point de vue si sélectif de la laïcité. Elle représente le centre droit, les groupes des républicains de gauche (Georges Leygues, André Tardieu) et de la gauche républicaine (A. Maginot, P.-E. Flandin) assurant son influence à la **Chambre**. Ses responsables ont fréquemment participé à des ministères ou en ont constitué eux-mêmes. Cette droite **libérale** connaît bien les milieux d'affaires – en cela elle se rapproche de l'**orléanisme** – et croit au dynamisme industriel et à la vertu des modes d'organisation inventés aux États-Unis. L'homme politique le plus représentatif de tels choix est André Tardieu, puis, lorsqu'il prend ses distances, Paul Reynaud.

D'une façon générale, les partis de droite ont tiré profit de la création, en 1927, du Centre de propagande des républicains nationaux – patronné par l'*Écho de Paris* – passé de simple prestataire de services techniques au rôle de conseil en investitures.

❑ ***Des indépendants au parti républicain (IVe et Ve République).*** Laminés par la guerre – certains d'entre eux se sont complètement compromis avec Vichy – et la Libération, les modérés de la droite libérale réapparaissent à l'occasion des **élections** de 1951, à l'issue desquelles l'ensemble des modérés atteint 14 % des suffrages exprimés. Classés comme indépendants, ou indépendants et paysans, ces conservateurs marquent leur originalité par rapport aux radicaux, aux gaullistes et au MRP. Un de leurs chefs, Antoine Pinay, devient président du Conseil dès 1952 ; de même, l'année suivante, Joseph Laniel qui est un ancien résistant. Les indépendants, logiquement, approuvent la constitution de 1958. La manière dont le général de Gaulle règle la question algérienne provoque bien dans leurs rangs reproches ou colère, mais c'est surtout le projet d'élection du président au suffrage universel qui crée la désunion. Certains rallient le « cartel des non » ; d'autres, avec le ministre V. Giscard d'Estaing, décident de voter *oui* au **référendum**, puis de tenter séparément leurs chances aux élections législatives de novembre 1962. Les vingt républicains indépendants ainsi élus complètent la majorité gaulliste. En 1966, la formation prend le titre de

Fédération nationale des républicains indépendants, au moment où son chef se livre à une critique mesurée du gouvernement qu'il a quitté. Le parti obtient 44 sièges aux élections législatives de 1967, puis 61 en 1968 et 55 en 1973.

Élu à l'Élysée en 1974, V. Giscard d'Estaing ne souhaite pas dissoudre l'Assemblée, estimant que la majorité désignée l'année précédente, est en mesure de soutenir son action. C'est compter sans la solidité du conservatisme du parti giscardien ; de sorte que les thèmes du **libéralisme**, de la justice sociale, de la liberté d'expression ne déchaînent aucun enthousiasme. Proportionnellement, les députés républicains indépendants sont les moins nombreux à voter le projet de loi relatif à l'interruption volontaire de grossesse. Dans un premier temps, les responsables s'emploient à revigorer la fédération pour en faire le plus sûr soutien de la politique réformiste du président, mais aussi pour lui assigner un objectif plus ambitieux, que définit ainsi Michel Poniatowski, alors ministre de l'Intérieur, lors du congrès qui devait réorganiser le mouvement (février 1975) : « Commence aujourd'hui notre entreprise, celle de construire le premier parti de France ; un parti qui, face aux difficultés actuelles, œuvrera pour tous les Français et en particulier pour ceux dont la condition est la plus difficile. » Et il ajoute : « On nous qualifie de parti de notables, de cadres, de technocrates ; il n'y a là aucune insulte. Tous les autres partis de France comptent autant que nous de notables, de cadres et de technocrates. » L'orientation populaire souhaitée à ce moment laisserait presque penser qu'on veut s'organiser comme un parti de masses.

Dans un second temps, il est devenu urgent de répondre à la fronde gaulliste et à la création du RPR. C'est pourquoi, en 1977, J.-P. Soisson reçoit du président la mission de créer un parti, donc un ensemble intégré, actif, animé par des militants. Mais ce parti républicain, parti du président, « est resté une petite formation politique, qui n'a jamais pu contester la puissance du RPR » (C. Ysmal).

Dans un troisième temps enfin, et à la veille d'élections décisives, un surcroît d'efficacité est recherché dans une confédération de la droite modérée (PR, CDS, Parti radical). L'**Union pour la démocratie française** (UDF), constituée en février 1978, se comporte bien lors des législatives de mars, mais ne peut empêcher la défaite giscardienne de 1981. Les chefs du PR ont par la suite tendance à « ignorer » leur ancien maître à penser, mais n'apportent qu'un soutien relatif à R. Barre en 1988. Enfin, le parti n'a pas défini une attitude commune face à la question du Front national.

Les rivalités entre leaders n'ont pas manqué au PR. Elles se sont accentuées avec la perspective de l'élection présidentielle, puisqu'un des premiers parmi les membres de la majorité de 1993, F. Léotard, a précisé qu'É. Balladur était son candidat préféré (décembre 1993). D'autres, tels A. Madelin ou Ch. Millon, ont choisi J. Chirac.

❑ ***Les partis démocrates-chrétiens.*** Le MRP, fondé en 1944, connaît une rare réussite lors des trois élections nationales de 1945 et 1946 et gagne respectivement 143, 161 et 158 sièges, le titre envié mais éphémère de premier parti de France étant obtenu le 2 juin 1946 avec 28,2 % des suffrages exprimés. Certes, les résultats de la **démocratie chrétienne** en France sont gonflés par les bulletins d'électeurs des droites privés temporairement de candidats ; d'où ces formules outrageantes distribuées surtout par le Parti communiste, sous forme de jeux de sigle : « Machine à Ramasser les Pétainistes » ou « Mensonge, Réaction, Perfidie ». La formation reflète pourtant un grand renouvellement. « Parmi les députés de juin 1946, 12 % sont des ouvriers, soit trois fois plus proportionnellement que chez les députés SFIO, 16 % des employés et cadres – la plus forte proportion parmi les divers groupes –, 14 % des agriculteurs » (G. Cholvy).

Le MRP passait en 1945 pour la formation qui avait la préférence de de Gaulle. Mais le relâchement des liens intervient très vite. En effet, le MRP reste au Gouvernement lorsque le général le quitte (janvier 1946), approuve le second projet de Constitution et, en 1947, n'envisage pas de rallier de Gaulle au sein du RPF. Les élections municipales de 1947 permettent de mesurer le sérieux recul du parti de G. Bidault. Le nombre de ses adhérents passe même de 125000 en 1946 à 29000 en 1949. Une désaffection se produit, liée aux interrogations des catholiques sur la décolonisation. La revue *Esprit* évoque la sanglante répression de Madagascar en 1947 et les excès de certaines interventions en Indochine. Or, les ministres MRP couvrent ces initiatives et n'envisagent longtemps qu'une solution militaire.

Déjà en désaccord (mai 1962) sur l'analyse gaullienne de la mise en place de l'Europe communautaire, le MRP rejoint le « cartel du non » pour le référendum d'octobre 1962. En novembre, la poussée de l'UNR et des giscardiens réduit ses effectifs à 38 députés. Le MRP manquait d'un socle sociologique porteur et, les souvenirs glorieux du combat contre les nazis s'estompant – ou profitant d'abord au gaullisme –, il est distancé. Au premier tour des élections présidentielles de 1965, Jean Lecanuet, issu du MRP, obtient 16 % des voix et contribue à mettre de Gaulle en ballottage. Quand le même J. Lecanuet fonde le Centre démocrate (1966), certains anciens du MRP comme Maurice Schumann rejoignent le gaullisme, alors que d'autres s'orientent vers la gauche (Robert Buron). Un nouvel effritement se produit en 1969 quand Jacques Duhamel et Joseph Fontanet décident de soutenir la candidature de G. Pompidou, plutôt que celle d'Alain Poher, président centriste du Sénat.

Après le ralliement du Centre démocrate à V. Giscard d'Estaing (1974), un regroupement des deux sous-familles est rendu possible et s'opère en 1976 ; il en sort le Centre des démocrates sociaux (CDS), qui constitue en 1978 une des composantes de l'UDF, et donne à la nouvelle confédération son premier président, J. Lecanuet. Présidé, de 1982 à 1994, par P. Méhaignerie, le CDS participe au gouvernement de J. Chirac en 1986-1988, soutient la candidature de R. Barre aux **élections présidentielles**, puis tient à marquer son autonomie par la constitution d'un groupe parlementaire et la confection d'une liste avec Simone Veil aux **élections européennes** de 1989, malgré la pression des partisans de la liste commune Giscard d'Estaing-Chirac.

Pris en main en 1994 par F. Bayrou, le CDS change de dénomination l'année suivante : « Force démocrate ». Dans l'intervalle, il a soutenu la candidature d'É. Balladur à l'Élysée. F. Bayrou devient ensuite président de l'UDF, tente sa chance aux trois présidentielles suivantes, et transforme l'UDF en MoDem (2007). Ceux qui sont en désaccord ont rejoint N. Sarkozy avant le second tour ; ils constitueront le Nouveau Centre.

En 2017, F. Bayrou joue gagnant en soutenant E. Macron avant le 1er tour des présidentielles.

Des partis de masse

❑ ***Le Parti socialiste.*** Dans la dernière décennie du XIXe siècle, quatre écoles plus ou moins rivales parlent au nom du **socialisme** français. Jules Guesde défend le programme dit du Havre, d'inspiration marxiste ; Édouard Vaillant, avant de se rapprocher de Guesde, reste porteur du message idéologique de la Commune ; Brousse et les « possibilistes » réclament des réformes sociales immédiates et, de leurs rangs, se sont détachés les partisans de J. Allemane. Puis deux tendances majeures s'opposent, ce qui entraîne l'arbitrage de la Seconde Internationale au congrès d'Amsterdam (1904) : Guesde et Jaurès sont tenus de créer le Parti socialiste unifié, Section française de l'Internationale ouvrière (SFIO). Cette évolution contient en germe une contradiction entre l'ambition et le programme révolutionnaires et le comportement – au Parlement surtout – plutôt réformiste. Ce parti se rattache au « modèle » socialiste allemand, dont la tradition est plus marxiste et moins ouvrière et au sein duquel les intellectuels et la petite bourgeoisie sont les plus représentés.

La guerre de 1914-1918 constitue une épreuve pour le Parti socialiste. Son leader Jaurès disparaît tragiquement et, peu après, J. Guesde fait son entrée, symbolique, au gouvernement. Plus encore que les radicaux, les socialistes supportent mal le prolongement de l'union sacrée qui gèle la lutte des classes. Dès 1915, la fédération de la Haute-Vienne rappelle la résolution du congrès de Stuttgart (1907) sur la nécessité de faire cesser une guerre européenne. D'un conseil national à l'autre, les motions de Jean Longuet en faveur de la paix recueillent des approbations plus nombreuses, et en octobre 1918, les « minoritaires » prennent la direction du parti. Jamais pourtant la défense nationale n'a été mise en question. Longuet et ses amis « ne reniaient pas l'union sacrée telle qu'elle avait été définie en 1914, mais l'union sacrée "de droite", ils n'en voulaient pas » (J.-J. Becker).

Repoussée vers le centre par la présence communiste, la SFIO fait des radicaux ses partenaires électoraux privilégiés, mais ne participe pas aux gouvernements de cartel, car la vigilance sourcilleuse de sa Commission administrative paritaire (CAP) ne le permettrait pas. Elle reste liée à l'Internationale d'Amsterdam. Elle améliore l'implantation de ses militants, réintègre bon nombre de déçus de la SFIC et apparaît en 1932 comme la première force électorale du pays. Elle s'est donc adaptée et consolidée.

Mais elle présente des faiblesses. Une partie des députés juge inutile un succès des gauches aux élections s'il n'est pas suivi d'une participation au Gouvernement. Surtout, l'irruption de dangers comme la crise économique et l'arrivée d'Hitler au pouvoir force à un renouvellement de la doctrine. Le groupe des « néo-socialistes », emmené par Marcel Déat et Adrien Marquet, a pris les devants. Ils veulent étendre davantage l'influence du parti vers les classes moyennes, prônent un dirigisme économique, et, au détriment de l'internationalisme, une réhabilitation du fait national que résume la formule « Ordre, autorité, nation ». Il ne convient pas, parce que Déat et Marquet ont versé, après 1940, dans le fascisme, de suspecter tous les « néos » de cette inclination. Le parti, sans transiger, exclut toutefois ses minoritaires. La stratégie de lutte contre le fascisme aurait pu faciliter une réunification de la SFIO et du PC – comme pour les branches de la CGT –, mais les négociations menées de 1935 à 1938 autour de l'« unité organique » n'ont pas abouti.

Contrastes encore dans le contexte de la guerre. Déchiré déjà face aux menaces internationales en 1938-1939, le parti voit les deux tiers de ses parlementaires présents à Vichy (90) voter les pouvoirs à Pétain, alors que 36 s'y opposent. Pourtant, reconstitué par le biais du CAS, il prend sa part du combat clandestin et Daniel Mayer le représente au CNR. Or, contre le même D. Mayer, devenu secrétaire général, se produit au congrès de juillet 1946 la « prise du pouvoir » de Guy Mollet, ancien résistant lui aussi et chef de la puissante fédération socialiste du Pas-de-Calais. Arguant des résultats jugés décevants des premières consultations, il fait voter une motion qui dénonce « l'affaiblissement de la pensée marxiste dans le parti, qui l'a conduit à négliger les tâches essentielles d'organisation, de propagande et de pénétration dans les masses populaires pour se cantonner dans l'action parlementaire et ministérielle ».

La première constatation concerne les suffrages obtenus. S'ils étaient passés, entre octobre 1945 et juin 1946 de 4491000 à 4187000, la nouvelle équipe ne freine pas la chute (3431000 en novembre 1946 et 2744000 en juin 1951). Par ailleurs, plusieurs reproches adressés en 1946 par G. Mollet (par exemple « l'attitude trop conciliante à l'égard du MRP »), pourraient être retournés à leur auteur. Au plan du fonctionnement du parti, la tendance conservatrice des militants et des cadres locaux des générations précédentes n'a guère permis de faire une juste place aux jeunes équipes issues de la Résistance et M. Duverger voit dans ce rejet l'une des causes essentielles du déclin de la SFIO après 1946. On observe aussi une propension à assimiler le parti et le gouvernement auquel participent certains de ses chefs, et même, en 1956-1957, la présidence du Conseil et le secrétariat du parti. G. Mollet, chef de Gouvernement, semble bien avoir suivi une ligne politique social-démocrate, même si la complexité de la réalité nationale et internationale (Algérie, affaire de Suez, intervention soviétique en Hongrie) peut être invoquée à sa décharge.

Le creux de la vague est atteint dans les années 1960, ponctuées par les deux échecs de Gaston Defferre, lorsqu'il esquisse son projet de « grande fédération » et lorsqu'il enregistre 5 % des voix en 1969, à peine plus que Michel Rocard pour le PSU.

Cependant, des signes plus encourageants sont repérables. Le bon résultat de F. Mitterrand face à de Gaulle en 1965 révèle la possibilité d'une mobilisation à gauche. Il en est de même aux élections de 1967. Durant cette période de floraison des clubs – qui traduit, à n'en pas douter, une désaffection à l'égard des partis –, il en est un, le Centre d'études, de recherches et d'éducation socialistes (CERES), animé par quelques anciens élèves de l'ENA (dont J.-P. Chevènement), qui se fixe comme objectifs la recherche d'idées et la constitution de dossiers pour… la SFIO ; avant de se transformer en une tendance politique.

En 1969, Alain Savary devient le chef du Parti socialiste, sous la surveillance de G. Mollet. Le congrès d'Épinay est l'occasion d'un bouleversement majeur. La Convention des institutions républicaines (regroupement des clubs pro-mitterrandistes et composante de la FGDS) y rallie le Parti socialiste. De plus, une opération bien préparée aboutit au remplacement de l'équipe Savary-Mollet par F. Mitterrand. Elle est rendue possible par l'alliance de l'aile droite du parti (G. Defferre, P. Mauroy) et du CERES, partisan d'un programme commun avec le PCF. La motion Mitterrand l'emporte par 43 926 mandats contre 41 757 et 3 925 abstentions. Le nouveau PS exerce une attraction certaine. Le rejoignent en effet des militants de la CFDT, des chrétiens (groupes Témoignage chrétien, Vie nouvelle), une partie du PSU avec M. Rocard. L'organisation est repensée et considérablement renforcée grâce à une brochette d'énarques et à des valeurs sûres du militantisme de gauche. On s'intéresse de très près au monde de l'entreprise, à l'éducation, à l'armée et à la force de frappe, dont Charles Hernu devient le spécialiste.

La base sociologique du parti évolue. En proportion, ouvriers, employés, instituteurs sont moins nombreux, tandis que les cadres moyens et supérieurs, les ingénieurs et les professeurs constituent les gros effectifs. Des femmes, des jeunes, des militants de la vie associative ou municipale se sentent attirés par cette dynamique. Malgré les tensions entre les courants – qui sont une caractéristique du PS –, le candidat F. Mitterrand triomphe en 1981, grâce à sa stratégie fondée sur l'alliance des socialistes et d'un PCF placé en position d'infériorité.

Le temps fort de l'élection présidentielle donne au PS une impulsion – bien moins nette en 1988 qu'en 1981 –, mais sans cette circonstance, il régresse, puisqu'en 1986 il est le premier parti présidentiel de la Ve République battu lors de législatives intermédiaires. Le **scrutin majoritaire** lui convient mieux, car, s'il se flatte d'être la première formation de France, la coalition RPR-UDF est en tête au premier tour (sauf en juin 1981) et dans les élections à la **proportionnelle** (1984, 1986, 1989). Il connaît aussi le double désavantage de l'abstentionnisme, très marqué à gauche en 1988, et de la concurrence des Verts, bien qu'il intègre dans son projet une plus forte dose d'écologie.

Sa doctrine a perdu de son originalité dans la mesure où ont été admis les principes du marché, les contraintes de la compétitivité, la défense prioritaire de la monnaie, l'utilisation de deniers publics pour stimuler les entreprises (tournant libéral de 1982-1983). Ses prises de position sur l'immigration – domaine si sensible en France depuis le dernier quart du XXe siècle – se durcissent même depuis 1989. Le PS affiche donc moins de certitudes et finalement pâtit, tout autant que le PCF, de l'effondrement du régime soviétique. Il éprouve de la difficulté à faire cohabiter les tenants des différents courants (depuis que le courant mitterrandiste s'est fragmenté) et à tempérer les rivalités personnelles de ses dirigeants « présidentiables » (L. Jospin, L. Fabius, M. Rocard). Ces rivalités ne font que s'aggraver après les échecs successifs dans la compétition pour l'Élysée de L. Jospin en 2002 et de S. Royal en 2007. Le PS connaît alors une profonde crise d'identité. Les courants, une des caractéristiques du Parti socialiste, étaient devenus des écuries présidentielles. Martine Aubry, première secrétaire, a annoncé que les primaires pour 2012 seraient ouvertes au-delà des militants, à l'ensemble des sympathisants socialistes, ce qui risque d'être fatal aux courants, mais salutaire pour le parti. On remarque le contraste entre la faiblesse des résultats électoraux à l'échelon national et les succès réguliers des socialistes aux élections locales, dont les régionales de 2004 et 2010, et les municipales de 2008.

❑ ***Le Parti communiste.*** Le congrès de Tours est fondateur de la SFIC, qui ouvre ses rangs aux mutins de la mer Noire (André Marty, Charles Tillon) et accentue son caractère révolutionnaire. Par bolcheviks interposés et par le tout jeune mythe de 1917, les **communistes** français se rattachent encore à la tradition jacobine de 1792-1793. Mais il ne restera plus grand-chose ; par exemple, durant les années 1920, l'obligation de choisir entre le parti et l'appartenance à une loge entraîne le départ de tous ceux qui tenaient d'abord à leur engagement maçonnique. L'hostilité à l'égard de la SFIO demeure constante et les rares profits qu'on peut tirer de collaborations ponctuelles inspirent au secrétaire général Treint l'image de « la volaille à plumer ». La pratique systématique de l'internationalisme amène le parti à s'opposer à l'occupation de la Ruhr (1923) comme à l'intervention au Maroc contre Abd el-Krim (1925), ce qui vaut à ses membres impliqués procès et emprisonnement. Cette attitude non-conformiste n'est pas sans plaire à Barbusse, à Romain Rolland ou aux surréalistes, et surtout à Aragon, qui inaugurent la tradition des « compagnons de route », intellectuels et artistes séduits par l'aventure communiste, qui adhèrent au parti ou en restent des admirateurs propagandistes.

Prenant en compte la menace hitlérienne, le PCF se rapproche de la SFIO en 1934, puis adhère au Front populaire. 1936 est marqué par un grand succès électoral (72 députés) et une attitude plus conciliante symbolisée par la « main tendue » aux catholiques. Les effectifs atteignent 330000 en 1937. Mais « le "bellicisme" affiché lors de la crise de Munich entache pour partie l'image de parti national responsable que le PCF entendait se donner » (J.-P. Azéma).

Le pacte germano-soviétique et la guerre consécutive mettent le PCF en difficulté. Il n'a pas pratiqué, comme on l'a cru, de sabotages révolutionnaires, mais son attitude attentiste est indéniable ; et, pour expliquer ces hésitations, l'argumentation des « deux lignes » – celle des antifascistes et celle des indéfectibles de Moscou – paraît faible. Si l'Internationale a bien lancé, le 26 avril 1941, une directive « pour la création d'un Front national large de lutte pour l'indépendance », c'est après l'invasion de l'URSS par les troupes hitlériennes que l'action clandestine prend son vrai sens. Les militants FTP (Francs-Tireurs et partisans), inspirés par un nationalisme jacobin, ont beaucoup apporté à la Résistance. Mais pour accumuler les faits d'armes et accentuer ce rôle patriotique, le parti a parfois imprudemment usé et exposé des combattants d'élite (groupe Manouchian en 1943).

Le prestige du parti est au plus haut. Du fait de la victoire soviétique, du fait de sa propre action. Des ministres communistes entrent dans le gouvernement du général de Gaulle : Billoux, Tillon, Marcel Paul, et Thorez dont le retour d'URSS est accepté. L'euphorie s'entretient des réussites électorales de 1945-1946. Peu nombreux et discrets sont les militants déportés que le parti regarde avec méfiance : « Avoir reconstitué un morceau du parti à Mauthausen nous rendait suspects d'avoir créé un "parti dans le parti", hors du contrôle de la direction, d'avoir noué des rapports quasiment "fractionnels" [...]. Nous avions en quelque sorte inventé nous-mêmes une ligne politique » (P. Daix). Le pouvoir d'attraction du parti est bien cerné par deux historiens – qui ont été membres du PCF –, et pour deux catégories sociales : – « Pour l'intellectuel qui souffre de son isolement, c'était l'idéal ou presque : au parti, il retrouvait un lien mythique avec le peuple, avec la classe ouvrière» (F. Furet). Et encore: – «N'oublions jamais que pour un ouvrier, la contre-société communiste apporte, avec une culture et l'ouverture sur le monde, un nouveau sentiment de sa propre dignité» (D. Desanti).

La guerre froide isole le PCF, le régime de la Ve République le marginalise peu à peu. Car le pouvoir quitte le Palais-Bourbon pour l'Élysée et Matignon, inaccessibles aux communistes. D'autre part, la crise de mai-juin 1968 et la flambée de gauchisme portent un rude coup au modèle soviétique figé de **socialisme**. Le PCF est frappé par une crise sociologique (désindustrialisation, dénationalisations de 1987), par une crise politique coïncidant avec les essais d'évolution interne des années 1970 et avec la tentative d'union de la gauche, interrompue par l'équipe de G. Marchais en 1977, puis reprise *in extremis* en 1981. La participation de ministres communistes aux gouvernements Mauroy, de 1981 à 1984 (Fiterman, Le Pors, Rigout, Ralite) n'entraîne d'ailleurs aucun renouveau.

À la différence du Parti communiste italien, le PCF de Thorez avait écarté les cadres issus de la Résistance, donc plus attachés aux références nationales; une dépendance accrue à l'égard de l'URSS en est résultée pour quarante ans. Le déclin se lit dans la baisse des effectifs: en 1976, le PCF compte environ 500000 membres – autant à lui seul que l'ensemble des autres partis –, et 330000 en 1987. Il transparaît surtout dans les résultats électoraux: 21,4 % des suffrages exprimés en 1973, 16,1 % en 1981 et 11,3 % en 1988 (législatives). Élections présidentielles et européennes confirment le recul. Les cartes de 1988 révèlent la dénationalisation du **vote communiste** et son repli sur des môles (deux départements de la Région parisienne, six départements du Nord et six du Centre-Ouest, deux du Midi). Le terrain municipal n'est pas plus favorable: sur 227 villes de plus de 30000 habitants, le PCF en contrôlait 72 en 1977 et seulement 46 en 1989. Une exception: R. Jarry, communiste dissident, a obtenu trois mandats au Mans (1977, 1983, 1989).

Une enquête Sofres-*Le Monde* auprès de 1019 délégués au XXVIIe congrès du PCF (décembre 1990) fait apparaître que pour 3 % d'entre eux le parti «doit se transformer radicalement», pour 34 % qu'il «doit s'adapter», que pour 41 % «il doit rester tel qu'il est» (22 «sans réponse»).

Maintenant à distance les «reconstructeurs» et les «refondateurs» dont trois des anciens ministres de 1981, la direction du parti continue de tenir un discours que ses adversaires jugent «brejnevien» et, en septembre 1991, au lendemain de la tentative de putsch en URSS, elle se borne à constater que «les Français ont toujours besoin du PCF». Le ton change avec la désignation de Robert Hue comme secrétaire national en 1994, puis de M.-G. Buffet. Mais les causes du déclin ne peuvent être enrayées: l'échec du modèle soviétique et la désintégration de la classe ouvrière française ouvrent vingt ans de désillusions. On se réfugie alors dans le mythe. Lors de débats organisés par le PCF, il est fréquent d'entendre un participant, jeune ou âgé, raconter sa vie et celle de ses proches, et dire ce que le PCF a fait pour lui. «Le récit est souvent dramatique, parfois épique; il remplit une fonction cathartique pour justifier l'attachement au PCF, la gratitude, voire la dette à son égard. Le témoignage sur le passé tend à se substituer à la considération sur le présent et aux proclamations concernant l'avenir» (Marc Lazar).

Un parti d'électeurs ?

❑ ***Le mouvement gaulliste.*** On a vu l'interprétation de Jean Charlot (*cf.* rubrique **gaullisme**). D'autres politologues ont apporté des éléments au débat, pour la période postérieure à 1958.

Le RPF reste spécifique. Par sa filiation avec la France libre d'abord. De Gaulle précise le 24 avril 1947: «Nous ne prétendons pas être un parti, bien sûr, pas plus que la France combattante n'en était un. Notre plan est supérieur à celui-là.» Cette option laisse donc possible la «double appartenance», éventualité qu'interdisent bientôt le MRP et le Parti radical, par réaction hostile, en verrouillant leurs formations. Les orientations sont claires: combattre les communistes, traités de «séparatistes», et refuser de jouer le jeu parlementaire de la IVe. Le RPF présente un caractère entièrement personnalisé puisque tous ses dirigeants et cadres «n'ont en commun que leur sentiment d'allégeance au Général.» (O. Guichard). L'expérience du RPF a servi lorsqu'il a fallu rapidement bâtir l'UNR.

En 1958, le problème est différent. Investi régulièrement en juin, fort du *oui* au **référendum** constitutionnel, de Gaulle a besoin d'un mouvement qui s'identifie à la Ve République et à son fondateur. «Née pour soutenir le chef de l'État et son action, l'UNR renonçait à exister par elle-même. Pour que de Gaulle soit tout, il fallait qu'elle ne soit rien» (R.-G. Schwartzenberg). Elle n'est donc pas «un parti comme les autres».

J.-M. Denquin fait remarquer que les mouvements gaullistes empruntent des traits aux deux grands types de partis. D'abord aux partis de masses. Les gaullistes recherchent des adhérents – et pas seulement des électeurs – et ils en trouvent, nombreux. D'autre part, ils s'appuient sur un substrat populaire comprenant la vieille tradition **bonapartiste**, mais aussi des éléments de gauche plus sensibles à la politique extérieure et au thème de la participation. Enfin, les statuts prévoient un système pyramidal de désignation (militants, assises, comité central, secrétaire général) garant d'une expression démocratique, en théorie du moins.

Quant aux traits relevant plutôt des **partis de cadres**, on les trouve dans l'influence des dignitaires, des «barons», parvenus au sommet grâce à leur appartenance passée à la France libre, à la Résistance, au RPF et, pour les plus jeunes grâce à leurs capacités et à un bon patronage. Au bout du compte, ce sont les leaders qui donnent l'impulsion et la grogne des «godillots» se fait rare au Parlement, comme le mécontentement du militant de base se fait discret. «Il apparaît donc que l'UDR était un **parti de masses** si on la considérait à la base et en théorie, un parti de cadres si on la considérait au sommet et en pratique» (J.-M. Denquin).

L'horizon se modifie avec le RPR, formation créée par et pour Jacques Chirac qui, déjà, n'avait pas hésité, fin 1974, à occuper le poste de secrétaire général de l'UDR alors qu'il était **Premier ministre**! Le mouvement gaulliste restructuré lui permet de gagner la mairie de Paris (1977) et de limiter la marge de manœuvre de son successeur à Matignon, R. Barre. On peut désormais parler de «chiraquisme» et constater, au fil des élections, une «droitisation» de l'électorat RPR; les électeurs de droite et d'**extrême droite** représentent en effet 50 % des voix acquises par J. Chirac en 1981 et 79 % en 1988 (présidentielles). L'évolution récente du RPR a été principalement influencée par la nature et l'équilibre des rapports avec l'UDF (conclusion de l'« Union pour la France » en 1991), par l'apparition discrète de courants contestataires à l'intérieur de la formation et par l'ambiguïté de certaines positions à l'égard du Front national.

Le parti néo-gaulliste a vécu de l'intérieur la rivalité Chirac-Balladur, mais a très tôt choisi le chef « historique ». Faute d'avoir pu mettre en place les primaires qu'il préconisait, Ch. Pasqua s'est finalement rangé du côté de son Premier ministre, tout comme N. Sarkozy. À l'inverse, Ph. Séguin, A. Juppé, J. Toubon soutenaient J. Chirac. Aucun camp n'a ménagé l'autre. Au bout de quarante ans, l'influence de la référence gaulliste s'étant affaiblie, l'heure d'un regroupement des droites parlementaires est venue ; l'UMP voit le jour en 2002.

❑ ***Le Front national est-il un parti de cadres?*** Il est difficile de le faire rentrer dans une catégorie ou une autre. Avec une ossature de hauts fonctionnaires, de commerçants et d'élus municipaux issus parfois de la droite classique, il se rapproche du parti de cadres. Mais n'est-il pas aussi un parti d'électeurs, ou davantage un parti « attrape-tout », apte à répéter, à seriner les mêmes formules (insécurité, immigration mettant en péril l'identité française, « expansionnisme musulman »...), sans véritable souci de cohésion doctrinale ? La question reste posée.

Le parti de J.-M. Le Pen ne fait pas, à lui seul, les succès électoraux observés. Mais il est bien structuré et actif, activiste même. Son chef n'hésite pas à conseiller aux parlementaires de « partir quand il en est encore temps » ou à exiger, par détournement de la procédure, un droit de réponse dans des journaux qui n'approuvent pas les thèses du Front. Ces pratiques ne correspondent guère aux enseignements de la tradition démocratique.

Le FN s'inscrit dans cette extrême droite qui a vécu dans le souvenir de Pétain, Laval et Brasillach et des « soldats perdus » d'Indochine et d'Algérie, toujours haineuse envers de Gaulle et la République. C'est à elle que J.-M. Le Pen offre une éclatante revanche en parvenant au second tour en avril 2002. Depuis 2011, s'entourant de personnalités nouvelles, Marine Le Pen mène une politique offensive ponctuée de succès électoraux (2014-2015).

Sa seconde place aux présidentielles de 2017 et l'arrivée de huit députés à l'Assemblée constituent ses succès majeurs.

Pour aller plus loin :

GRUNBERG (Gérard) et HAEGEL (Florence), *La France vers le bipartisme ?*, coll. « Nouveaux débats », Presses de Sciences Po, 2007.

HAEGEL (Florence) (dir.), *Partis politiques et système partisan en France*, Presses de Sciences Po, 2007.

HUARD (Raymond), *La naissance du parti politique en France*, Presses de Sciences Po, 1996.

OFFERLÉ (Michel), *Les Partis politiques*, Coll. « Que sais-je ? », PUF, 8e éd., 2012.

RICHARD (Gilles) et SAINCLIVIER (Jacqueline) (dir.), *La Recomposition des Droites en France à la Libération (1944-1948)*, actes de colloque, Rennes, 2003, PUR, 2004.

Les partis politiques, revue *Pouvoirs*, n° 163, 2017.

Documents

1 – Les systèmes partisans sous la Ve République (1962-2012)

	Multipartisme imparfait (avec parti dominant)	Bipartisme
1962-1974	Rôle hégémonique de l'UNR (puis de l'UDR à partir de 1968).	
1974-1981		Le parti le plus nombreux (UDR, puis RPR) n'est pas celui du président. Une majorité de raison existe. La bipolarisation s'accentue.
1981-1986	Le PS dispose de la majorité absolue à l'Assemblée.	
1986-1988		Cohabitation. Quasi-équilibre entre droite et gauche. Deux pôles extrêmes : PC et FN.
1988-1993	Majorité relative pour les gouvernements (M. Rocard, É. Cresson, P. Bérégovoy), mais l'opposition ne peut proposer un projet d'alternance dans cette législature.	
1993-1997	Majorité écrasante pour le RPR et l'UDF. Cohabitation (1993-1995). 1995-1997 : harmonie entre cette majorité et J. Chirac. Législature écourtée par la dissolution de l'Assemblée.	
1997-2002	Cohabitation. Le Parti socialiste est le moteur de la « gauche plurielle ».	
2002-2007		12e législature. L'UMP détient la majorité absolue. Le PS représente l'opposition. Un quasi bipartisme est réalisé.
2007-2012		Situation identique
2012-2017		14e législature. Le PS et ses alliés détiennent la majorité.
2017-	LREM est majoritaire, même sans ses alliés Modem et UDI.	

d'après J. Charlot, *in* « La Ve République – 30 ans », *Pouvoirs*, n° 49, PUF, 1989.

2 – Chronologie (Parti socialiste)

1905 : fondation de la SFIO (Section française de l'Internationale ouvrière).

1920 : scission de la SFIO au congrès de Tours.

1936-1937 : Front populaire. Premier gouvernement à majorité socialiste, dirigé par Léon Blum.

1946-1947 : tripartisme : gouvernements SFIO – MRP – PCF.

1947 : rupture du tripartisme et début de la politique de « Troisième force ».

1951-1955 : la SFIO, brouillée avec le MRP sur la question scolaire, ne participe à aucune combinaison ministérielle.

1956-1957 : Guy Mollet, secrétaire général de la SFIO, devient président du Conseil.

1958 : Guy Mollet approuve le retour au pouvoir de de Gaulle et accepte un poste de ministre d'État dans son Gouvernement.

1964-1965 : Gaston Defferre tente sans succès de constituer une « grande fédération » rassemblant la SFIO, le MRP et les radicaux.

1969 : au congrès d'Issy-les-Moulineaux, la SFIO prend le nom de Parti socialiste (PS). Alain Savary succède au secrétariat général à Guy Mollet.

1971 : congrès d'Épinay-sur-Seine : la Convention des institutions républicaines (Fédération des clubs) rejoint le PS. Son chef de file, F. Mitterrand, devient premier secrétaire.

1972 : signature du programme commun de gouvernement de la gauche.

1974 : assises du socialisme : adhésion de militants CFDT et PSU (M. Rocard) au PS.

1975 : congrès de Pau : F. Mitterrand rompt avec le CERES, qui devient la minorité du parti.

1979 : congrès de Metz : nouveau rééquilibrage au détriment du courant rocardien.

1981 : succès de F. Mitterrand aux élections présidentielles et majorité absolue du Parti socialiste à l'Assemblée. Congrès de Valence : tonalité triomphaliste et « guerrière ».

1990 : congrès de Rennes : le parti affiche ses divisions.

1991 : nommée Premier ministre, Édith Cresson exprime des réserves vis-à-vis des courants du Parti socialiste.

1993 : la défaite des législatives entraîne le remplacement de L. Fabius par M. Rocard à la tête du Parti socialiste.

1995 : les militants préfèrent L. Jospin à H. Emmanuelli pour défendre les couleurs socialistes dans la compétition présidentielle.

1997-2002 : L. Jospin Premier ministre (cohabitation).

1997-2008 : F. Hollande est premier secrétaire.

2006 : primaires : des débats publics entre L. Fabius, D. Strauss-Kahn et S. Royal précèdent le vote des militants en faveur de cette dernière.

2011 : primaires : François Hollande l'emporte sur Martine Aubry.

2016 : B. Hamon remporte la primaire face à M. Valls.

2018 : Olivier Faure est élu premier secrétaire du Parti socialiste.

3 – « Je ne vous présente pas un programme… »

De nouveau candidat en 1988, F. Mitterrand fait diffuser cette « Lettre à tous les Français », qui compte une cinquantaine de pages et présente tous les domaines de l'action envisagée (institutions, Europe, relations internationales, modernisation de l'économie, etc.). Dans une prose sereine, il administre, dès le début, une leçon sur la répartition des tâches des responsables politiques. On mesure la distance prise avec la réalité des partis.

Mes chers compatriotes,

Vous le comprendrez. Je souhaite, par cette lettre, vous parler de la France. Je dois à votre confiance d'exercer depuis sept ans la plus haute charge de la République. Au terme de ce mandat, je n'aurais pas conçu le projet de me présenter de nouveau à vos suffrages, si je n'avais eu la conviction que nous avons encore beaucoup à faire ensemble […].

Mais je veux aussi vous parler de vous, de vos soucis, de vos espoirs et de vos justes intérêts.

J'ai choisi ce moyen, vous écrire, afin de m'exprimer sur tous les grands sujets qui valent d'être traités et discutés entre Français, sorte de réflexion en commun, comme il arrive le soir, autour de la table, en famille. Je ne vous présente pas un programme, au sens habituel du mot. Je l'ai fait en 1981 alors que j'étais à la tête du Parti socialiste. Un programme en effet est l'affaire des partis. Pas du président de la République ou de celui qui aspire à le devenir. L'expérience acquise, là où vous m'avez mis, et la pratique des institutions m'ont appris que si l'on voulait que la République marche bien, chacun devait être et rester à sa place. Rien n'est pire que la confusion. L'élection présidentielle n'est pas comparable à l'élection des députés. Et s'il s'agit de régler, jusqu'au détail, la vie quotidienne du pays, la tâche en revient au gouvernement. Mon rôle est de vous soumettre le projet sur lequel la France aura à se prononcer les 24 avril et 8 mai prochains pour les sept années à venir. Je le remplirai de mon mieux avec, au cœur et dans l'esprit, une fois dépassées les légitimes contradictions de notre vie démocratique, la passion d'une France unie [...].

François Mitterrand, «Lettre à tous les Français» (avril 1988), cité dans P. Milza, *Sources de la France du XXe siècle*, Larousse, 1997, pp. 495-496.

4 – Les appellations successives du mouvement gaulliste

RPF (Rassemblement du peuple français): créé en avril 1947 par le général de Gaulle, qui en prend la présidence. Une structure hiérarchisée comprend le comité exécutif, le secrétariat général, le conseil national et le congrès national. Le RPF n'a plus d'activité en 1955.

ARS (Action républicaine et sociale): groupe parlementaire mineur de gaullistes dissidents (1952).

URAS (Union des républicains d'action sociale): nom adopté par les parlementaires du RPF qui n'ont pas rallié l'ARS.

Centre national des Républicains sociaux: Regroupe les gaullistes en 1954, sous la présidence de J. Chaban-Delmas, dans une grande indépendance vis-à-vis du général.

UNR (Union pour la nouvelle république): fondée à l'automne 1958, après le référendum constitutionnel, pour organiser la campagne gaulliste des élections législatives.

UNR-UDT: après les élections législatives victorieuses de novembre 1962, les gaullistes de gauche de l'Union démocratique du travail et l'UNR ne forment plus qu'un seul ensemble.

UD-V^e^ (Union des démocrates pour la Ve République): un changement de dénomination est décidé à la fin de 1967, pour faciliter un élargissement de la majorité (qui a gagné de justesse les élections).

UDR (Union pour la défense de la République): formule stimulante pour l'électeur, adoptée le 4 juin 1968, dans un contexte encore difficile. En 1971, on réinterprète le sigle de façon plus paisible: Union des démocrates pour la république.

RPR (Rassemblement pour la République): cette nouvelle dénomination est adoptée le 5 décembre 1976, lors des assises constitutives du mouvement dont J. Chirac devient président.

UMP (Union pour la majorité présidentielle): fusion du RPR et de la majeure partie de la droite libérale avant les législatives de 2002.

Les Républicains (LR) : sur l'initiative de N. Sarkozy, et après le vote des militants, l'UMP change de nom.

8

L'OPINION PUBLIQUE, LES MÉDIAS

La complexité de la notion d'opinion publique est bien cernée par René Rémond : « Il n'y a pas à proprement parler une opinion publique française et c'est seulement par convention qu'on use du singulier. Dans la réalité, on a affaire à une multiplicité d'opinions, aussi nombreuses que le sont les régions, les professions, les écoles de pensée, les familles d'esprit ». De plus, malgré les frontières idéologiques, les opinions évoluent.

Une bonne partie des intentions, des craintes et des réactions des citoyens s'expriment à l'écart des voies institutionnelles. Ce fut le cas lors des explosions révolutionnaires du XIXe *siècle ; cela se produit plus fréquemment et de façon continue, par le truchement d'associations de toutes sortes, souvent de caractère professionnel mais pas exclusivement.*

Si l'opinion est éclairée par les médias – le « quatrième pouvoir » – elle les influence aussi, donne leur substance aux sondages et surtout, avec Internet, a acquis une sorte d'autonomie – et parfois d'irresponsabilité – qui peut modifier le fonctionnement de la démocratie.

LES GROUPES DE PRESSION

Les groupes de pression cherchent en général à influencer les détenteurs du pouvoir dans leurs choix politiques, sociaux, culturels, économiques ; ils peuvent d'ailleurs intervenir aussi dans les campagnes électorales. Le niveau d'intervention peut être local (**préfet**, conseil général) ou national. Les types d'action varient : instruction de dossiers pour des parlementaires et des ministres, campagne de presse et/ou d'affichage, manifestations de rue, occupations de points sensibles (voies ferrées, péages d'autoroutes).

Des groupes de nature variée

Des institutions peuvent, éventuellement, agir comme des groupes de pression. L'Église catholique s'est comportée comme tel, au XIXe siècle. L'Armée a été tentée de le faire, ponctuellement, au moment de l'affaire Dreyfus et surtout, pour une partie du commandement, l'a fait entre 1958 et 1961 en Algérie. La France a aussi connu, de la fin du XIXe siècle à 1936, des formations idéologiques, les ligues, dont l'activité se plaçait constamment aux franges ou au cœur même de la politique.

D'ailleurs, le cas n'est pas rare de mouvements spécialisés qui se dotent de structures politiques. Frappés par la dissolution des ligues, les Croix de Feu, qui réunissaient au départ des anciens combattants d'élite, constituent en 1937 le Parti social français (PSF). L'Union de défense des commerçants et artisans (UDCA) de Pierre Poujade est, de 1953 à 1955, un mouvement corporatiste du Lot, avant de se découvrir une vocation nationale grâce aux élections inopinées de 1956.

Le mouvement écologiste constitue un cas spécifique. Il s'est fait connaître, dans les années 1960-1970, par son hostilité aux centrales nucléaires et à toutes les formes de pollution industrielle, et par son souci de défendre l'environnement, urbain autant que rural. Il a multiplié les marches de protestation et les occupations (sites liés à l'énergie nucléaire, Causse du Larzac sur lequel était prévue l'extension d'un camp militaire, etc.), a reçu l'appui de certains scientifiques et a su médiatiser ses actions. Les aspirations écologiques recoupaient en partie les prises de position libertaires, « naturalistes » et régionalistes, dans le sillage de Mai 68. L'écologie politique proprement dite a progressé et ses partisans ont choisi la confrontation électorale en 1974 (voir chapitre 2).

Ceux qui sont, de fait, les adversaires des Verts, les chasseurs, jugeant intolérables les restrictions apportées à leur activité, sont aussi passés de la protestation à la compétition électorale, en créant en 1989 le parti Chasse, pêche, nature et traditions (CPNT).

Un groupe catégoriel bien ciblé peut vouloir défendre des intérêts particuliers, avec des fortunes diverses. Les bouilleurs de cru ont eu leurs heures de célébrité sous les IIIe et IVe Républiques. La loi Royer de 1973 permettant aux petits commerçants de s'opposer à l'implantation des grandes surfaces n'est pas étrangère à un « message » du Cid-Unati (Confédération intersyndicale de défense et d'union nationale d'action des travailleurs indépendants, créée en 1969) aux députés : « Votre attitude jouera un grand rôle à l'occasion des prochaines élections ». Malgré leur vigilance à l'égard des parlementaires, les rapatriés d'Algérie et leurs associations ont éprouvé du mal à obtenir les indemnités attendues et les « anciens d'Algérie » bataillent toujours pour leurs droits, tandis que les harkis rappellent sporadiquement l'engagement moral de la France.

Enfin, on pourrait distinguer des groupes de *lobbying* délégués par les milieux industriels, qui agissent auprès des parlementaires – de manière aujourd'hui réglementée – ainsi que des groupes de pression plus orientés vers la défense de l'intérêt général ou des grands principes humanitaires, quelle qu'en soit la nuance idéologique précise : les différentes ligues civiques des années 1920 qui traquent les abus des administrations, et, plus récemment, les ONG ou SOS Racisme. Le contingent majeur, celui des syndicats, se place dans un double contexte de défense d'intérêts professionnels et d'intérêts plus généraux.

Les syndicats

Les syndicats professionnels sont légalisés en France en 1884, par la loi qui encadre les associations qui ont « exclusivement pour objet la défense des intérêts économiques, industriels, commerciaux et agricoles ». Rapidement, les syndicats ouvriers cherchent à se grouper en fédérations. À la différence du syndicat conçu par branche professionnelle, la bourse du travail réunit dans une même ville les ouvriers des divers métiers.

❑ ***La CGT (Confédération générale du travail).*** Constituée en 1895, elle absorbe en 1902 la Fédération des bourses du travail et affiche ses principes d'action dans la « charte d'Amiens » (1906). Grèves et manifestations du 1er mai – irrégulièrement organisées depuis 1890 – tendent à obtenir, outre des améliorations locales et par secteurs spécialisés, la journée de huit heures. L'arme suprême de la grève générale est beaucoup discutée ; sa première utilisation en 1920 se solde par un échec grave. Dans l'entre-deux-guerres, la

CGT répercute la scission **socialiste** mais la limite dans le temps (1922-1936). En 1948, la tendance modérée fonde avec Léon Jouhaux, figure historique, la CGT-FO (Force ouvrière). Liée au PCF, la centrale réunit les plus gros bataillons. Marquée par des grèves dures (1947-1948, 1963), elle s'est ensuite investie dans la lutte pour l'emploi dans les régions que frappe la désindustrialisation.

Tout en appuyant des mouvements durs parfois dépourvus d'objectifs réalistes et de stratégies démocratiques (refus du changement de statut des dockers en 1991-1992, conflit précédant la fermeture de l'usine Renault de Billancourt), la CGT a entrepris de réviser son fonctionnement, en acceptant « que vivent ensemble des adhérents et des militants ayant non seulement des idées différentes, mais même des conceptions différentes, voire opposées, du syndicalisme » (H. Krasucki, 1991). Au 44e congrès (1992), sont mis en cause la conception de type « courroie de transmission » – trop favorable au PCF –, le manque de débat à la base et l'ouvriérisme, qualifié de « caricature de la fierté ouvrière ». En 1995, disparaît des statuts de la confédération la formule : « La CGT s'assigne pour but la suppression de l'exploitation capitaliste, notamment par la socialisation des moyens de production et d'échange ». Élu en 1999, Bernard Thibault veut accélérer la mutation de la première centrale syndicale française dont il veut faire « un acteur à part entière des transformations sociales » par la création de syndicats de sites, de syndicats multiprofessionnels et par la priorité donnée au secteur privé.

❑ ***FO (Force ouvrière).*** Au départ très hostile à la CGT – qui l'attaque du reste sans ménagement – FO manifeste la plus grande prudence vis-à-vis des partis même si certains de ses adhérents se sentent proches des socialistes. Cette centrale semble davantage se soucier des intérêts concrets des syndiqués.

Elle prône la négociation et la conclusion de contrats. Sous la direction d'A. Bergeron, elle fut longtemps l'interlocuteur privilégié du patronat et du gouvernement. Depuis, elle est devenue plus revendicative, refusant de signer plusieurs conventions. Opposée au plan de réforme de la Sécurité sociale, stimulée par les grèves de novembre-décembre 1995 qu'elle contribue à durcir, Force ouvrière pratique une contestation qui n'était pas dans sa tradition. Mais en perdant, en 1996, la présidence de la Caisse nationale d'assurance-maladie, qu'elle détenait depuis 1967, elle se trouve exclue du nouveau paritarisme.

❑ ***La CFTC (Confédération française des Travailleurs chrétiens).*** Elle est issue d'un syndicat chrétien d'employés et s'organise comme la CGT. L'appellation n'implique pas une profession de foi des adhérents mais indique la reconnaissance par le syndicat des principes sociaux de *Rerum novarum*. Peu en flèche en 1936, elle a participé à la Résistance et amélioré ses positions. Le courant novateur et mendésiste, qui formait la majorité, crée en 1964 la CFDT. Les minoritaires demeurent dans la CFTC « maintenue ». La CFTC, malgré ses effectifs restreints, va jouer la carte du partenariat dans les rapports sociaux.

❑ ***La CFDT (Confédération française démocratique du travail).*** Dans un monde ouvrier transformé, la déconfessionnalisation a paru nécessaire. La CFDT joue un rôle important en 1968, concurrence parfois la CGT, intervient dans des luttes révélatrices des nouvelles conceptions du rôle des syndicats (Lip à Besançon en 1973), développe le thème de l'autogestion, entretient des liens tant avec le PSU que le PS, et est présente sur des lieux de forte protestation (Camp du Larzac, site de Plogoff).

Mais, en 1978, elle engage une stratégie dite de « recentrage », marquée par la recherche de compromis avec le patronat et les pouvoirs publics. Elle cherche à faire reconnaître au syndicalisme une double fonction, de contestation et de proposition ; c'est-à-dire, non seulement la réponse aux problèmes des salariés, mais aussi l'intervention sur des questions de société comme les libertés, les droits individuels et collectifs, l'immigration, l'éducation, l'environnement, etc. Un débat interne existe, certains reprochant au syndicat d'être devenu trop centraliste, trop institutionnel. L'apparition de coordinations et le renforcement d'un syndicalisme autonome sont en partie la conséquence de cette évolution.

En 1995, la CFDT approuve une grande partie du plan de réforme de la Sécurité sociale et adopte une attitude atypique lors des grèves de l'automne ; elle se trouve ainsi plus « réformiste » que FO et au premier plan dans la négociation avec l'État et les employeurs, ce qui lui vaut de sévères critiques à l'intérieur même de ses rangs. Critiques qui reprennent en 2003, doublées par le départ de nombreux militants, lorsque la CFDT, dirigée par François Chérèque, participe à l'élaboration des mesures du ministre F. Fillon concernant les retraites. Les élections professionnelles de 2018-2019 ont consacré la première place de cette confédération. Secrétaire général depuis 2012, Laurent Berger a proposé – sans être entendu de l'exécutif – d'entamer très vite une concertation lors de la crise des gilets jaunes. Dans son livre *Au boulot !* (Éditions de l'Aube, 2018), il développe le thème du travail, trop souvent masqué par l'urgence de l'emploi.

❑ ***La FEN (Fédération de l'Éducation nationale).*** Créée en 1947, au début de la guerre froide, cette fédération regroupe des enseignants qui refusent le choix entre la CGT et FO. Trente ans plus tard, elle dépasse 500 000 syndiqués – pas tous enseignants –, et devient, avec une nébuleuse de 47 syndicats des domaines éducatif et culturel, la première organisation de la fonction publique. Mais une tension existe – avivée par un projet de rapprochement, de nature réformiste, avec la CFDT et FO – entre la tendance socialiste, qui dirige le puissant SNI-PEGC (instituteurs et professeurs de collèges), et la tendance communiste, qui contrôle surtout l'actif syndicat du second degré (SNES). La scission intervient en 1992. En créant le Syndicat des enseignants, de la maternelle à la terminale, la FEN réalise le vieux rêve du syndicat unique. Le SNES et ses alliés, quant à eux, fondent la Fédération syndicale unitaire (FSU). En 2010, celle-ci – dont 90 % des 160 000 adhérents sont des enseignants – ne peut obtenir le label de syndicat interprofessionnel.

❑ ***Les syndicats agricoles.*** Regroupés en deux grandes fédérations dans l'entre-deux-guerres, ils ont pris conscience de leur force lors de la crise des années 1930, les comités de défense paysanne de Dorgères étant une source d'agitation marginale mal tolérée par les dirigeants officiels. Après 1945, s'est imposée la Fédération nationale des syndicats d'exploitants agricoles (FNSEA), lobby de taille grâce à son réseau structuré, traitant avec les Premiers ministres de la Ve République lors de la « conférence » annuelle, sourcilleuse sur les initiatives de la CEE, flattée d'avoir vu par deux fois ses anciens dirigeants entrer

au gouvernement (M. Debatisse, F. Guillaume) et peu disposée à céder du terrain à des organisations concurrentes. Tout en prônant la négociation avec les pouvoirs publics, elle a souvent pris la responsabilité d'actions spectaculaires (routes barrées, mise à sac de sous-préfectures et de perceptions) en acceptant le risque de l'impopularité.
Mais les violences se sont estompées. « Plus les paysans sont minoritaires, plus ils ont besoin de l'opinion publique » estime la sociologue Nathalie Duclos. La FNSEA entreprend plutôt des opérations de communication (accueil dans des fermes d'enfants citadins, forums sur la protection des paysages), sans oublier le très médiatisé Salon de l'Agriculture. Et, préférant laisser travailler les chercheurs, elle désapprouve les actions d'arrachage de plants de maïs transgénique de José Bové et de la Confédération paysanne.

❑ ***Le déclin des syndicats.*** Les syndicats ont toujours constitué des groupes de pression actifs, et la moindre des grèves donne lieu à un rapport de préfet. L'autre grande fonction est de permettre aux syndiqués l'accès à une culture populaire et, quand il s'agit d'étrangers, de leur offrir une meilleure perspective d'intégration, donc de conquête de la citoyenneté.

Depuis une quarantaine d'années, la baisse d'influence des syndicats ne saurait être niée. Elle est liée au recul du militantisme qu'explique le triplement du niveau de vie, à la baisse régulière des adhérents dans le secteur privé où sévissent le chômage et à l'hostilité encore marquée de certains employeurs.

Dans l'Union européenne, la France présente un des plus faibles taux de syndicalisation. De 1958 à 1977, le pourcentage de syndiqués était resté à peu près stable, proche de 30 % ; en 1995, on l'estimait à 11 %. Les centrales sont contestées par un syndicalisme autonome (SUD – Solidaires, unitaires, démocratiques – s'est ainsi constitué aux PTT, grâce à des exclus de la CFDT, puis a gagné d'autres branches) et elles ne parviennent pas suffisamment à se faire les porte-parole des chômeurs.

Pourtant, le mouvement social de l'automne 1995 – le plus important depuis Mai 68 – a réveillé les syndicats, bouleversé les hiérarchies relatives des confédérations et relancé un indispensable paritarisme. Il a aussi montré les limites de la démocratie des assemblées générales. L'ampleur de la crise et la recrudescence des fermetures de sites industriels entraînent des réactions extrêmes de la part des salariés (menaces de destruction de l'usine), mais aussi des tentatives de rapprochement entre les syndicats, comme, en 2009, l'action concertée des huit plus importants d'entre eux (le « G8 »).

RÉVOLUTIONS ET MOUVEMENTS DE RUE

Révolutions et insurrections

Évoquant le Paris calme des lendemains de la chute de Louis-Philippe, Tocqueville glisse dans ses *Souvenirs* cette phrase étonnante: « Nous avons passé tant d'années en insurrections, qu'il s'est formé parmi nous une espèce de moralité particulière au désordre, et un code spécial pour les jours d'émeute. Le peuple de Paris ne pille ni ne se venge, il est trop occupé “à jouer aux grands hommes” ». De fait, la révolution de février 1848 a surpris par sa soudaineté. Et contrairement à ce qui s'est produit en 1830, où une équipe d'opposants pouvait prendre la relève, il n'est pas question de retrouver les cadres **légitimistes**. La direction du pays va donc associer les « républicains d'hier », opposants au régime de Juillet, à des « républicains du lendemain », hommes formés à la pratique des affaires de l'État et revenus discrètement après une brève absence. Ce choix est dicté par l'épisode révolutionnaire, qui se trouve également à l'origine de l'implantation définitive du **suffrage universel**, qu'aucun débat législatif, qu'aucun mouvement profond d'opinion n'avait véritablement préparée. Ce soulèvement de Paris est le dernier exemple de réaction réussie contre un régime désavoué. En effet, tant pour les journées de juin 1848 que pour la Commune, la thématique est celle de la guerre civile.

Malgré la répétition d'affrontements qualifiés souvent de « franco-français » (boulangistes contre antiboulangistes, dreyfusards contre antidreyfusards, cléricaux contre anticléricaux, etc.), les conditions de la guerre civile ne se sont retrouvées que de 1940 à 1944 (chasse aux résistants menée par la Milice, Libération et épuration), même s'il y a eu risque réel de guerre civile en mai 1958. Le 6 février 1934 n'est pas un putsch raté mais une violente explosion antiparlementaire. Et Mai 1968 ? L'analyse affinée de René Rémond distingue trois axes dans cette révolte : la critique de la société de consommation, la contestation du pouvoir (de tout pouvoir et pas seulement du pouvoir politique), la récusation du savoir. Or, à scruter les conséquences, on constate que c'est le deuxième axe qui fait surtout de 1968 une césure capitale dans notre histoire nationale. « Il n'est plus possible de diriger une collectivité, quelle qu'elle soit (entreprise, municipalité, université, tribunal) comme avant 1968 » (R. Rémond).

La rue : un lieu d'expression

Depuis la fin du XIXe siècle, la rue est le lieu d'expression de groupes sociaux revendicatifs, les ouvriers essentiellement, rejoints par les paysans dans les années 1950. Progressivement, à mesure que s'accroît son rôle économique et social, la revendication s'adresse à l'État, et doit donc être prise en compte par la politique. Au début du XXe siècle, les prophètes socialistes des « grands soirs » rêvent de l'écroulement de la société au terme d'une ultime manifestation couronnant la grève générale. Pleinement politiques aussi, les cortèges des années 1934 et 1936 qui sur les pavés parisiens dessinent les rites opposés de la manifestation de gauche, poings levés de la Bastille à la République, des foules du Front populaire, et de la manifestation de droite, bras tendus des Ligues, de la statue de Jeanne d'Arc au soldat inconnu de l'Arc de Triomphe. La gauche perpétuait alors une ancienne tradition. La manifestation, souvent à l'occasion des obsèques d'un opposant républicain dans la première moitié du XIXe siècle, était protestation morale et sursaut du peuple contre l'oligarchie gouvernante. Cette forme d'occupation de la rue est vivante jusqu'aux années 1968. Plus tard, la manifestation devient plus catégorielle. Elle refuse souvent de se situer dans l'ordre du politique, même si les politiciens tentent de la « récupérer ». Fait exceptionnel, il peut s'agir d'une intense manifestation de joie et de fierté collectives : ainsi, l'invasion de la foule sur les Champs-Élysées le soir de la victoire de la France en Coupe du Monde de football (juillet 1998) est donnée pour un signe de plus forte cohésion nationale.

La rue a été choisie tant pour les manifestations du printemps 1984 pour la défense de l'école privée – un million de personnes, à Paris, le 24 juin, et, à court terme, la démission du gouvernement Mauroy – que pour le grand rassemblement de Paris (16 janvier 1994) en faveur de l'enseignement public, suite à la révision de la loi Falloux finalement annulée. De même, étudiants et/ou lycéens ont défilé en 1986 (loi Devaquet), en 1990, 1994 (contrat d'insertion professionnelle ou CIP), 2006 (contrat première embauche ou CPE), 2008-2009 (loi Pécresse). En 1990, les parlementaires n'ont que médiocrement apprécié que le dialogue fût directement noué entre le ministère et les délégués lycéens pour mettre en place un plan d'ensemble de rénovation, assorti d'un budget conséquent.

Des revendications professionnelles peuvent aussi s'extérioriser en prenant un tour plus ou moins violent. On citera le blocage des routes par les chauffeurs de poids lourds mécontents de la mise en place du permis à points (juillet 1992), ou la manifestation des marins-pêcheurs tournant à l'émeute (février 1994), au moment de la visite du Premier ministre à Rennes, en pleine crise de la pêche. L'inefficacité des relais naturels et l'affaiblissement du Parlement expliqueraient-ils la fréquence de ce recours à l'expression dans la rue ?

Les « gilets jaunes » dans la rue

Le 17 novembre 2018, un vaste mouvement de protestation s'empare des ronds-points et manifeste dans de nombreuses villes de province et à Paris. Les deux raisons initiales de cette colère sont la hausse des taxes sur les carburants et la vitesse limitée à 80 km/h. L'importance de la mobilisation surprend. Très vite, on mesure le désarroi social des gilets jaunes : femmes seules avec enfants à charge, salariés précaires, salariés tributaires de leur voiture, jeunes diplômés sans emploi, retraités modestes... Des leaders apparaissent mais refusent d'être des porte-paroles ; les déplacements sont organisés par des messages sur *Facebook* ou *Twitter* ; chaque samedi va correspondre à un « Acte » numéroté. Les cortèges en milieu urbain sont infiltrés par des black blocs qui accentuent les affrontements, les dégradations et les pillages, entraînant avec eux les gilets jaunes les plus extrémistes (Bordeaux, Saint-Étienne) ; à Paris, des scènes d'émeutes se déroulent les 1er (saccage de l'Arc-de-Triomphe) et 8 décembre, et le 16 mars 2019. On observe un net contraste entre l'atmosphère de ces violences – devant lesquelles les forces de l'ordre sont parfois démunies – et la solide détermination des occupants des ronds-points, qui disent retrouver le sens de la solidarité (certains ont passé sur place les nuits de Noël et du jour de l'An). L'opinion apporte longtemps son soutien au mouvement, tandis que le monde politique reste prudent, se méfiant des reproches de récupération (le RN et LFI seront les premiers à se tourner vers les « gilets »). Pourtant, certaines revendications égalitaristes (référendum d'initiative citoyenne ou RIC, rétablissement de l'ISF), absentes au départ, paraissent le fruit d'influences extérieures.
Les médias ne connaissent pas de repos : éditorialistes, sociologues, politistes, géographes, politologues, bien sûr, se succèdent sur les antennes, et notamment sur les

plateaux des chaînes d'information continue. Les réseaux sociaux, d'où est né le mouvement, sont en constante activité. La réponse du Président et du gouvernement vient avec retard : des milliards sont annoncés, ainsi que l'organisation d'un « Grand débat » national.

Les analyses du phénomène insistent sur le décrochage social d'une partie de la population, avec la paupérisation des classes moyennes « inférieures ». Les thèses de Christophe Guilluy (métropoles contre périphéries) sont reprises à l'envi. Les chercheurs en sciences sociales connaissaient depuis longtemps ces explications, les politiques avisés aussi (voir l'article de Jean-Louis Borloo en 1995, p. 118). Comme le résume Dominique Reynié, à la fois politologue et homme politique, « le mouvement initial des gilets jaunes est né d'inégalités territoriales, combinées à une politique fiscale et réglementaire jugée punitive ».

Au fil des mois, le nombre de manifestants décroît, mais le mouvement, par nature insatiable, ne paraît pas stoppé. La société ressent un traumatisme, des polémiques enflent au sujet de l'emploi d'armes de défense non létales par la police et les CRS. En avril, E. Macron annonce un plan d'action que le Premier ministre est chargé de mettre en œuvre. Pour l'Élysée, le quinquennat se révèle plus compliqué que prévu.

L'INFORMATION

Les gouvernants et l'information

Jusqu'à la IIIe République, mise à part la brève explosion de 1848, le pouvoir s'est ingénié à contrôler étroitement la presse. La loi de 1881 fonde sa liberté à peu près complète. Cependant les gouvernants ont besoin de recevoir et de transmettre de l'information. La propagande politique était particulièrement bien maîtrisée par Napoléon III (et déjà par son oncle). Elle se fondait à l'époque sur la presse et sur de nombreux voyages en province. Les régimes parlementaires ont mis au point le système de la déclaration gouvernementale devant l'Assemblée, des questions pouvant être posées. Mais, sous la IIIe République, une évolution se fait jour avec la promotion du journalisme parlementaire, la présence rituelle de journalistes dans le cabinet du **président du Conseil**, et avec des innovations, telle celle de Doumergue s'adressant plusieurs fois au pays, à la radio, pour exposer ses projets de réforme.

Dès la Libération – mais Vichy n'avait pas négligé ce média –, on observe un regain de l'affiche. La radio et la télévision relaient l'information politique. Mais c'est de Gaulle, après son retour en 1958, qui fait de la télévision l'outil privilégié du pouvoir.

Il y ajoute le procédé anglo-saxon de la conférence de presse, avec son rituel : la présence des ministres réunis près du **chef de l'État**, et parmi un parterre de journalistes, quelques *happy few* invités à poser leurs questions. Ces conférences de presse, qui sont tenues deux fois par an, sont parfois l'occasion de loger des formules ironiques mais aussi d'indiquer des options inédites (comme le **référendum** sur l'Europe annoncé par G. Pompidou en mars 1972). Elles seront conservées par tous les successeurs.

Les responsables gaullistes ont exercé sur les médias audiovisuels une attentive surveillance, un peu relâchée au début du septennat de G. Pompidou. Michel Péricard admet: « Jusqu'en 1969, les consignes, cela a existé ; il suffisait qu'un ministre ou son directeur de cabinet décroche son téléphone pour qu'on s'incline ». Révélatrice également est l'attention portée par l'État à l'Agence France Presse. Enfin, depuis 1982, l'audiovisuel dépend d'une « autorité administrative indépendante », renouvelée pour cause de changement de majorité en 1986 et 1988 ; c'est actuellement le Conseil supérieur de l'audiovisuel (CSA).

Globalement, les hommes politiques ne sont pas amènes à l'égard de la presse, souvent accusée de déformer leurs propos. De Gaulle s'en prenait à « tout ce qui grouille, grenouille et scribouille » ; F. Mitterrand, lors d'une conférence de presse de juin 1982, ajoute : « Je ne définis pas la politique de la France à la lecture matinale des journaux quotidiens [...] ni même vespérale » (cette dernière pointe visant *Le Monde*) et aux obsèques de P. Bérégovoy, il s'en prend violemment aux journalistes ; et J. Chirac, en mai 1986, mécontent de leurs « commentaires trop systématiquement excessifs et déformateurs », invite les journalistes de la télévision « à se reprendre ».

La Ve République coïncide aussi avec l'avènement des conseillers en communication qui dessinent les images publiques des hommes politiques en utilisant les techniques des publicitaires. Sur ce nouveau marché ce sont plus les apparences que les idées qui font recette. La sacralisation audiovisuelle des hommes politiques risque alors de désacraliser le débat démocratique.

Cette évolution est d'autant plus préoccupante qu'elle est parallèle à la crise de la presse politique d'opinion. Seul le Parti communiste dispose encore d'un quotidien national, *L'Humanité*, dont – évolution logique – des fonds privés assurent la parution.

Soit courtisé, soit rabroué, le journaliste admet les risques de son métier. Le grand public, donc le citoyen, n'est pas sans partager quelques idées reçues et ne manifeste guère d'indulgence à son égard. À la question de la Sofres (octobre 1988) : « Croyez-vous que les journalistes sont indépendants, c'est-à-dire qu'ils résistent aux pressions des partis politiques, du pouvoir ou de l'argent ? », 59 % des réponses concluaient « non, ils ne sont pas indépendants ». Vingt ans plus tard (décembre 2009), sur ce même manque d'indépendance, le Baromètre TNS-Cevipof enregistre un taux de 66 %. Les journalistes politiques disent aussi ressentir ce discrédit.

La presse

De 1815 à 1876 – mis à part les débuts de la IIe République – les régimes voient dans la presse un danger de déstabilisation qu'ils s'efforcent de contrôler par un arsenal de mesures : l'autorisation préalable, la censure et le cautionnement sous la Restauration. Le Second Empire, lui, pratique la menace avec l'autorisation préalable et l'avertissement, mais aussi la flatterie sélective, en distribuant annonces judiciaires et communiqués gouvernementaux, qui sont des sources appréciables de revenus.

Ces contraintes ne sont pas forcément négatives. Rémusat note à ce propos : « Le temps de la Restauration a été singulièrement favorable à la presse, peut-être parce que, plutôt combattue qu'opprimée, celle-ci a été forcée à la prudence et à l'habileté. Jamais les opinions libérales n'ont été, plus que sous la Restauration, obligées de se réduire à ce qu'elles ont d'inattaquable et de fondamental […] ainsi condensées, elles n'en étaient pas moins fortes». Et, malgré les «années de silence» de la première partie du règne de Napoléon III, Prévost-Paradol peut prétendre en 1868 que «l'usage de la presse périodique est si profondément entré dans les mœurs des peuples modernes et particulièrement de la France, qu'il n'est plus au pouvoir d'aucun gouvernement ni d'aucune révolution de l'anéantir».

Grâce à la loi du 27 juillet 1881, la presse découvre les conditions d'une véritable indépendance à l'égard de l'État. Elle se met à prospérer. C'est le cas du *Petit Journal* – premier quotidien de la «presse populaire» à cinq centimes, lancé en 1863 – qui dépasse le million d'exemplaires en 1900. Il mêle le fait quotidien, le sensationnel et le commentaire politique simple. Il prend violemment parti contre Dreyfus et la révision de son procès, mais en stigmatisant en lui l'étranger (le «Prussien» Dreyfus, le «Teuton» Dreyfus) et sans faire appel aux pulsions antisémites. Son *Supplément illustré* hebdomadaire, comprenant deux dessins en couleur pleine page, évoque souvent la politique extérieure. Dans son ensemble, la presse a joué un rôle majeur au moment de l'affaire Dreyfus.

Les concurrents du *Petit Journal*, en 1914 sont *Le Petit Parisien*, *Le Matin* et *Le Journal*. D'autres feuilles, au tirage plus modeste, reflètent davantage les opinions politiques: la droite conservatrice et modérée (*Le Figaro*, *Le Temps*), le monde catholique (*La Croix*), l'extrême droite royaliste (*L'Action française*), le mouvement socialiste (*L'Humanité*), etc. La presse de province se développe également: à Toulouse *La Dépêche*, à Lyon *Le Progrès*, à Rennes *L'Ouest-Éclair*… Il existe aussi une presse satirique redoutable, que représente bien *L'Assiette au beurre*, qui utilise le dessin politique jusqu'aux limites de la violence graphique, ainsi qu'une presse libertaire, marginale mais active. La puissance de la presse existe donc, financière, politique; elle se marque aussi par une influence diffuse ou par des coups de tonnerre clôturant des «campagnes de presse» féroces (affaire Calmette-Caillaux en 1914, suicide de Roger Salengro, ministre de l'Intérieur en 1936…).

À la Libération, journaux et radios de la France occupée sont éliminés. Que de places à prendre ! F. Giroud parle des «noires margoulinades autour des attributions de papier» et des «marchandages politiques autour de la date fixée pour le sabordage des journaux qui avaient paru pendant la guerre». Car ceux qui avaient refusé de paraître après l'invasion de la zone sud (novembre 1942) peuvent reprendre leur place. L'ordonnance sur la presse du 24 août 1944 fixe les règles et le célèbre article 9 interdit à la même personne d'être directeur de plus d'un quotidien, principe qui connaîtra plus d'une entorse lors notamment de l'extension progressive de l'«Empire Hersant».

Aujourd'hui, les journaux qui peuvent influencer le débat politique ne sont pas nombreux: *Le Figaro*, *La Croix*, *Libération*, *Le Monde*, titres nationaux, auxquels s'ajoutent quelques grands noms de la presse régionale, notamment *Ouest-France*, *Sud-Ouest*, *L'Est républicain*, *Les Dernières Nouvelles d'Alsace*, *Le Progrès* (et ses éditions départementales). Et, pour les hebdomadaires, outre la feuille satirique *Le Canard enchaîné*, les quatre majeurs: *L'Express*, *Le Point*, *Le Nouvel Observateur* (devenu *L'Obs*) et *Marianne* (qui a succédé à *L'Événement du Jeudi*). La presse écrite est maintenant très souvent associée à des stations de radio et à des chaînes de télévision, pour des émissions régulières («Club de la presse») ou des opérations ponctuelles d'envergure au moment des consultations électorales majeures (opérations «estimation» et débats entre responsables politiques lors des soirées de résultats.). Mais il existe une crise de la presse quotidienne, dont les ventes sont en baisse régulière. Les causes en sont la concurrence d'Internet et de l'information en ligne, les journaux gratuits, le vieillissement du lectorat aussi. Pour établir un plan de sauvetage, des États généraux de la presse se sont tenus à l'automne 2008.

Radio et télévision

La radio pénètre dans l'espace politique à partir des années 1930-1934 surtout, et induit une perception différente des problèmes nationaux et internationaux. En septembre 1938, de l'inquiétude entretenue par les discours radiodiffusés d'Hitler sur la question sudète – que les Français écoutent sans les comprendre – et de l'annonce plus dramatique sur les ondes de la mobilisation partielle est sortie une bonne part du «lâche soulagement» éprouvé après la conclusion des accords de Munich. On connaît bien le rôle joué pendant la guerre par la radio de la France libre, pour réfuter les thèmes de la propagande de Vichy, pour distribuer des messages codés aux résistants, pour entretenir l'espoir. Dans l'autre camp, à Radio-Paris, un journaliste enflammé, l'ancien député Philippe Henriot, se fait le porte-parole de la collaboration la plus soumise.

En 1954-1955, Pierre Mendès France présente à la radio ses «causeries au coin du feu» dans un style voisin de celui du Roosevelt du *«New Deal»*. Par ailleurs, depuis 1946, les relations entre la presse écrite et la radio s'entretiennent à travers la «tribune des journalistes parlementaires», qui expérimente la formule neuve du débat radiophonique. Sans doute insuffisamment préparés, les hommes politiques n'y participent pas. La tribune disparaît en 1963, quand précisément l'influence de l'Assemblée nationale s'estompe quelque peu. La télévision prend le relais; en 1966, l'émission *Face à face* réunit deux hommes politiques ou un homme politique et un groupe de journalistes. De 1974 à 1981, de nouveaux titres obtiennent une forte audience: *Cartes sur table*, le *Grand débat*; après 2000, *À vous de juger*, *L'Émission politique* (France 2).

Dés 1949, un journal télévisé rudimentaire diffuse l'information par l'image. L'État garde longtemps le contrôle de ce média, comme celui de la radio nationale. À la RTF, succède, en 1964, l'ORTF, puis, en 1974, une réforme crée six sociétés nationales. Ensuite, l'apparition de chaînes privées (TFI, Canal Plus, La Cinq, M6) élargit le champ de la compétition. Les médias audiovisuels passent pour détenir un pouvoir supérieur de conviction. Ils ont à coup sûr modifié – en même temps que les sondages – les conditions générales des élections; par les interventions strictement minutées, à raison de deux ou trois par soirée, de la kyrielle des candidats à l'Élysée, par les exposés des leaders des principales formations – les petites n'ayant droit qu'aux miettes de l'horaire – lors des législatives, par les grandes orchestrations des municipales, par les nombreux débats dont ceux qui opposent maintenant rituellement, à la veille du second tour, les deux candidats rescapés des élections présidentielles. La médiatisation des responsables politiques tient, pour une part non négligeable, à des émissions qui accentuent la proximité. Avec *Questions à domicile*, le téléspectateur s'introduisait, avec un zeste de voyeurisme, dans l'appartement des « princes qui nous gouvernent ». À l'*Heure de vérité*, il s'agit de convaincre et le verdict tombe en fin d'émission ; combien de personnes ont une « très bonne » ou une « bonne » opinion de l'invité ? (Le champion reste depuis 1988, avec 93 % d'avis favorables, le professeur Léon Schwarzenberg, ancien ministre du deuxième gouvernement Rocard et vedette de la société civile). Quel homme politique, quelle femme politique aurait décliné une invitation d'Anne Sinclair à « 7 sur 7 » ? En comparaison, le citoyen risque d'éprouver quelque déception en suivant des séances de questions d'actualités retransmises depuis l'Assemblée le mercredi. Car les élus ne manifestent pas toujours une entière sérénité, ou bien la faible occupation de l'hémicycle ne manque pas de générer des reproches indignés d'absentéisme.

La souriante dérision du *Bébête show* n'est pas susceptible de donner une idée défavorable des responsables politiques. Plus sophistiquée, l'émission des *Guignols de l'Info*, sur Canal Plus, a déjà fait l'objet d'analyses fouillées ; certains font observer qu'elle a été très négative pour les personnes de V. Giscard d'Estaing et d'Édith Cresson, mais que, malgré la charge, elle a donné une image sympathique de J. Chirac, sans que l'on puisse établir la moindre relation avec le comportement électoral des téléspectateurs. Mais la pratique télévisuelle courante ne contribue-t-elle pas à « fabriquer » des vedettes ? Cette idée, colportée par les journalistes, n'est pas recevable sans examen. Le sociologue Dominique Wolton estime que les médias les plus pénétrants révèlent le phénomène et ne le créent pas comme c'est le cas pour J.-M. Le Pen. Il n'empêche que l'« hypermédiatisation » pousse les hommes politiques à modifier leur comportement (discours plus bref et plus direct, attention plus grande réservée aux gestes). On ne doit pas s'étonner de retrouver une corrélation entre certaines apparitions télévisées des ténors politiques et des sondages consécutifs.

D'ailleurs, à la différence de la presse, qui implique de la part du citoyen un effort d'information et d'analyse, la télévision n'est pas un contrepouvoir, mais un pouvoir de plein exercice ; elle est, dit le philosophe Marchel Gauchet, « le média de gens plutôt dépolitisés, spectateurs plus qu'acteurs de la vie sociale, le média type d'une démocratie installée dans le scepticisme ».

En 1985, J.-M. Domenach écrivait : « Désormais, en France, la politique se fait à la télévision ». Celle des chaînes publiques et privées et, plus récemment, des chaînes parlementaires (LCP et Public Sénat), nées en 2000. Il existe, en 2019, quatre chaînes d'information en continu, dont l'audience n'a cessé de croître (BFMTV, CNews, LCI et France Info). Pourtant la radio est très présente, surtout par les « matinales » (France Inter, RTL, RMC...), dans lesquelles des chroniqueurs souvent iconoclastes commentent sans répit la politique. Mais la télévision a découvert son plus dangereux concurrent : Internet.

Le phénomène Internet

De nombreux sites, dont ceux des formations politiques, permettent d'accéder à une masse d' informations. Mais la principale révolution est celle des blogs. La référence est donnée par la campagne précédant le référendum sur la Constitution européenne de mai

2005. Car on estime que c'est d'abord sur le Web que le non l'a emporté, précédant le résultat des urnes; des particuliers et des associations, s'élevant contre une « propagande » officielle en faveur du oui, ont fédéré sur leurs blogs bon nombre de mécontentements et de craintes de l'Europe.

Le changement est instantané: les politiques ouvrent leur blog, se glissent dans le réseau Facebook et bientôt se racontent sur Twitter. Cette dernière technologie – mise à la mode par la campagne fulgurante de Barack Obama en 2008 – permet une information ascendante et interactive. Les sites institutionnels paraissent dépassés. Le Gouvernement joue le jeu; aux sites Internet de service public (impôts, conseils pour des voyages à l'étranger) s'ajoute le site Proxima mobile (accessible par smartphone) qui délivre des informations pratiques (covoiturage, services à la personne, etc.). En 2006-2007, le site « Désirs d'avenir » avait beaucoup aidé la candidate S. Royal. Les nouveaux sites seront plus performants encore.

Cette irruption récente du web a généré une initiative spécifique de la Bibliothèque nationale de France. De même qu'elle collectait les matériaux imprimés des grandes campagnes électorales, elle assure depuis 2002 la collecte des sites Web des élections importantes (présidentielles, législatives, européennes, régionales). D'une part ceux des candidats en campagne et des organisations politiques concernées, d'autre part un échantillonnage de sites de la société civile et des médias qui ont suivi ces scrutins. Par exemple, pour 2007, près de 6000 sites ont été collectés. Le tout formera un corpus inestimable pour les chercheurs.

Les sondages

L'Institut français d'opinion publique (IFOP), fondé en 1938 est le doyen des organismes spécialisés. Il a très utilement donné aux gouvernements de la Libération et de la période de reconstruction des informations précieuses. Parmi les questions posées au citoyen ou à la ménagère: « Êtes-vous partisan d'un régime d'économie libérale ou d'économie dirigée ? » (décembre 1944 – les réponses s'équilibrent exactement), « Croyez-vous que pour remettre en marche l'économie française, il est nécessaire que le gouvernement ait un Plan ? » (février 1946 – 80 % de oui pour le Plan), « Quel est l'ordre d'urgence des importations alimentaires ? » (septembre-octobre 1944 – 40 % pour le chocolat et 38 % pour le café).

En 1965, l'IFOP a prévu la mise en ballottage de de Gaulle. Depuis cette date, les cabinets d'études et de marketing se sont multipliés, les demandeurs politiques aussi (partis, responsables des campagnes des candidats, journaux...). Les journalistes aguerris ne cachent pas leur admiration; ainsi Jacques Fauvet après le premier tour des élections présidentielles de 1974: « D'une élection à l'autre, on admire la technique et la réussite des sondages. Puis on s'inquiète. On en vient même à douter de la nécessité du suffrage universel et du gouvernement démocratique ». Mais, en 1978, les sondages avaient annoncé une victoire de la gauche, et les transferts qui se sont produits la veille et le matin du premier tour ont profité à la majorité sortante pour 3 % environ des votes.

Aux législatives de 1993, le verdict du scrutin n'a pas non plus confirmé les exaltantes espérances des Verts nées des sondages. Toutefois, la très longue campagne pour les présidentielles de 1995 a bien traduit, au plan des sondages, et avec tous les ralliements et calculs que les chiffres pouvaient générer, l'exceptionnelle position du Premier ministre É. Balladur – un moment compromise au plus fort de « l'effet Delors » –, puis l'indiscutable retour de J. Chirac. Par contre, en 2002, les derniers sondages ne soulignaient pas nettement la possibilité pour J.-M. Le Pen de dépasser L. Jospin.

La loi de juillet 1977 interdit la publication des sondages pré-électoraux et leurs commentaires moins d'une semaine avant un scrutin. Mais, puisque la production de sondage n'est pas interdite, on imagine que des groupes pourraient payer des informations et disposer d'un monopole.

Les experts ont beau réaffirmer constamment que les sondages n'indiquent que des *intentions de vote*, chacun semble les recevoir comme des *prédictions*. Voilà la contradiction : « Ils ne sont que des instruments du présent, c'est leur valeur prédictive qui intéresse tout le monde » (D. Wolton). Les publications de sondages sont l'apparence des choses.

Mais, quoi qu'il en soit, une élection n'est plus un moment ponctuel de la rivalité démocratique. Elle paraît plutôt « le point final et conclusif d'une courbe de sondages » (P. Champagne). Et ce sont souvent les médias eux mêmes qui ont donné le départ de cette longue course. Un des effets du quinquennat a été d'augmenter la fréquence des sondages, dont les citoyens se disent souvent saturés.

Pour aller plus loin :

Andolfatto (Dominique) et Labbé (Dominique), *Histoire des syndicats en France (1906-2006)*, coll. « XXe siècle », Seuil, 2006.

Bantigny (Ludivine), *1968 (De grands soirs en petits matins)*, Seuil, 2018.

Caron (Jean-Claude), *Frères de sang. La guerre civile en France au XIXe siècle*, Champ Vallon, 2009.

Charle (Christophe), *Le siècle de la presse. 1830-1939*, coll. « L'Univers historique », Seuil, 2004.

Cohen (Denis) et Staraselski (Valère), *Un siècle de « Vie ouvrière »*, Le Cherche Midi, 2009.

Delporte (Christian), *La France dans les yeux. Une histoire de la communication politique de 1930 à nos jours*, Flammarion, 2007.

Duhamel (Alain), *Une histoire personnelle de la Ve République*, Plon, 2014.

Duhamel (Olivier) et Jaffré (Jérôme), *L'état de l'opinion* – Sofres, un volume annuel depuis 1984, Gallimard de 1984 à 1986, puis Seuil depuis 1987.

Jeanneney (Jean-Noël), *Une histoire des médias*, Seuil, 1995.

Milot (Grégoire), *La politique s'affiche*, éditions de Borée, Clermont-Ferrand, 2019.

Monod (Jean-Claude) *et alii*, *Le fond de l'air est jaune (Comprendre une révolte inédite)*, Seuil, 2019.

Rougerie (Jacques), *La Commune et les Communards*, édition revue, coll. « Folio Histoire », Gallimard, 2018.

Souillac (Romain), *Le mouvement Poujade. De la défense professionnelle au populisme nationaliste (1953-1962)*, Presses de Sciences Po, 2007.

Wolton (Dominique), *Penser l'information*, coll. « Champs », Flammarion, 1998.

CFDT : 50 ans (par un collectif), Le Cherche Midi, 2015.

Documents

1 – Les syndicats : chronologie

1884 : (mars) reconnaissance légale des syndicats.

1895 : (septembre) création, à Limoges, de la CGT.

1906 : charte d'Amiens.

1908 : à Villeneuve-Saint-Georges, Clemenceau fait tirer sur les ouvriers. Dure répression contre la CGT.

1909 : Léon Jouhaux devient secrétaire général de la CGT.

1912 : (décembre) la CGT lance une grande campagne contre le service militaire de trois ans.

1919-1920 : nombreuses grèves de masse en France, notamment chez les cheminots.

1919 : (mars et avril) lois sur les conventions collectives et la journée de travail de huit heures. (novembre) Congrès constitutif de la Confédération française des travailleurs chrétiens (CFTC).

1922 : (juillet) à Saint-Étienne, les syndicalistes révolutionnaires de la CGT font scission et créent la Confédération générale du travail unitaire.

1934 : (9 et 12 février) les militants de la CGTU et de la CGT, du PCF et de la SFIO retrouvent une cohésion pour dénoncer le fascisme.

1936 : (mars) congrès de Toulouse : réunification syndicale au sein de la CGT (la CGTU disparaît). (juin) Grèves et occupations d'usines. Les « accords Matignon » représentent un succès ouvrier.

1938 : (30 novembre) échec d'une grève générale déclenchée contre le gouvernement Daladier.

1940 : (9 novembre) dissolution de la CGT et de la CFTC.

1941 : (mai) grève des mineurs du Nord et du Pas-de-Calais.

1941-1944 : des chefs et des militants syndicalistes de la CGT (dont B. Frachon, H. Krazucki) et de la CFTC (comme le secrétaire général G. Tessier) participent à la Résistance.

1944 : (18 août) la CGT et la CFTC donnent l'ordre de grève générale pour la libération.

1945 : (30 octobre) création à Paris de la Fédération syndicale mondiale (FSM).

1945-1946 : acquis sociaux importants (Sécurité sociale, relèvements de salaires, comités d'entreprise, statuts des mineurs et des fonctionnaires).

1947 : (novembre-décembre) grèves généralisées en France.

1948 : (13 avril) création de la CGT-Force ouvrière.

1953 : (août) grèves généralisées contre les mesures du gouvernement Laniel.

1964 : (novembre) la CFTC abandonne toute référence confessionnelle et devient la Confédération française démocratique du travail. Les minoritaires restent à la CFTC maintenue.

1967 : G. Séguy succède à B. Frachon au secrétariat général de la CGT.

1971 : au secrétariat général de la CFDT, E. Maire remplace E. Descamps.

1982 : aucun défilé unitaire du 1er mai, malgré l'existence d'un gouvernement constitué de socialistes et de communistes.

1986 : ayant pris ses distances avec la gauche, la CFDT ne donne pas de consigne de vote pour les élections législatives.

1988-1992 : succédant à E. Maire, Jean Kaspar est secrétaire général de la CFDT ; puis, il est écarté au profit de Nicole Notat.

1989 : après un exceptionnel mandat d'un quart de siècle comme secrétaire général de Force ouvrière, André Bergeron est remplacé par Marc Blondel.

1992 : secrétaire général de la CGT depuis 1982, Henri Krasucki laisse la place à Louis Viannet.

1995 : la CGT quitte la Fédération syndicale mondiale, dernier bastion du communisme. À l'occasion des grèves de l'automne, gestes de réconciliation entre la CGT et FO.

2002 : François Chérèque prend les rênes de la CFDT.

2004-2018 : Jean-Claude Mailly est secrétaire général de FO. Yves Veyrier lui succède.

2012 : Laurent Berger est élu secrétaire général de la CFDT.

2015 : Philippe Martinez est élu secrétaire général de la CGT.

2 – Les révolutions parisiennes du XIXe siècle et la nation

Sur la fin des insurrections parisiennes, l'analyse un brin ironique du politologue Guy Hermet.

En 1814 et 1815, Bonaparte cède la place à la monarchie restaurée par des armées qui présentent l'inconvénient d'être étrangères (étant entendu qu'une grande partie de la population, exténuée par l'état de guerre permanent, la plébiscite, mais au figuré seulement). L'accalmie dure peu. À nouveau, l'effervescence des rues parisiennes ébranle la France en 1830, en 1848 et en 1849. Une fois de plus, elle fournit l'essentiel de la légitimité dont le personnel politique se réclame pour trancher des changements de régime ou, comme en 1849, de leur inflexion. Cela en attendant 1851, quand le coup d'état de Louis-Napoléon Bonaparte ressuscite l'autre vecteur – militaire – de l'alternance extra-électorale. En 1871, enfin, la vaste fraction émeutière du peuple de Paris mène sa dernière charge pour forcer un nouveau changement.

Mais il apparaît alors que l'heure a tourné. Les gouvernants ont perdu leur complaisance face à l'insurrection des rues, qu'il s'agisse pour eux de céder devant elle ou de la mettre à profit pour accaparer les rênes de l'État. Ils écrasent la Commune insurgée et scandalisée de ne pouvoir imposer une fois de plus son diktat à la France (ses zélateurs ne s'en sont toujours pas remis). Désormais, ils préfèrent lier leur sort au verdict des urnes. […]

À juste titre, la classe politique pressent qu'elle répond de cette façon à la volonté de quelques millions de Français plutôt qu'à celle de quelques milliers de Parisiens. Ce revirement doit, à ses yeux, conforter sa légitimité. Elle n'a pas tort. La masse de la population est lasse de se donner généreusement mais avec trop de présomption en spectacle à l'univers. Elle aspire à la quiétude électorale. La deuxième révolution est faite : celle des urnes contre la rue.

Guy Hermet, *Le peuple contre la démocratie*, coll. « L'espace du politique », Fayard, 1989.

3 – Mai-juin 1968 : chronologie

3 mai : la police intervient dans la cour de la Sorbonne.

6 mai : violences au Quartier latin.

10-11 mai : nuit des barricades.

13 mai : grève générale. Manifestations dans toute la France.

14 mai : grève et occupation de Sud-Aviation.

15 mai : grève et occupation de Renault (Cléon).

16 mai : la grève se généralise chez Renault, dans la région de Rouen, de Nantes, autour de Paris.

17 mai : début de la grève à la SNCF, à la RATP, aux PTT.

22 mai : le Parlement refuse la motion de censure.

24 mai : de Gaulle annonce un référendum. Manifestations de la CGT. Manifestations étudiantes violentes dans la nuit, à Paris (barricades) et en province.

25 mai : début des négociations de Grenelle.

27 mai : Renault poursuit la grève. Meeting de Charléty, le soir.

28 mai : conférence de presse de François Mitterrand.

29 mai : « disparition » du général de Gaulle. Manifestation CGT. Appel d'Eugène Descamps à Pierre Mendès France. Communiqué de celui-ci.

30 mai : discours de de Gaulle qui dissout l'Assemblée. Manifestation de soutien à de Gaulle aux Champs-Élysées.

1-2 juin : week-end de Pentecôte. L'essence est redistribuée.

5 juin : début de reprise aux PTT, à la SNCF, à la RATP.

6 juin : les CRS font évacuer l'usine Renault de Flins.

10 juin : reprise générale dans les services publics. Mort de Gilles Tautin près de Flins.

11 juin : évacuation de Peugeot à Sochaux. Affrontements. Deux morts. Réoccupation de Flins par les grévistes.

18 juin : reprise du travail chez Renault.

23 juin : premier tour des élections législatives.

D'après A. Prost, « Les grèves de mai-juin 1968 », *L'Histoire*, n° 110, avril 1988.

4 – La loi, c'est moi !

L'historien et journaliste Jacques Julliard établit un lien entre l'accumulation de mouvements protestataires et l'influence des idéologies les plus marquantes du second XXe siècle.

Voici des camionneurs qui au lieu de camionner organisent le blocus pétrolier de la France. Voici des marins-pêcheurs qui au lieu de pêcher bloquent les ports du littoral. Voici des paysans qui au lieu de cultiver la terre interdisent l'accès aux autoroutes [...]. Et dans un ordre différent, des jeunes des banlieues qui ferment « leur » territoire aux pompiers et aux médecins. Des chasseurs qui défient la réglementation. Des intellectuels qui par voie de manifeste se vantent de transgresser la loi. Des « nationalistes » corses qui font sauter les postes et les sous-préfectures. J'arrête ici ma liste. Ce que je mets ici en cause n'est pas le bien-fondé de la revendication, mais la forme de la lutte qui implique chaque fois une violation flagrante et délibérée de la loi. Tout cela se passe dans une impunité à peu près totale, car l'État n'ose plus faire respecter la loi face aux intérêts particuliers. Mieux : il cède régulièrement à tous les chantages. Dans la société moderne, nul n'est censé respecter la loi, s'il a pris la précaution de s'organiser en groupe de pression et de se déclarer « en colère ». Sous le régime de l'individualisme catégoriel, l'intérêt particulier est sacré. Seul l'intérêt général a des comptes à rendre. Nous sommes, remarquait récemment Alain-Gérard Slama (*Le Figaro*, 1er septembre 2000), aux antipodes des Lumières : *« De tous côtés, les droits particuliers sont préférés à l'intérêt général, la communauté à l'individu, l'expérience à la raison, l'héritage à la volonté, le local au national, les féodalités à l'État. »* [...]

Nous assistons, depuis une quarantaine d'années, à un déclin continu du règne de la loi au profit de celui de la force. Marxisme et libéralisme, les deux idéologies dominantes de la période, ont conjugué leurs efforts pour aboutir à cette régression.

Le marxisme en martelant que les intérêts mènent le monde et que le pouvoir échoit aux intérêts dominants. [...] La loi ? La loi est un leurre, un attrape-nigaud destiné à inculquer aux faibles le respect des forts. Foin donc de la démocratie formelle, foin de la loi, simple expression du rapport de force entre les classes ! [...]

Tandis que les libéraux étaient des gens sérieux. Ils se sont bien gardés d'attaquer formellement la loi. Ils se sont contentés de s'asseoir dessus, et de substituer à la philosophie démocratique de l'égalité par la loi un darwinisme social fondé sur la sélection naturelle. La seule loi qu'ils respectent est celle de la jungle. La plupart des transgressions que j'ai décrites en commençant sont le fait de catégories que la sélection sociale voue à l'extinction [...].

Jacques Julliard, chronique dans *Le Nouvel Observateur*, 7-13 septembre 2000.

5 – Médias audiovisuels et politique

1925 : J. Caillaux recourt à la TSF pour lancer un emprunt d'État.

1932 : première utilisation de la radio pour des élections législatives.

1934 : plusieurs interventions radiodiffusées de Doumergue, sur le thème du renforcement de l'exécutif, déplaisent aux députés qui critiquent l'appel à l'opinion par-dessus leurs têtes.

1936 : (5 juin) Blum s'adresse à la nation, par radio, pour annoncer les mesures qu'il proposera aux Chambres.

1940 : (18 juin) appel du général de Gaulle.

1940-1944 : rôle capital des émissions de la France libre, depuis Londres ou depuis Alger.

1953 : (décembre) les treize tours de scrutin nécessaires à l'élection de R. Coty, suivis par la télévision, ne donnent pas au public une idée flatteuse de leurs élus.

1955-1956 : la télévision pour la première fois joue un rôle dans la campagne des législatives.

1956 : G. Mollet, le premier, fait exercer un contrôle sur les informations télévisées.

1959 : la réforme place la RTF sous l'autorité hiérarchique directe du ministre de l'Information.

1961 : (avril) au moment du putsch des généraux en Algérie, les discours du général de Gaulle invitant à l'obéissance et à la fermeté parviennent, grâce aux transistors, aux appelés du contingent.

1962-1966 : A. Peyrefitte étant ministre de l'Information, la télévision « devient une composante organique du gaullisme comme régime » (S. Blum).

1968 : (février) émission inédite : Radio-Luxembourg retransmet, depuis Clermont-Ferrand, un débat technique sur l'économie de l'Europe, entre V. Giscard d'Estaing et F. Mitterrand.

1968 : importance de la « couverture » audiovisuelle des événements de mai-juin.

1969-1972 : J. Chaban-Delmas libéralise l'information à l'ORTF.

1974, 1981 : avant le second tour de l'élection présidentielle, face à face télévisé très suivi de V. Giscard d'Estaing et F. Mitterrand.

1981 : débuts discrets de l'émission du *Bébête Show* qui brocarde les hommes politiques.

1982-1995 : sur Antenne 2, exceptionnelle longévité de l'émission *L'Heure de vérité*, présentée par François-Henri de Virieu et animée notamment par Alain Duhamel.

1984 : (février) Yves Montand anime *Vive la crise*, une émission économique de Michel Albert (Antenne 2).

1985 : (27 octobre) le débat télévisé (TFI), entre J. Chirac et L. Fabius, plutôt à l'avantage du premier, révèle le poids des médias dans la politique.

1988 : débat entre F. Mitterrand et J. Chirac entre les deux tours des élections présidentielles.

1991 : (19 août) à l'issue de l'intervention de F. Mitterrand à la télévision, une partie de la classe politique et de l'opinion lui reproche de n'avoir pas condamné plus nettement le putsch contre Gorbatchev.

1992 : (septembre) dans le cadre de la campagne pour le référendum sur Maastricht, un débat très argumenté oppose Philippe Séguin, partisan du « non », à F. Mitterrand.

1994 : (septembre) l'entretien avec J.-P. Elkabbach, au cours duquel le président de la République explique son attitude sous le gouvernement de Vichy, constitue un grand moment de télévision.

1995 : précédant le 2e tour des présidentielles, le débat entre J. Chirac et L. Jospin est empreint de courtoisie.

2001 (interview télévisée du 14 juillet) : J. Chirac critique vertement l'action du Gouvernement en matière de Défense.

2002 : J. Chirac refuse tout débat d'entre-deux tours avec J.-M. Le Pen.

2005 (14 avril à TF1, émission *Référendum*) : face à un panel de jeunes, J. Chirac participe à une émission d'info-divertissement. Resté perplexe et désireux d'expliquer mieux, il recourt le 4 mai à un entretien télévisé plus classique.

2006 (novembre) : les débats des « primaires » entre les candidats socialistes sont transmis en direct lors de trois émissions télévisées.

2007 : avant le second tour des présidentielles, la confrontation entre N. Sarkozy et S. Royal connaît un moment de vive tension.

2009 (4 juin) : au cours d'un débat précédant les élections européennes, à France 2, D. Cohn-Bendit et F. Bayrou s'affrontent jusqu'à l'insulte.

2010 (25 janvier, à TF1, *Paroles de Français*) : N. Sarkozy répond à onze personnes qui évoquent leurs problèmes professionnels. « Une nation, c'est comme une famille. On dit ce qui va, on dit ce qui va pas », affirme le président.

2012 : (3 mai) dans le débat du second tour des présidentielles, face à N. Sarkozy, F. Hollande place son anaphore « Moi, président », que ses détracteurs reprendront plus tard ironiquement.

2014 : (14 janvier) inflexion dans le quinquennat : F. Hollande consacre sa conférence de presse à la présentation des pactes de responsabilité et de solidarité.

2014 : (19 septembre) sur sa page *Facebook*, N. Sarkozy se porte candidat à la présidence de sa famille politique.

2015 : (7-9 janvier) grâce aux chaînes d'information continue, la France entière suit les péripéties de l'attentat à *Charlie Hebdo* et de la prise d'otages à l'Hyper Casher, ainsi que de la traque des terroristes.

2015 : (10 septembre) dans une interview au *Figaro*, puis au « 20 heures » de TF1, N. Sarkozy expose son point de vue sur le problème des migrants et sur l'issue des conflits en Syrie et en Irak.

2017 : (3 mai) le débat d'entre-deux-tours tourne au désavantage de Marine Le Pen face à Emmanuel Macron.

2018 : (1er décembre) les chaînes d'information diffusent en continu les scènes d'émeutes et le saccage de l'Arc-de-Triomphe.

CONCLUSION

Âgée de plus de soixante ans, la Ve République est reconnue comme un régime stable. En effet, les modifications constitutionnelles votées depuis 1958 ont permis des adaptations, sans compromettre l'architecture générale, et ont renforcé le pouvoir exécutif, sans régler toutefois ses rapports délicats avec le judiciaire. La France a ainsi connu l'alternance présidentielle, puis l'alternance parlementaire (cohabitation).

Puissance d'importance moyenne, quoique membre du Conseil de sécurité de l'ONU, la France a conduit une politique extérieure relativement indépendante, en refusant même de participer à la guerre contre l'Irak en 2003, mais en décidant à plusieurs reprises d'intervenir militairement en Afrique pour aider des États alliés (Tchad, République centrafricaine et, depuis 2013, Mali et Sahel) et en prenant part à la lutte contre l'État islamique. Elle a assuré la promotion internationale des droits de l'Homme. Elle a pris toute sa part dans le renforcement et l'élargissement de l'Union européenne.

En 2017, se produit un événement majeur inédit sous la Ve République. Un homme de 39 ans, ancien secrétaire général adjoint de l'Élysée, puis ministre, mais professionnel de la politique depuis peu, remporte l'élection présidentielle alors même qu'il ne s'appuyait sur aucune formation parlementaire capable d'orchestrer une campagne électorale. En tête dès le premier tour, Emmanuel Macron bat facilement sa rivale Marine Le Pen. Son succès se confirme avec la victoire, aux législatives, des candidats de La République En Marche (LREM), parmi lesquels de nombreux membres d'autres partis ralliés à lui. Le projet présidentiel comporte des réformes en profondeur, dont la diminution du nombre des députés et des sénateurs et la modification du mode de scrutin pour les législatives (introduction d'une dose de proportionnelle). D'emblée, le paysage politique du pays est entièrement recomposé.

La France est dans un état d'inquiétude et de découragement. La crise de la représentation politique, bien antérieure à 2017, se prolonge, confirmée par les baromètres annuels du Cevipof et les enquêtes des instituts de sondages. De nombreux Français considèrent que les hommes politiques ne se préoccupent pas de leurs problèmes et deux tiers d'entre eux pensent qu'ils sont corrompus. La crise de confiance est à son comble. Sur un fond latent d'antiparlementarisme, on leur reproche leur absentéisme à l'Assemblée et leur connivence avec les médias.

L'exécutif traverse aussi une crise du résultat. Depuis les années 2000, le chômage de masse et l'insécurité ne sont pas éradiqués, et les citoyens estiment les politiques incapables de régler les problèmes de la société. Jean-François Sirinelli a mis en avant les « 4 P » qui portaient la Ve République dans les années 1960 : Prospérité, Plein emploi, Progrès, Paix. Tous quatre ont disparu. Les deux premiers sont un simple souvenir, le Progrès scientifique et technologique est devenu un repoussoir de l'écologie et la mutation numérique ne constitue pas un ciment suffisant à l'échelon de la nation, malgré l'ironie de l'expression « réseau social ». Quant à la Paix, les attentats meurtriers perpétrés depuis 2015 l'ont fait disparaître, tout en amplifiant la responsabilité d'un État démocratique qui doit concilier la capacité de riposte avec la sauvegarde des libertés publiques. Avec l'assassinat, à Paris, de quatre fonctionnaires de police par un de leurs collègues (Préfecture de police, 3 octobre 2019), la France prend conscience de la lourde menace que peut constituer un terrorisme islamiste au cœur même de l'institution.

Par ailleurs, les Français ne se retrouvent pas dans le système d'information. L'hypertrophie de l'information en continu rendant tout visible tout de suite, les moindres écarts du pouvoir renforcent les convictions préétablies.

Des inquiétudes sociales perdurent aussi, liées à la crainte de l'avenir : chez les étudiants face à la rareté de certains débouchés, chez les salariés menacés de délocalisation ou proches de la retraite, chez les chômeurs, chez les citoyens impressionnés par les menaces pesant sur l'environnement et sur les modes de production agroalimentaire.

Sans nul doute, la France se trouve face à des mutations sans précédents (mondialisation, société post-industrielle, afflux de migrants « économiques », révolution des médias et du numérique, montée en puissance de l'écologie, restrictions budgétaires), alors que de grands repères républicains – politiques, religieux, culturels, scolaires, syndicaux – ont perdu de leur force.

En 2016-2017, pour se lancer dans l'aventure élyséenne, Emmanuel Macron a su lire ce mal-être, mais il n'a pas anticipé la crise des « gilets jaunes », ni, au vu du calendrier, réagi assez vite à son explosion (voir p. 252). Toutefois, la tenue du « Grand débat » a créé des moments inédits d'échange démocratique : ainsi, lors de la réunion des maires d'Occitanie à Souillac (19 janvier 2019), un maire du Lot a énuméré les mots et les phrases du Président qui ont blessé leurs destinataires et d'autres Français.

Emmanuel Macron a su analyser les nouveaux clivages, déjà en partie perceptibles lors du référendum de 2005 : société ouverte/société de recentrage national, proeuropéens/antieuropéens, élites/peuple. La faiblesse des anciens grands partis de gouvernement ayant facilité sa victoire, il continue d'entretenir cette fragilité de l'opposition. Conforté par le résultat des élections européennes, il aborde une deuxième phase de son quinquennat avec l'expérience acquise sur un terrain mouvant, et face à un avenir forcément incertain.

Bibliographie générale

❑ ***Pour un cadrage général des deux siècles,*** plusieurs collections sont particulièrement utiles :
– « Carré Histoire » (Hachette) :
ADOUMIÉ (Vincent), *La Fin d'une République : 1918-1945*, 2019.
ALBERTINI (Pierre), *L'école en France*, 2014.
– « Histoire de France » (coll. « Pluriel », Hachette) :
FURET (François), *La Révolution* (1770-1880), 2010.
AGULHON (Maurice), *La République* (2 vol., de 1880 à nos jours), 2011 et 2014.
– « Histoire de France » (Belin), sous la direction de Joël Cornette :
APRILE (Sylvie), *La Révolution inachevée (1815-1870)*, 2010.
DUCLERT (Vincent), *La République imaginée (1870-1914)*, 2010.
BEAUPRÉ (Nicolas), *Les Grandes Guerres (1914-1945)*, 2013.
ZANCARINI-FOURNEL (Michelle) et DELACROIX (Christian), *La France du temps présent*, 2012.
– « HU Histoire » (Hachette) :
HEFFER (Jean) et SERMAN (William), *Le XIXe siècle : 1815-1914*, 2011.
BERGER (Françoise) et FERRAGU (Gilles), *Le XXe siècle : 1914-2001*, 2013.
– « Histoire de la France politique » (Seuil) :
BERSTEIN (Serge) et WINOCK (Michel) (dir.), 2 volumes, 1 – *L'invention de la démocratie (1789-1914)*, 2 – *La République recommencée (De 1914 à nos jours)*, 2002 et 2004.

❑ ***Des outils très complets :***
DUCLERT (Vincent) et PROCHASSON (Christophe) (dir.), *Dictionnaire critique de la République*, Flammarion, 2e éd., 2007.
SIRINELLI (Jean-François) (dir), *Dictionnaire historique de la vie politique française au XXe siècle*, réédition PUF, 1995.
VIVIER (Nadine) (dir.), *Dictionnaire de la France du XIXe siècle*, coll. « Carré Histoire », Hachette, 2002.

❑ ***Un manuel classique :***
AGULHON (Maurice), NOUSCHI (André), OLIVESI (Antoine) et SCHOR (Ralph), *La France de 1848 à nos jours*, A. Colin, rééd. 2014.

❑ ***Deux sommes fondamentales :***
JULLIARD (Jacques), *Les Gauches françaises (1762-2012)*, coll. « Champs », Flammarion, 2013.
SIRINELLI (Jean-François) (dir.), *Histoire des droites en France*, Gallimard, 1992. 2e éd. « Folio Histoire », 3 vol. (1 – Politique ; 2 – Cultures ; 3 – Sensibilités), 2006.

Des études fouillées sur une période précise :

BECKER (Jean-Jacques), *Histoire politique de la France depuis 1945*, coll. « Cursus », Armand Colin, 11e éd., 2015.

BONIFACE (Xavier), *L'armée, l'Église et la République (1879-1914)*, Ministère de la Défense/Nouveau monde éditions, 2012.

BOUDON (Jacques-Olivier), *Religion et Politique en France depuis 1789*, coll. « Cursus », Armand Colin, 2007.

FUREIX (Emmanuel) et JARRIGE (François), *La Modernité désenchantée (relire l'histoire du XIXe siècle français)*, La Découverte, 2015.

LE GALL (Laurent), OFFERLÉ (Michel) et PLOUX (François), *La Politique sans en avoir l'air (Aspects de la politique informelle, XIXe-XXIe* siècle), coll. « Histoire », PUR, Rennes, 2012.

MAYEUR (Jean-Marie), *La vie politique sous la IIIe République*, coll. « Points Histoire », Seuil, 1984.

Deux éclairages importants sur le concept de culture politique :

BERSTEIN (Serge) (dir.), *Les cultures politiques en France*, coll. « L'Univers historique », Seuil, 1999.

BRECHON (Pierre), LAURENT (Annie), PERRINEAU (Pascal) (dir.), *Les cultures politiques des Français*, Presses de Sciences Po, 2000.

Des essais de synthèse stimulants :

ROSANVALLON (Pierre), *La démocratie inachevée. Histoire de la souveraineté du peuple en France*, Gallimard, 2000. et *La légitimité démocratique ; impartialité, réflexivité, proximité*, Seuil, 2008.

ZANCARINI-FOURNEL (Michelle), *Histoire des femmes en France, XIXe-XXe siècles*, PUR, Rennes, 2005.

De précieuses anthologies de textes :

FRANCONIE (Grégoire), *Les grands textes de la droite*, coll. « Champs classiques », Flammarion, 2017.

FRANCONIE (Grégoire) et JULLIARD (Jacques), *Les grands textes de la gauche*, coll. « Champs classiques », Flammarion, 2017.

MILZA (Pierre), *Sources de la France du XXe siècle*, coll. « Textes essentiels », Larousse, 1997.

Des périodiques indispensables :

– Parmi les collections de la Documentation française : *Les Études, Problèmes politiques et sociaux, Regards sur l'actualité.*

– *Le Débat* (Gallimard), depuis 1980.

– *Histoire@Politique* (www.histoire-politique.fr), Presses de Sciences Po, depuis 2007.

– *Pouvoirs* (PUF de 1978 à 1993, puis le Seuil).

– *Vingtième siècle, Revue d'histoire* (Presses de Sciences Po), paraît depuis 1984.

Index

Les mots en **gras** correspondent à des notions ou sujets clés faisant l'objet d'un large développement ou d'une définition que l'on trouvera aux pages indiquées en gras.

